« N'AYEZ PAS PEUR ! »

Dialogue avec Jean-Paul II

« N'AYEZ PAS PEUR ! »

André Frossard
dialogue avec

JEAN-PAUL II

FRANCE LOISIRS
123, boulevard de Grenelle, Paris

Édition du Club France Loisirs, Paris,
avec l'autorisation des Éditions Robert Laffont.

ISBN 2-7242-1699-7

Le jour d'octobre où il est apparu pour la première fois sur les marches de Saint-Pierre, un grand crucifix planté devant lui comme une épée à deux mains, lorsque ses premières paroles, « *Non abbiate paura !* » (N'ayez pas peur !), résonnèrent sur la place, à l'instant même tout le monde comprit que quelque chose avait bougé dans le ciel et que, après l'homme de bonne volonté qui avait ouvert le concile, après le grand spirituel qui l'avait clos et après un intermède doux et fugitif comme un passage de colombe, Dieu nous envoyait un témoin.

On avait appris qu'il venait de Pologne. J'avais plutôt l'impression qu'il avait laissé ses filets sur le bord d'un lac et qu'il arrivait tout droit de Galilée, sur les talons de l'apôtre Pierre. Jamais je ne m'étais senti aussi près de l'Evangile. Car ce « N'ayez pas peur ! » s'adressait sans doute au monde où l'homme a peur de l'homme, peur de la vie tout autant et peut-être plus encore que de la mort, peur des folles énergies qu'il tient prisonnières, peur de tout, de rien et quelquefois de sa propre peur ; mais c'était aussi, ou cela pouvait être, l'exhortation d'un disciple de l'aube chrétienne à ses frères appelés à rendre témoignage et, tandis qu'il parlait, le souvenir du cirque de Néron sur quoi Saint-Pierre est bâti remontait sous les marbres.

Ni pour la foule étonnée sur la place, le visage levé dans une autre lumière, ni pour mes voisins, qui pleuraient, ni pour moi le doute n'était possible : le christianisme allait recommencer ; il sortait une fois de plus de la tombe que le monde croyait définitivement scellée. Ce pape serait celui d'un renouveau chrétien, et l'espérance enfuie reviendrait en force avec lui parmi nous. Ce ne serait pas un pape traditionaliste, comme on ne manquerait pas de le suggérer plus tard, ni même un pape traditionnel, mais un pape d'avant la tradition, de la lignée des premiers apôtres, surgissant avec sa croix au milieu des mêmes empires païens qu'autrefois, tout aussi prompts à se diviniser eux-mêmes et à se gaver d'adorations indues.

Non, le ciel ne s'est pas ouvert. Cependant, aussi vrai que notre histoire d'hommes n'est que le lent développement à ras de terre des choix décisifs qui se font d'âge en âge dans le ciel des pensées, ce jour-là le temps a hésité, l'histoire a laissé un instant la parole à l'éternité.

Mais l'Evangile n'est pas d'une époque, il se renouvelle avec chaque génération. L'une y puise avec Marie-Madeleine sa ferveur contemplative, et bâtit Vézelay ; l'autre y cherche sa morale, et construit de raisonnables édifices où la rigueur des lignes rencontre celle de la loi. De nos jours, qui sont ceux du doute généralisé, du doute considéré comme un des beaux-arts par certains désenchantés, du doute sur l'avenir de la science et de l'humanité elle-même, l'Evangile nous propose tout simplement la foi, unique remède à la barbarie des temps.

Si ce n'est pas encore très clair, cela le sera bientôt ; et ce qui l'est déjà, c'est que nous traversons une période extraordinaire de fluidité historique, vide de tout point d'appui moral ou rationnel, un intervalle de valeurs et d'idéologies liquéfiées où la seule ressource de celui qui veut avancer est de marcher sur les eaux : l'homme de foi qui est à Rome est de ceux qui ne craignent pas de répondre à l'appel qui vient de la barque du Christ. « N'ayez pas peur ! », dit-il. Et sa voix porte.

Elle porte loin. Et avec elle, les mots soudain retrouvent leur jeunesse, avec la substance dont nos intempérances de langage les avait vidés. Lorsque vous regardez des pommes peintes par Cézanne ou quelque autre génie, vous avez l'impression de n'avoir jamais vu de pommes, ou en tout cas de ne leur avoir jamais accordé l'attention qu'elles méritent. De même le mot « terre » n'est pas le même, selon qu'il est prononcé par un ingénieur du cadastre ou lancé du haut d'un mât, à la pointe d'une caravelle. Ainsi lorsque Jean-Paul II s'écrie en paraissant en public : « Loué soit Jésus-Christ ! », l'expression cesse d'être une sorte de banalité rituelle pour devenir tout à coup l'exclamation d'une découverte. Cette propriété de ressusciter les mots est l'apanage des poètes, des grands mystiques et, tout naturellement, des apôtres du Christ, qui sont les délégués du Verbe. Les peuples ne s'y trompent pas. Les peuples, en ce domaine, ont l'oreille musicale.

C'est en pensant à eux, à leurs angoisses, à leurs incertitudes, à leurs interrogations laissées si souvent sans réponse par « les sages et les savants » qu'il m'a dit un jour :

Dialogue avec Jean-Paul II

« Posez-moi des questions. »

Je crois bien lui en avoir posé soixante-dix. Il n'en a esquivé aucune.

Ainsi commença le dialogue que l'on va lire.

SA PERSONNE

I

Si certaines de mes questions, toutefois, ont trouvé Jean-Paul II quelque peu réticent, ce sont celles qui avaient trait à sa propre personne. Jean-Paul II n'aime pas parler de lui-même. Ses biographes en sont généralement réduits à consulter le registre de la paroisse de Wadowice, où il a été baptisé le 20 juin 1920, et qui raconte sa vie dans le style dépouillé des documents d'état civil : prêtre le tant, évêque, archevêque, cardinal à telle et telle date et, pour finir, « Elu pape le 16 octobre 1978, a pris le nom de Jean-Paul II », cette dernière mention débordant du cadre des observations dans la marge inférieure du registre, sans autre commentaire qu'une passagère hésitation de plume et une rature, ou un pâté, au ras de la page.

Je n'ai rien contre les raccourcis biographiques. Toutefois, j'aimerais que le pape m'en dise un peu plus que l'état civil de Wadowice.

Il me déclare d'abord que ma petite question en implique beaucoup d'autres de caractère tout personnel, qu'il n'entrera pas dans ces détails où sombrent si facilement les autobiographies et qu'il s'en tiendra à l'essentiel. Après quelques considérations philosophiques sur le « temps intérieur », qui n'est pas celui des pendules, et sur la disproportion que chacun peut constater entre la longueur psychologique des premières années d'enfance et les souvenirs fragmentaires qu'elles nous laissent, il en vient aux faits que l'on ne trouve pas dans le registre de sa paroisse natale, ou qui n'y figurent pas à la même page : les deuils, qui ont marqué son enfance et son adolescence :

« A vingt ans, j'avais déjà perdu tous ceux que j'aimais et même ceux que j'aurais pu aimer, comme cette grande sœur dont on m'a appris qu'elle était morte six ans avant ma naissance. Je n'avais pas l'âge de ma première communion lorsque j'ai perdu ma mère, qui n'a pas eu le bonheur de voir ce jour qu'elle attendait comme un grand jour. Elle voulait deux fils, l'un médecin, l'autre prêtre ; mon frère était médecin, et, malgré tout, je suis devenu prêtre. »

Il n'a jamais vu sa mère que malade. C'est elle, sans doute, qui lui a appris à prier. Ses souvenirs d'elle sont assez imprécis ; pourtant, il se rappelle avoir ressenti comme une privation un voyage qu'elle fit sans lui à Cracovie, probablement pour consulter des médecins. Son frère, plus âgé que lui de quatorze ans, était évidemment plus « proche » d'elle, dont l'absence lui est devenue cruelle peu à peu, à partir de l'adolescence. Il devait remarquer par la suite, en préparant les jeunes gens au mariage, que les garçons recherchaient souvent l'image de leur mère dans leur fiancée. Il vient un moment, me dit-il, où les garçons élevés par le père (si bien et si tendrement le soient-ils) s'aperçoivent douloureusement qu'ils ont été privés de mère :

« Mon frère Edmond est mort d'une épidémie virulente de scarlatine, à l'hôpital où il faisait ses débuts de médecin. Aujourd'hui, les antibiotiques l'auraient sauvé. J'avais douze ans. La mort de ma mère s'est profondément inscrite dans ma mémoire, et plus encore peut-être celle de mon frère, à cause des circonstances dramatiques dans lesquelles elle est survenue, et parce que j'étais plus mûr.

« Ainsi, je suis devenu relativement tôt orphelin de mère et enfant unique. Mon père a été admirable, et presque tous mes souvenirs d'enfance et d'adolescence se rapportent à lui. La violence des coups qui l'avaient frappé avait ouvert en lui d'immenses profondeurs spirituelles, son chagrin se faisait prière. Le simple fait de le voir s'agenouiller a eu une influence décisive sur mes jeunes années. Il était si exigeant envers lui-même qu'il n'avait nul besoin de se montrer exigeant à l'égard de son fils : son exemple suffisait à enseigner la discipline et le sens du devoir. C'était un être exceptionnel. Il est mort presque soudainement pendant la guerre, sous l'occupation nazie. Je n'avais pas vingt et un ans. »

Désormais il est seul, dans un pays occupé, et même doublement occupé de 1939 à 1941, par les Allemands et par les Russes.

« A l'époque, j'étais ouvrier. Je travaillais dans une carrière de pierre meulière qui fournissait l'usine de sodium du quartier de Cracovie appelé Borek Falecki. Quelques mois après la mort de mon père, je fus transféré de la carrière à l'usine même, dans le secteur du nettoyage de l'eau destinée aux chaudières. Ce sont les circonstances qui m'ont dirigé vers le travail manuel. En automne 1938, après mes études au lycée de Wadowice, je m'étais inscrit à l'université Jagellonne de Cracovie pour y étudier la philosophie, et la philologie polonaise. Un an plus tard, l'université était fermée par l'occupant et ses professeurs, dont un bon nombre d'âge avancé et de grande valeur, déportés au camp de concentration de Sachsenhausen. D'où la carrière de pierre meulière, où plusieurs de mes camarades d'études vinrent travailler avec moi.

« Si je dois beaucoup à une seule année d'études à la plus ancienne université de Pologne, je ne crains pas de dire que les quatre années suivantes, en milieu ouvrier, ont été pour moi un bienfait de la Providence. L'expérience que j'ai acquise dans cette période de la vie est sans prix. J'ai souvent dit que je lui accordais peut-être plus de valeur qu'à un doctorat, ce qui ne signifie pas que je mésestime les diplômes universitaires ! »

Il en a lui-même obtenu plusieurs. Sans peine, du reste. Il a toujours étudié facilement et avec plaisir.

Mais sa vocation ? Sans être tardive, elle a tardé :

« Vers la fin de mes études au lycée, on pensait autour de moi que je choisirais la prêtrise. Quant à moi, je n'y songeais pas. J'étais bien sûr de rester un laïc. Engagé, certes, résolu à participer à la vie de l'Eglise, sans aucun doute ; mais prêtre, certainement pas. »

Il cite l'épître aux Hébreux : « Que nul ne s'arroge à soi-même cet honneur ! » En ce domaine on ne choisit pas, on est choisi. La vocation dont il écartait la pensée est venue tout de même. Elle l'attendait à la sortie des soirées de « théâtre rhapsodique », où il aimait à réciter des poèmes avec d'autres jeunes, épris comme lui de littérature :

« Après la mort de mon père, survenue en février 1941, j'ai pris peu à peu conscience de ma véritable voie. Je travaillais à l'usine, je m'adonnais, autant que la terreur de l'occupation le permettait, à mon penchant pour les lettres et pour l'art dramatique. Ma vocation sacerdotale a pris corps au milieu de tout cela, comme un fait intérieur, d'une transparence indiscutable et absolue. L'année suivante, à l'automne, je savais que j'étais appelé. Je voyais clairement ce qu'il me fallait quitter, et le but que je devais atteindre, " sans un regard en arrière ". Je serais prêtre. »

« Ce qu'il fallait quitter ? » Chacun se rappelle avoir vu Jean-Paul II prélever quelque enfant dans la foule, l'enlever dans les airs et le serrer dans ses bras ; et qui a vu cela se pose la question de l'amour humain. Je la pose :

« Je vous répondrai brièvement : dans ce domaine j'ai reçu plus de grâces que je n'ai eu de luttes à mener. Il y eut un jour où j'ai su de toute certitude que ma vie ne se réaliserait pas dans l'amour humain dont j'ai toujours ressenti profondément la beauté. Pasteur, j'ai eu bien des jeunes à préparer au mariage. Ma qualité de prêtre ne m'a jamais séparé d'eux ; au contraire, elle m'en a rapproché, et m'a aidé à mieux les comprendre.

« Ils se rencontraient, se choisissaient, fondaient

des foyers. Je bénissais leurs mariages, je prenais part à leurs joies de jeunes parents, je baptisais les enfants qui venaient au monde. Ils étaient en confiance, et nous causions librement de tous leurs problèmes.

« Le fait que ma voie diffère de la leur ne me rendait pas étranger, bien au contraire. J'ai lu un jour dans les œuvres de Max Scheler que la virginité et le célibat ont une importance toute particulière pour mieux comprendre la valeur du mariage, de la vie familiale, de la maternité et de la paternité. Je trouve cette opinion extrêmement juste et pertinente. L'amour humain des fiançailles, des époux, des pères et des mères était un thème courant de ma réflexion et de mes interventions, lié à toute l'expérience de ma vie, sur ma propre voie, ou dans la compagnie de ceux qui avaient pris un autre chemin. Il en a toujours été ainsi, il en est de même aujourd'hui. C'est un grand thème que je ne cesse de scruter, et je vois de mieux en mieux à quelle profondeur il est inscrit dans les paroles de la Révélation. Je crois qu'il y a là beaucoup à faire. La situation dans l'Eglise et dans le monde est un défi à cet égard. »

Le mot « défi » reviendra souvent dans la conversation. Il est à prendre le plus souvent dans le sens d' « incitation » ou de « provocation » à agir ou à réagir pour le bien, la justice, la vérité.

« Le Christ nous demande la pureté du cœur selon notre état et notre vocation. Il l'exige carrément. Mais bien plus encore il nous indique le chemin de valeurs qui ne se révèlent qu'au regard et au cœur purs. On n'acquiert pas cette pureté sans renoncements, sans combats intérieurs contre notre propre faiblesse ; mais, une fois acquise, cette maturité de la pensée et du cœur compense au centuple les efforts dont elle est le prix. Il en résulte une nouvelle spontanéité de sentiments, de gestes, de comportement qui facilite les rapports avec les gens, surtout avec les enfants... Je pense que j'ai répondu à votre question. »

Il a répondu en prêtre. Mais à ce moment de notre conversation, il ne l'est pas encore. Nous retournons en Pologne, où le jeune homme qui ne se croyait pas fait pour le sacerdoce s'était découvert la vocation. Normalement, son chemin passait par la formation religieuse. Mais, si l'occupant nazi fermait les universités, ce n'était pas pour ouvrir des séminaires, et la formation sacerdotale se faisait dans la plus stricte clandestinité. La théologie avait pris le maquis :

« En octobre 1942, je devins l'un des élèves du séminaire clandestin lié à la faculté de théologie de l'université Jagellonne, qui fonctionnait hors la vue de l'occupant. Je me préparais aux examens pendant mes heures de liberté et même, dans la mesure du possible, durant les intervalles de mon travail en usine. »

Ici se place une découverte intellectuelle, une sorte de révolution copernicienne dans le ciel de ses idées. Pour l'initier à la métaphysique, on donne au nouveau séminariste un manuel de base :

« D'emblée, ce fut l'obstacle. Ma formation littéraire, centrée sur les sciences humaines, ne m'avait absolument pas préparé aux thèses et aux formules scolastiques que le manuel me proposait d'un bout à l'autre. J'avais à me frayer un chemin à travers une épaisse broussaille de concepts, d'analyses et d'axiomes, sans même pouvoir identifier le terrain sur lequel j'évoluais. Après avoir taillé pendant deux mois dans cette végétation, ce fut l'éclaircie, la découverte des raisons profondes de ce que je n'avais encore que vécu et pressenti. Reçu à l'examen, je dis à mon examinateur qu'à mon avis la nouvelle vision du monde que j'avais conquise dans ce corps à corps avec mon manuel de métaphysique était plus précieuse que la note que j'avais obtenue. Je n'exagérais pas. Ce que l'intuition et la sensibilité m'avaient appris jusque-là sur le monde se trouvait solidement confirmé. »

Cette coïncidence, que l'on n'hésitera pas à qualifier de miraculeuse entre la vie et un manuel de philosophie, a eu un effet décisif :

« Cette découverte, qui est à la base des structures qui sont encore les miennes aujourd'hui, est à l'origine aussi de ma vocation essentiellement pastorale. Les circonstances ne m'ont jamais laissé beaucoup de temps pour étudier. Par tempérament, je préfère la pensée à l'érudition, j'ai pu m'en rendre compte pendant ma courte carrière de professeur à Cracovie et à Lublin. Ma conception de la personne, " unique " dans son identité, et de l'homme, comme tel au centre de l'univers, est née de l'expérience et du partage avec les autres, beaucoup plus que de la lecture. Les livres, l'étude, la réflexion et la discussion — que je ne fuis pas, vous le savez — m'aident à formuler ce que l'expérience m'enseigne. Dans ces deux dimensions de ma vie et de mon activité, la vocation pastorale l'emportait sur celle de professeur et d'homme d'études : elle se montrait graduellement plus profonde et plus forte ; mais si elles se sont éloignées l'une de l'autre, il n'y eut jamais de rupture entre elles. »

La vie, l'expérience. Et l'amitié ?

« Je dois une profonde gratitude à plusieurs prêtres, surtout à l'un d'eux, aujourd'hui très âgé, et qui dans ma prime jeunesse m'a rapproché du Christ par sa bonté et sa simplicité. Il était mon confesseur et c'est lui qui a su à quel moment exact il convenait de me dire : " Le Christ t'appelle au sacerdoce. " Ma reconnaissance va aussi aux éducateurs du séminaire, aux professeurs de théologie, aux vicaires qui ont été mes confrères durant mon bref intermède paroissial, et singulièrement à l'un d'eux.

« Je ne peux oublier le cardinal Sapieha qui pendant la guerre et la terrible occupation s'est conduit en véritable père de la patrie.

« J'ai eu beaucoup d'amis laïcs, à l'université, à l'usine, dans la résistance. Je devrais les remercier tous, un à un : je m'efforce de le faire devant Dieu, en pensant tout d'abord à ceux qui ne sont plus de ce monde. Parmi ces derniers, je songe à un homme très simple, et qui était l'un de ces saints inconnus, cachés au milieu des autres comme une merveilleuse lumière au fond de la vie, à une profondeur où d'habitude règne la nuit. Il m'a ouvert les richesses de sa vie intérieure, de sa vie mystique. Il avait abrégé ses études pour travailler comme tailleur dans l'atelier de son père : ce travail convenait davantage à sa vie intérieure. Sous l'occupation, il a été un véritable maître de vie spirituelle pour beaucoup de jeunes réunis en " rosaire vivant " autour de ma paroisse. Son nom était Jean. Par sa parole, sa spiritualité, l'exemple de sa vie tout entière donnée à Dieu seul, il représentait un monde nouveau que je ne connaissais pas encore. J'ai vu la beauté de l'âme déployée par la grâce. Je ne pensais pas encore à la prêtrise quand il m'a donné à lire parmi d'autres les ouvrages de saint Jean de la Croix, dont il a été le premier à me parler. Il était de cette école.

« Plus tard, étudiant en théologie, j'ai appris tout seul l'espagnol pour commenter la pensée du Docteur mystique dans ma thèse de doctorat, commencée à Cracovie, poursuivie à Rome, à l'Angelicum, jusqu'à l'examen final qui a eu lieu en deux temps, à Rome et à Cracovie. Mais ce n'est pas là l'important. Ce qui compte, c'est ce que je dois à l'admirable inconnu dont je viens d'évoquer le souvenir : la révélation d'un univers. Le choc a été comparable à celui que j'ai ressenti, comme je vous le disais tout à l'heure, au fond de ma forêt métaphysique. »

Donc l'ouvrier de l'usine de sodium, le séminariste clandestin de l'université secrète de Cracovie — et qui a gardé dans son allure décidée quelque chose du maquisard des Carpates — est devenu prêtre, évêque, archevêque, cardinal (voir le registre de Wadowice). Cette partie de sa vie est connue. Mais, depuis le jour où il a revêtu ses ornements pour dire sa première messe, sa conception du sacerdoce et du rôle du prêtre a-t-elle changé ?

« Non, pour l'essentiel. Le concile de Vatican II nous a donné un nouveau regard sur la participation de tout le peuple de Dieu " au don sacerdotal du Christ ". Le sacrement de l'ordre, à la fois hiérarchique et ministériel, a été implanté dans le contexte universel du sacerdoce des fidèles. Cependant, l'intelligence correcte du ministère des prêtres (*a fortiori* des évêques) ne peut être autre chose que le fruit mûr d'une participation singulière à la plénitude universelle du sacerdoce de Jésus-Christ lui-même, participation née du sacrement qui donne le pouvoir de continuer le sacrifice contenant toute la puissance de la rédemption ; sacrement qui, tel jour, marque d'une empreinte indélébile l'âme humaine en y gravant le sceau du *Prêtre Eternel*.

« Les saints prêtres des siècles passés donnaient toujours à leur vocation et à leur service des dimensions nettement communautaires, on pourrait même dire " horizontales ", en vivant d'abord " pour les autres ". Cependant, il est clair, d'une clarté totale, que cet " horizontalisme " était fonction d'un sens vertical authentique, non pas abstrait mais effectivement existentiel, enraciné dans le mystère du Christ-prêtre.

« Ainsi donc, après Vatican II ne furent nullement dévalués à mes yeux ces modèles vivants qui m'interpellaient avec tant de vigueur au temps de mon séminaire et pendant mes années de jeune prêtre. Bien au contraire, je suis persuadé que ces modèles m'ont aidé de manière décisive à adopter l'idée du sacerdoce que nous a proposée le concile, dans toute sa richesse et son authenticité.

« Mes modèles ? Ils sont nombreux. Je dois beaucoup à saint François d'Assise, qui ne se croyant pas digne de l'ordination s'en tint au diaconat, et à frère Albert Chmielowski, son plus fidèle disciple dans ma patrie. Vers la fin du siècle dernier, frère Albert a été l'un des artisans de la renaissance spirituelle de la Pologne. Toute sa vie d'étudiant, de peintre déchiré de conflits intérieurs, puis de tertiaire de saint François et de serviteur des pauvres, idéal où il trouva la paix, peut être résumée par ces mots d'un excellent biographe : " Il a donné son âme. " Voilà ! Je vous le demande, qu'est-ce donc qu'une vocation sacerdotale, si ce n'est un appel à donner son âme ? Nous avons grand besoin, nous prêtres, de modèles qui nous apprennent à être exigeants envers nous-mêmes, qui nous montrent à quel point le sacerdoce ministériel du Christ nous dépasse, et nous entraînent à " chercher plus haut ". »

Les deux premiers modèles que me cite Jean-Paul II n'étaient pas prêtres. Le troisième l'était. A la perfection. C'est celui que l'on appelle « le saint curé d'Ars » :

« Au séminaire, j'ai lu avec une émotion qui ne devait rien à la littérature le livre du chanoine Trochu sur Jean-Baptiste Marie Vianney, curé d'Ars, dont toute la vie a été un témoignage rendu à la puissance du Christ-prêtre. J'estime que nous n'avons pas le droit de renoncer à de tels modèles sous prétexte d'adaptation ou de recyclage. Nous ne pouvons les tenir pour " périmés " ou " inactuels ", et moins encore comme des illustrations défraîchies d'une théologie " à une seule dimension " (on entend cela, parfois). Nous pouvons, nous devons même les imiter, en les relisant à la lumière — ou à la lueur — des temps nouveaux. Si le curé d'Ars vivait de nos jours, il n'y a pas l'ombre d'un doute qu'il appliquerait à l'apostolat et au service pastoral d'aujourd'hui tout l'héroïsme de sa vie de prêtre, tout l'amour évangélique qui rayonne de sa personne.

« Peut-on imaginer qu'il serait prêtre-ouvrier ? Je le crois, si l'on tient compte du radicalisme évangélique que suppose cette orientation. Toutefois, il est probable qu'au bout de quelque temps ses camarades de travail lui demanderaient d'être un peu moins ouvrier et prêtre un peu plus, pour les instruire, visiter les malades et apprendre les vérités de foi à leurs enfants. »

La mission ouvrière n'attendrait-elle pas son Vianney du XXe siècle ? Un Vianney de la classe ouvrière ? Je ne pose pas la question, mais j'ai l'impression que le pape se la pose.

II

Ce nom de « Wojtyla », qui, prononcé à la française, évoque le galop de cavalerie dans la steppe, a pour les oreilles occidentales quelque chose d'africain dans sa prononciation correcte, « Voïtèoa », et nombre de ceux qui l'entendirent proclamer sur la place Saint-Pierre par le cardinal Felici crurent que l'on avait élu un pape du tiers monde. Il faut croire d'ailleurs que cette prononciation correcte est difficile à obtenir, puisqu'un ami de Jean-Paul II, qui se trouvait en curieux sur la place, ne reconnut pas le nom de l'archevêque de Cracovie et partagea un moment l'erreur générale. Quand on sut qu'il s'agissait d'un cardinal de Pologne, l'étonnement succéda à l'étonnement, comme si la fumée blanche de la Sixtine avait été celle d'un coup de canon.

Où donc les cardinaux de la Sainte Eglise, dont on allait voir quelques jours plus tard la vénérable file escalader d'un pas inégalement montagnard les marches du trône pour rendre hommage à leur élu, avaient-ils puisé l'audace de rompre avec une tradition de cinq siècles pour aller prélever un pape de l'autre côté du rideau de fer, dans l'espace jalousement barbelé de la religion séculière qui croit pouvoir opposer partout les paroles de l'histoire à celles de l'éternité ?

Mais, en rompant avec une habitude, l'Eglise ne faisait que renouer avec l'Evangile :

« Les apôtres n'étaient-ils pas galiléens, comme Simon que le Christ appelle Pierre, pêcheur de son métier, tempérament fougueux, qui à l'heure de l'épreuve connut l'amertume de la défaillance ? Mû par l'Esprit saint, ce même Pierre est venu à Rome et a fondé l'Eglise qui dure encore, confiante dans les promesses du Christ. Lorsque je dis à Rome le jour de mon élection que " je venais de loin ", je pensais à Pierre, fils d'Israël, Galiléen : il était venu de loin, lui aussi. »

On a aussitôt parlé du « pape polonais ». Avec, parfois, une condescendance qui certes ne tombait pas d'assez haut pour blesser quelqu'un, mais qui pouvait surprendre d'autant plus qu'elle venait de milieux intellectuels où l'on ne se lasse pas de condamner les complexes de supériorité de l'Occident. Quoi ! Serions-nous si portés à l'abdication qu'il faille s'excuser d'appartenir à une nation héroïque qui constitue par elle-même, et depuis combien de temps, une « personne déplacée » en Europe ? Faudrait-il se faire pardonner par certains chrétiens d'être fils d'un peuple qui n'a jamais craint de témoigner de sa foi ? Cette cause est-elle vraiment à plaider ? Lorsque j'entends parler du « pape polonais » sur un certain ton, je me rappelle les images des ruines de Varsovie affichées après la guerre sur les murs intacts de Paris. Je songe à ce peuple périodiquement enseveli qui ne remonte au jour que pour avoir à lutter encore, et j'ai honte.

« Après la mort de Pierre, l'Eglise a été présidée par des hommes de toute origine. L'*Annuaire pontifical* en donne la liste. Il est probable qu'en ces temps reculés l'on parlait déjà du " pape africain ", du " pape syrien " ou " espagnol ", avant de prendre l'habitude de préciser l'origine *ex gente teutonica, gallica* ou *anglica* de tel ou tel pape. Au début, il y eut des papes ou plutôt des évêques de Rome originaires de l'empire, puis il en vint des nouvelles communautés implantées sur ses ruines, ou au-delà de ses anciennes frontières.

« Au cours des cinq derniers siècles, le collège des cardinaux a toujours élu des Italiens. En interrompant brusquement cette longue tradition, le collège en retrouvait une autre, plus ancienne encore, remontant à Pierre lui-même. Les derniers papes, en particulier Paul VI, ont tout fait pour préparer l'Eglise à ce changement, en s'inspirant non seulement de l'antique tradition, mais aussi, et surtout, en tenant compte de la situation de l'Eglise dans le monde contemporain.

« Certes, la dénomination de " pape polonais " recouvre diverses intentions. Mieux vaudrait dire un " pape de Pologne ". Il est fort probable qu'autrefois les réactions à l'égard d'un pape " étranger " variaient selon les différents niveaux de la conscience historique et du sens national, qui ne sont assurément pas les mêmes partout en tout temps. On a prétendu, non sans raison, qu'en tant qu'évêque de Rome le pape devait appartenir à la nation de ses diocésains. Je ne veux pas manquer cette occasion d'exprimer ma gratitude à mes diocésains romains, qui ont accepté ce pape venu de Pologne comme un fils de leur propre patrie. Il faut que le charisme de l'universalité soit bien ancré dans l'âme de ce peuple dont les ancêtres chrétiens, déjà, avaient accepté Pierre, le Galiléen, et avec lui le message du Christ destiné à tous les peuples du monde. »

Le pape me rappelle qu'au cours des âges la Pologne a été couramment qualifiée, jusque dans les actes du siège apostolique, d'*antemurale christianitatis,* de « rempart de la chrétienté[1]. » Et que le pape détaché du rempart nous apporte l'expérience de cette longue veille polonaise qui dure toujours. Mais, si nous autres Français nous avons d'excellents historiens, nous ne le sommes pas tous, et bien des éléments de l' « expérience polonaise » nous échappent :

---

1. Titre à la reconnaissance de l'Eglise, rappelé par Paul VI dans une lettre du 17 décembre 1965 au cardinal Wyszynski, primat de Pologne (*Actes apostoliques,* AAS 58).

« Le " pape de Pologne " est le premier pape slave. Son origine et sa langue maternelle le rattachent à tous les peuples slaves qui habitent l'Europe orientale et une bonne partie de l'Europe centrale. Par là, il est avec son peuple l'héritier du voisinage et de la rencontre de deux traditions chrétiennes et de deux cultures : celles de l'Occident dont le centre est à Rome, et celles de l'Orient, reliées à Constantinople. Il est à propos de rappeler que les apôtres des Slaves, saint Cyrille et saint Méthode, venaient de Thessalonique, c'est-à-dire de la sphère d'influence de Constantinople ; cependant l'histoire nous apprend que, pour leur mission auprès des Slaves, ils ont cherché appui et confirmation à Rome. Tout au début de son histoire, la Pologne a reçu le baptême par l'entremise d'une princesse tchèque, épouse du premier souverain de ma patrie attesté par l'histoire. L'union avec Rome a modelé notre millénaire de christianisme. En même temps, et surtout à partir de l'union avec la Lituanie à la fin du XIVe siècle, la Pologne est entrée en rapport étroit avec les peuples ruthènes — qui habitaient de part et d'autre de la ligne Lwow-Kiev — et, par eux, avec la tradition orientale. Ainsi s'est constitué notre héritage, fruit de cette rencontre entre l'Est et l'Ouest. »

Je dédie les paroles qui suivent à ceux qui ont oublié qu'en Europe occidentale la liberté de conscience, au XVe et au XVIe siècle, n'existait même pas encore à l'état de projet :

« L'attitude remarquable de la Pologne à l'égard de la liberté de conscience s'est manifestée dès le concile de Constance, en 1414, où le recteur de l'université de Cracovie, Paul Wlodkowic, s'est opposé catégoriquement à toute conversion au christianisme par la force (ce qui concernait l'activité des chevaliers teutoniques établis au-delà de la frontière polonaise du Nord). A l'époque de la Réforme, qui a trouvé des adeptes jusqu'en Pologne au XVIe siècle, le roi Sigismond Auguste déclarait : " Je ne suis pas roi de vos consciences. " Il agit en conséquence, si bien qu'à la différence des pays d'Occident, il n'y eut jamais de bûchers en Pologne. L'affirmation de la liberté intérieure de l'être humain fait donc partie de l'héritage spirituel du pape venu de Pologne. »

Un dans la foi et la langue, ce peuple ne l'a pas toujours été dans sa vie. La terrible odeur de ses dépeçages (par la Russie des tsars, la Prusse de Frédéric le Grand, l'Autriche de Marie-Thérèse et de Joseph II, entre autres) incommode depuis deux siècles le droit et la morale. En y perdant tout, les Polonais y ont acquis un sens de la liberté qui ne doit rien au verbalisme et tout à l'expérience. « La liberté, dit le pape, ne se " possède " pas, elle se " conquiert " », et il emploie, pour parler d'elle et du rôle qu'elle doit jouer dans l'élaboration de l'être humain, une expression pleine de vigueur :

« Il faut " bâtir d'elle " la vie personnelle et la vie sociale. »

Durant toute mon enfance, j'ai entendu d'anciens combattants de la Première Guerre mondiale parler des interminables horreurs d'une bataille où tout le génie des stratèges semblait consister à remplir les trous d'obus avec du soldat vivant jusqu'à épuisement des munitions de l'adversaire. Ils racontaient comment, à la faveur d'une blessure ou d'une permission, il leur arrivait de revenir pour quelques jours ou quelques semaines « à l'arrière », et comment le spectacle qu'ils y trouvaient, avec ses lâchetés, ses petites trahisons et ses euphories suspectes les aidait à remonter sinon sans crainte, du moins presque sans regret vers la fraternité dévorée du feu.

Toutes proportions gardées, et les artilleries exclues, je pense que la Pologne d'aujourd'hui est en première ligne, comme d'habitude, et que nos belles démocraties occidentales, avec leurs excédents de marchandises et leur déficit de morale, figurent assez bien l'arrière. Je le dis au pape.

« On peut dire en effet qu'en Pologne le christianisme est en première ligne, par allusion à la dernière étape de notre histoire, cette rencontre du christianisme et de l'Eglise de Pologne avec le système marxiste, qui dure depuis trente ans.

« En 1966, mon pays a célébré mille ans de christianisme. Depuis, la Providence a désigné comme successeur de Pierre un pape venu de Pologne. Il est prêt à servir l'Eglise romaine, mais aussi à remplir sa mission et à exercer ses responsabilités dans leurs dimensions universelles. Il prie l'Esprit saint pour que l' " expérience polonaise ", millénaire, serve sa mission et soit féconde. »

La Providence, a-t-il dit. L'a-t-elle surpris, le 16 octobre 1978 ?

« Je pense que le vote du conclave en a surpris bien d'autres que moi ce jour-là ! Mais ce que Dieu nous commande, et qui semble humainement impossible, il nous donne les moyens de l'accomplir. C'est le secret de toute vocation. Toute vocation change nos projets, en ouvre un autre devant nous, et il est étonnant de voir à quel point Dieu nous aide intérieurement, comme il nous accorde à une nouvelle " longueur d'onde ", comment il nous prépare à entrer dans ce nouveau projet et à le faire nôtre en y voyant tout simplement la volonté du Père, et en l'acceptant. Cela, quels que soient notre faiblesse et notre attachement à nos vues personnelles.

« En vous parlant ainsi, je songe à d'autres situations que j'ai rencontrées dans mon expérience pastorale, à ces malades incurables condamnés à la voiture d'infirme ou cloués sur leur lit d'invalide ; des personnes souvent jeunes et conscientes du processus implacable de leur maladie, prisonnières de leur agonie pendant des semaines, des mois, des années.

« Le rapprochement vous étonne peut-être, mais il s'est imposé à moi le jour de mon élection et, puisque vous voulez savoir quelles ont été mes premières pensées, je vous les donne telles qu'elles me sont venues à l'esprit. Bien entendu, il m'a fallu tout d'abord répondre au cardinal Villot qui, selon le règlement, devait demander à l'élu s'il acceptait son élection : je me suis alors conformé aux directives de ce même règlement (il s'agit de la constitution apostolique *Romano Pontefici eligendo,* point 86) qui invite l'élu à accepter si possible son élection, en y voyant la volonté de Dieu et l'intervention de l'Esprit saint. En dépit de mon indignité, ces directives me faisaient un devoir d'accepter, en esprit d'obéissance et de foi au Christ, mon Seigneur et mon Rédempteur, et d'abandon total à sa Mère. Tout cela était contenu dans ma réponse au cardinal camerlingue et je l'ai répété lors de ma première bénédiction *urbi et orbi.* »

Le règlement, en invitant l'élu à accepter « si possible » son élection, semble réserver le cas où il se connaîtrait des incapacités ou inaptitudes ignorées de l'assemblée. Toutefois, l'élection d'un pape n'étant pas le résultat d'une campagne électorale, l'élu, loin de se croire le meilleur, a plutôt tendance à se juger le moins bon. C'est pourquoi le règlement, après ce « si possible » qui ménage sa conscience, invoque « la volonté de Dieu » pour aider son humilité à l'obéissance.

Mais le pape revient à ces grands malades qui font étroitement partie de sa vie spirituelle, et dont la pensée ne le quitte guère. Il me parle de la secrète et puissante irruption de la grâce dans la souffrance de ces corps qui deviennent lumière :

« Affaiblis, mourants de mort lente, comment ces malades incurables pourraient-ils, humainement, accepter leur sort ? Cependant, peu à peu, certains d'entre eux prennent conscience que la souffrance elle aussi est une vocation privilégiée dans le mystère du Christ et de l'Eglise. Ils vivent les paroles de saint Paul : " Je complète dans ma chair ce qui manque à la passion du Christ. " Plus d'une fois, j'ai constaté que cette terrible irréversibilité pouvait être acceptée non pas comme une fatalité, mais bien comme un signe d'élection et de vocation, engendrant cette paix intérieure et même cette joie qui sont celles de l'homme lorsqu'il découvre le sens de sa vie et son identité, c'est-à-dire le nom par lequel

Dieu l'appelle. Dans mes entretiens avec les êtres les plus durement éprouvés, j'ai été souvent frappé par cette sérénité, ce bonheur inattendus où je ne pouvais que percevoir une preuve tangible de l'intervention de la grâce et de la présence de l'Esprit saint dans le cœur de l'homme.

« Eh bien, lorsque, en ce jour du 16 octobre 1978, je fus invité à accepter, au cours d'un seul après-midi, le nouveau " projet " que Dieu me signifiait par la voix des cardinaux, j'ai bénéficié, j'en suis sûr, de l'aide de tous ceux " qui complètent dans leur chair ce qui manque à la passion du Christ ", de ces âmes toutes données et profondément cachées dans le corps mystique ; de tous ceux, combien nombreux ! qui soutenaient l'assemblée des cardinaux de leurs prières et de leurs sacrifices ; et des sacrifices, et des prières de mes proches : j'ai confiance qu'il me sera donné de puiser aux mêmes sources pour réaliser le projet de Dieu en répondant à l'appel auquel j'ai souscrit le jour de mon élection. *Virtus in infirmitate perficitur,* dit saint Paul. " Ma puissance, dit Dieu, se déploie dans la faiblesse[1]. " »

L'adage est connu : « Qui entre pape au conclave en sort cardinal. » Il arrive cependant que l'on y entre cardinal et que l'on en sorte pape. Je me demande si l'on se fait la même idée du pape quand on le regarde, et quand on l'est. Je voudrais savoir si la conception de la papauté de Karol Wojtyla est la même depuis qu'il est Jean-Paul II.

En posant ma question, je songeais aux souverains pontifes d'autrefois, comme élevés par le cérémonial

---

1. Corinthiens II, XII, 9.

au-dessus de la condition humaine. La réponse est originale. Le cardinal de Cracovie est sorti du conclave évêque de Rome :

« Le service pastoral de l'évêque de Rome sur le siège de Pierre trouve son sens et sa plénitude dans la Tradition et surtout dans le magistère du dernier concile : il s'agit non seulement du IIIe chapitre de *Lumen gentium*[1] sur la constitution hiérarchique de l'Eglise et notamment de l'épiscopat, qui suit le chapitre consacré au peuple de Dieu ; il s'agit de tout l'enseignement du concile. Il est évident qu'à l'heure présente le successeur de Pierre ne peut accomplir le ministère de Pierre autrement que dans l'esprit de cet enseignement.

« La Providence m'a permis de participer à toutes les sessions de l'assemblée. Je suis profondément convaincu que Vatican II a doté l'Eglise de notre époque du langage authentique de l'Esprit saint, qu'il faut suivre en l'incarnant dans la vie tant communautaire qu'individuelle, selon la vocation de chacun et le " degré du don " qu'il a reçu. Cela concerne chaque chrétien, chaque religieux, chaque prêtre, chaque évêque et par conséquent l'évêque de Rome, successeur de Pierre. J'en étais convaincu le 16 octobre 1978. J'ai fait confiance à l'Esprit saint qui s'est adressé à l'Eglise et au monde actuel par la voix de Vatican II. Je le crois de même aujourd'hui et je tâche, selon mes forces, de professer et de réaliser ce que je crois.

« Le concile a mis en relief la collégialité de la

---

1. « Lumière des nations. » Les « constitutions », ou enseignements des conciles, portent pour titre (comme les encycliques) les premiers mots de leur texte. Du concile Vatican II, Jean-Paul II citera le plus souvent *Lumen gentium* et *Gaudium et Spes* (« les joies et les espoirs »).

charge et de la mission de l'évêque dans l'Eglise. Le service primatial et la mission de l'évêque de Rome doivent être compris et réalisés dans cet esprit. Le synode des évêques de 1969, au cours de sa session extraordinaire, a parlé avec force de la " collégialité effective " et de la " collégialité affective ", non pour les séparer, mais pour rappeler qu'elles sont complémentaires dans la vie de l'Eglise. Le Christ a dit aux apôtres qui, en tant que collège des Douze, formaient le modèle du collège épiscopal : " Vous êtes tous frères. " Je pense que le successeur de Pierre doit porter ces paroles gravées au fond de son cœur. Et, si la fraternité est inscrite dans la vocation de chaque chrétien, *a fortiori* l'est-elle dans la collégialité des évêques.

« La structure hiérarchique de l'Eglise doit servir à la réalisation des paroles du Christ : " Vous êtes tous frères. " »

La hiérarchie chrétienne est idéalement inversée, ce que la crucifixion de Pierre la tête en bas symbolise de façon cruelle, mais explicite. Il suit du bon ordre divin des choses, où l'humilité produit la grandeur, que le plus sort tout naturellement du moins :

« La mission du successeur de Pierre et son service de caractère universel s'enracinent profondément dans sa charge d'évêque de Rome, qui préside en tant que tel l'assemblée de toute l'Eglise et le collège fraternel des évêques. On peut même dire que la dimension universelle de l'Eglise s'enracine dans la dimension locale de sa charge. Cela correspond à tout l'ordre eucharistique et ecclésial, dans son institution et son histoire. Je considère depuis le début que le devoir primordial de Pierre est d'être évêque de Rome. Se sentir évêque de cette communauté concrète et agir si possible en personne comme évêque de cette Eglise particulière me semble la condition impérative de toute autre initiative ou action de caractère universel.

« Je viens de dire : " autant que possible en personne ". Inutile, n'est-ce pas, d'expliquer ces mots. Nul n'ignore qu'un pape a beaucoup à faire. Je vois venir une nouvelle question : " Puisque le pape ne peut tout faire, que doit-il faire en premier lieu ? " J'estime que sa première tâche est de rassembler le peuple de Dieu dans l'unité.

« L'expérience acquise à Cracovie m'a appris qu'il importe de visiter personnellement les communautés, et tout d'abord les paroisses. Bien sûr, ce n'est pas un devoir exclusif. Cependant, j'y attache une importance primordiale. Vingt années d'expérience m'ont fait comprendre que, grâce aux visites paroissiales de l'évêque, une paroisse se trouve toujours plus fortement inscrite dans l'architecture plus vaste de l'Eglise, et adhère ainsi plus intimement au Christ. Mes visites aux paroisses romaines sont nécessairement plus courtes, et j'ai dû renoncer au programme qui était le mien autrefois, à Cracovie. Ce programme plus vaste et plus détaillé est la part des évêques auxiliaires.

« Ces rencontres par la Parole et l'Eucharistie servent fondamentalement à " rassembler le peuple de Dieu ", comme nous le demandons dans la troisième prière eucharistique[1]. C'est le fait central. »

---

1. L'une de celles qui entourent notamment la consécration du pain et du vin.

Je note mentalement que, parlant de sa fonction plutôt que de sa personne, Jean-Paul II dit tantôt « le successeur de Pierre », tantôt « Pierre » tout court. Cette manière tout à fait évangélique de s'exprimer me rappelle tout d'abord la prophétie fondatrice du Christ : « Tu es Pierre et sur cette pierre je bâtirai mon Eglise », parole lancée au vent des sables à quelques pêcheurs pêchés eux-mêmes comme au hasard, et solidifiée par les siècles. Elle me donne ensuite à penser que la suite des papes n'a rien d'une lignée monarchique, qu'un pape ne succède pas à un autre pape, mais directement à Pierre, bref qu'il n'y a pas d'intermédiaire entre le premier d'entre eux et le dernier, de sorte qu'il ne rime à rien de les opposer comme on l'a fait l'un à l'autre et Pie V à Paul VI, tous ayant été tour à tour le même « Pierre ». De là à imaginer que tous les papes ont été nommés au bord du lac de Tibériade, il n'y a qu'un pas. Je le franchis. Le saint-père corrige ce que cette vue peut avoir d'excentrique et met gentiment mon objectif au point :

« Rappelez-vous les dernières paroles du Christ aux disciples : " Voici que je suis avec vous pour toujours, jusqu'à la fin du monde. " Elles concernent toutes les générations des disciples, des confesseurs et des successeurs. Dans cette première communauté, à partir des Douze que le Seigneur envoie " dans le monde entier ", toutes les générations sont en quelque sorte nommées et appelées. Dans cette perspective, on peut admettre qu'en l'apôtre Simon-Pierre de Bethsaïda, qui le premier présida l'Eglise de Rome, tous ses successeurs de la suite des temps et " jusqu'à la fin du monde " ont été nommés et appelés.

« Lorsque le Christ dit : " Je suis avec vous ", il transcende toutes les limitations auxquelles est soumis l'homme, sujet de l'histoire, ainsi que toutes les institutions humaines et l'Eglise elle-même, pour autant qu'elle est faite d'hommes.

« Le Christ, fils de Dieu, a accepté lui aussi en tant qu'homme les limites de l'histoire. Sa vie ici-bas fut brève... Lorsqu'il dit au Cénacle, avant de quitter ses apôtres : " Je ne vous laisserai pas orphelins, je reviendrai vers vous ", il parle de l'Esprit qu'ils devaient recevoir comme prix de son départ (" Il vaut mieux pour vous que je parte... car si je pars, je vous l'enverrai "). Au cours des siècles, lorsque l'Esprit saint institue des évêques, le Christ est présent. *Lumen gentium* nous dit qu' " il est présent dans leur assemblée ".

« En pensant à la succession des évêques à travers le monde, et surtout à Rome, nous les situons dans l'histoire. Cependant, nous n'avons pas le droit de détacher cette succession historique de la dimension fondamentale de l'Eglise : cette dimension est celle du mystère. »

III

Alors qu'elle est pour beaucoup d'entre nous le sujet permanent de débats intérieurs qui ne sont pas toujours constructifs, chez Jean-Paul II la foi paraît

« naturelle ». Je me demande si elle a toujours régné en lui comme sur une contrée paisible ?

« Il me semble que l'on peut dire de l'homme qu'il est " religieux par nature ", ou de l'âme humaine qu'elle est "naturellement chrétienne ", mais il reste à déterminer le rapport entre la foi et la religiosité naturelle : la foi en tant que réponse personnelle à la Parole du Dieu vivant, exprimée finalement et définitivement en Jésus-Christ et par Jésus-Christ est un problème à examiner de plus près. »

Nous allons revenir à la grande question de l'influence du milieu et de l'éducation sur l'éclosion de la foi. Dans le chapitre qui va suivre, et qui traite essentiellement de la foi, le saint-père approfondira encore sa pensée sur ce point extrêmement important.

« Depuis ma plus tendre enfance, je me suis trouvé dans un climat de foi et dans un milieu social profondément enraciné dans la présence et l'action de l'Eglise. Malgré cela — et peut-être à cause de cela —, il me semble d'autant plus important d'affirmer que la foi " en tant que réponse personnelle à la Parole de Dieu exprimée en Jésus-Christ " se crée et se développe sans cesse, mon propre itinéraire me permet de l'affirmer. En même temps, je suis convaincu que jamais, à aucune époque de ma vie, ma foi n'a été un phénomène purement " sociologique ", résultant des habitudes ou des mœurs de mon milieu, enfin du fait que d'autres, autour de moi, " croyaient et agissaient ainsi ". Je n'ai jamais considéré ma foi comme " traditionnelle ", bien que j'aie conçu une admiration croissante pour la tradition de l'Eglise, et cette part vivante d'elle-même qui a nourri la vie, l'histoire et la culture de ma nation.

« Cependant, à considérer en toute objectivité ma propre foi, j'ai toujours constaté qu'elle n'avait rien à voir avec un quelconque conformisme, qu'elle était née dans les profondeurs de mon propre " moi ", qu'elle était aussi le fruit des efforts de mon esprit cherchant une réponse aux mystères de l'homme et du monde. J'ai vu de plus en plus clairement que la foi est un don. Avec la maturité intérieure est venue l'évidence qu'elle contenait ma réponse personnelle *et libre* à la Parole de Dieu exprimée en Jésus-Christ, Verbe incarné. Ainsi donc ma foi [le pape dit « ma » comme entre guillemets] a été dès le début un don de Dieu ; je l'ai vécue peu à peu, et de plus pleinement, comme une réalité intérieure purement donnée. »

Pour les « chrétiens du berceau », comme disent les Anglo-Saxons de ceux qui ont la chance parfois mal appréciée de naître dans une famille chrétienne, la foi se présente en somme comme une proposition de l'entourage et de l'éducation, n'excluant nullement — au contraire — la liberté du choix à partir duquel la foi personnelle « *se crée* [je pense que l'on a remarqué le mot] et se développe sans cesse ».

Il arrive aussi que l'on passe inopinément de l'incroyance la plus tranquille à la foi la plus entêtée. Converti à vingt ans sans préparation ni préavis par une silencieuse et douce explosion de lumière qui m'a totalement surpris au milieu des molles ténèbres de mon scepticisme, j'ai écrit — trente-cinq ans plus tard — deux livres sur ce moment dont le souvenir m'étonne encore. Le saint-père les a lus :

« Sur ce passage de l'athéisme à la foi, vous avez une expérience particulière, et l'on peut même dire exceptionnelle. Cependant, ajoute-t-il, puisque vous ne m'en parlez pas, non plus que de la confrontation de la foi personnelle ni de la foi de l'Eglise avec l'incroyance et l'athéisme militant, je n'en parlerai pas non plus. »

Pour le moment, du moins. Je ne laisserai pas échapper une pareille question ! Je rappellerai tout à l'heure au saint-père le cri de ce jeune homme du Parc des Princes, à Paris, qui lui posera les questions que je ne lui pose pas encore.

IV

Longtemps, je n'ai connu des appartements pontificaux que la petite fenêtre — du moins semble-t-elle petite, vue de la place Saint-Pierre — où de longue tradition les papes ont coutume d'apparaître le dimanche à midi pour bénir la foule, minuscules et blancs dans la muraille dorée du Vatican comme la fève dans une galette des rois, suscitant d'ailleurs le même genre de joie familiale. Lorsqu'il me fut donné de pénétrer pour la première fois dans cette demeure jadis inaccessible où l'on disait que les souverains pontifes vivaient dans une effrayante solitude, l'émotion était si forte que c'est à peine si j'aperçus, dans la chapelle au plafond lumineux de verre gravé, un chemin de croix de bronze sur un mur et une icône de la Vierge de Chestochowa sur l'autel : le saint-père à genoux me parut immense. Sur ses larges épaules, le camail évoquait les horizons neigeux, et je me demandai comment on avait pu loger une montagne dans un si petit espace (après l'attentat du 13 mai, la neige aura fondu, et l'on verra le rocher). J'avais devant moi un bloc de prière. Après lá messe, dite avec une minutie extrême et la lenteur apparente des astres en giration dans le ciel, vingt minutes furent consacrées à une pratique à peu près sortie de l'usage ailleurs : l'action de grâces, pendant laquelle Jean-Paul II se tint agenouillé sur son prie-Dieu, dont le large accoudoir a les dimensions d'un pupitre. Il prie, j'allais dire comme il respire et, cependant, il agit.

Quelle est la part de la prière dans son action ? N'a-t-il jamais songé à la vie contemplative ?

« Depuis toujours, ma vocation a eu un caractère surtout actif. Certes il y eut un temps, dans ma jeunesse, où je songeai à une autre orientation, mais mes contacts avec le Carmel n'ont pas abouti. C'est mon évêque le cardinal Sapieha, métropolite de Cracovie, qui trancha la question. Il ne voyait pas d'éléments suffisants pour justifier un changement de direction. En fin de compte, moi non plus.

« Ainsi donc, je n'ai pas été appelé à une vie contemplative, mais, dès l'époque lointaine de ma " conversion ", à la vie intérieure — et de ce fait à ma vocation sacerdotale. Tout au long de cette voie qui a été la mienne, j'ai été pénétré de l'importance primordiale de la prière et, dans une mesure essentielle, de la prière contemplative pour toute activité découlant de ma vocation. Il en a été ainsi à toute étape de ma vie, tout d'abord lorsque je fus vicaire à la campagne, puis en ville, comme professeur, comme évêque, enfin depuis le 16 octobre 1978 [il ne dit pas : « comme pape » : ce n'est pas une étape]. Je ne vois sous ce rapport aucun changement appréciable. Peut-être le vicaire était-il obligé de veiller plus tard pour trouver le temps nécessaire à la prière et surtout à la méditation. Par la suite il me fut plus facile d'insérer l'une et l'autre dans le programme de mes journées. »

Il précise : « Lorsque je fus à même d'en disposer. » Je ne sais pas si c'est le cas aujourd'hui. J'ai l'impression que le Vicaire du Christ n'est pas plus le maître de son emploi du temps que le vicaire de campagne.

« Si ma vie passée et présente peut être qualifiée d' " active ", n'oublions pas que l' " acte " par excellence de chaque jour est la sainte messe qui constitue la synthèse la plus parfaite de la prière, le cœur de la rencontre avec Dieu dans le Christ. L'expérience de plus de trente ans de vie sacerdotale m'a appris que pour atteindre ce sommet, pour parvenir à cette synthèse et à cette plénitude, il faut y entrer par la prière et en sortir vers la prière de la journée tout entière, sachant parfaitement que cette journée sera remplie à déborder d'activités et d'engagements de toutes sortes. Nul n'ignore que la journée du prêtre est " liturgique ", non seulement grâce à la messe, mais aussi par la liturgie des heures[1], qui lui confèrent son rythme spécial. Dans l'ensemble, le travail prend le plus de temps, mais toutes les activités doivent être enracinées dans la prière comme dans une glèbe spirituelle. L'épaisseur de cette glèbe ne doit pas être trop mince ni trop superficielle : l'expérience intérieure nous apprend à discerner les moyens de la former, jour après jour, afin qu'elle suffise. »

Au début de ce livre, j'ai dit que l'une des propriétés du discours de Jean-Paul II était de rendre aux mots de l'usage le plus courant une force que les mauvais traitements leur ont fait perdre depuis longtemps. Je me suis souvent demandé par quel miracle de médecine ces pauvres mots exténués, anémiques, et si vidés de leur substance que la pensée contemporaine ne sait plus guère que les empailler pour leur conserver une apparence de vie, pouvaient retrouver ainsi, tout à coup, leur fraîcheur et leur musculature. La réponse, la voici. Avant d'être prononcés, les mots doivent être *priés :*

« J'en reviens à la contemplation. Sans vivre selon une règle contemplative, je vois bien que cette glèbe de prière dans laquelle s'enracine chaque journée comprend beaucoup d'éléments et de moments proprement contemplatifs, de grande importance pour mon service et surtout pour la proclamation de la Parole de Dieu. L'antique principe, *Contemplata aliis tradere* (transmettre aux autres les fruits de l'oraison), est toujours actuel et vivifiant. Il concerne en premier lieu celui qui " transmet ", prédicateur ou serviteur de la Parole : il n'est en

1. Le bréviaire.

droit de communiquer — uniquement et exclusivement — que des *contemplata,* des pensées passées par la prière. »

Reste ce que nous appelons plus communément « prière », et qui se rapproche moins de la contemplation que de la requête ou, si j'ose dire, du recours en grâce :

« Il fut un temps où il me semblait qu'il fallait limiter la " prière de demande ". Ce temps est passé. Plus j'avance sur le chemin que la Providence m'a indiqué, plus je ressens le besoin de recourir à cette forme de prière, et plus son cercle s'élargit. Du même coup je prends de plus en plus conscience de la prière qui m'environne ; et je sens de plus en plus combien ma dette est grande. »

Parler de la prière avec Jean-Paul II, c'est aussi parler de la Vierge Marie. En Occident, et plus particulièrement en France, la dévotion mariale subit d'étranges vicissitudes. Il n'est pas exagéré de dire que tous les Français ont été, vont ou iront un jour à Lourdes, et pourtant, il y a une vingtaine d'années, lorsqu'il fut question de promulguer le dogme de « Marie Médiatrice », les journaux retentirent de protestations. A mon grand ébahissement. Car enfin les femmes ont la médiation naturelle. Ce sont elles qui s'interposent entre le père et les enfants, entre les enfants eux-mêmes, entre le mari et le voisin, entre le néant et la vie, si ce sont bien elles qui accouchent, entre la famille et le malheur, car les hommes les délèguent volontiers aux deuils, et même entre nous et Dieu, dans la mesure où ce sont elles que l'on voit le plus souvent à l'église : à pousser un peu la logique des objecteurs, on aboutissait à la conclusion surprenante que toutes les femmes étaient médiatrices, excepté la Vierge Marie.

Mais le saint-père parlera de la piété mariale dans le dialogue sur « Les Mœurs ». Il est évident qu'il est impossible, sans elle, de s'expliquer sa personnalité — que l'on ne peut comprendre non plus si l'on ne tient pas compte des éléments qu'il vient de nous fournir. En premier lieu, l'admiration pour le père — il n'est pas question d' « Œdipe » dans cette belle histoire de reconnaissance filiale — exemplaire à tous égards, et dont il n'a jamais oublié la discrète rigueur morale. Ensuite, la solitude à vingt ans, c'est-à-dire à l'âge où l'on a plus que jamais besoin de ses parents, ne serait-ce que pour se définir avec eux, ou contre eux, je dirai : peu importe, pourvu que cet amour soit là. Ni mère, ni père, ni sœur, ni frère, le soleil de son existence s'est levé sur la dévastation de sa famille et l'écrasement de son pays. Que lui reste-t-il dans ce désert, où il va cheminer avec son malheur, sans une plainte, sans un vacillement ? Sa foi, qui ne sera jamais remise en question et qui, jointe à un caractère d'une fermeté déjà très remarquable, le garde des entraînements et glissades giratoires de la jeunesse : « J'ai reçu, nous a-t-il dit, plus de grâces que je n'ai eu de luttes à mener », ce qui devrait suffire à dissiper certaines fables sur les préambules sentimentaux de sa destinée. Et, par-dessus tout, mieux vaudrait dire au cœur de tout ce qui fait alors sa vie, il y a, tout d'abord imperceptible, mais secrètement insistant, le murmure de cette voix qui l'appelle : la vocation. C'est un prêtre qui déchiffrera le message, comme on lit un télégramme à son destinataire. La réponse payée, c'est la grâce.

Il est évident qu'il faut également tenir le plus grand compte de ses années de travail manuel et de son expérience de la condition ouvrière. Nous avons eu des papes de toute origine, y compris paysanne, mais depuis que les cheminées d'usine ont commencé à pousser sur la terre, c'est la première fois que l'industrie chimique contribue à la formation d'un pape. Il est curieux qu'un tel homme ait été donné à l'Eglise en cette fin de siècle industriel, et plus curieux encore que les doctrinaires de l'action sociale n'y trouvent apparemment aucun motif de satisfaction particulière.

N'omettons pas non plus la découverte intellectuelle de ses débuts dans la philosophie première, où, après un combat obscur avec un manuel d'initiation à la métaphysique, le jour s'est levé pour lui, comme pour Jacob après son empoignade nocturne avec l'Ange, sur un monde nouveau.

Ces données personnelles s'ajoutent à une donnée pour ainsi dire nationale et permanente : l'esprit de résistance à l'oppression, qui a eu chez lui tout loisir de se développer dans l'environnement sinistre d'une occupation particulièrement brutale.

Tous ces éléments ont contribué à former un homme d'une trempe exceptionnelle, qui sait de quoi il s'agit quand on lui parle de misère, de solitude et de violence, les trois mots clés de cette fin de siècle. Mais le monde n'est pas fait que de malheur, surtout pour un chrétien, et, depuis que Jean-Paul II a surgi parmi nous, vêtu de blanc, armé de courage pacifique et d'une sorte d'intraitable bonne volonté, un passage de l'Evangile me revient souvent à l'esprit. C'est cet épisode final de l'évangile de Jean qui nous rappelle que le christianisme est d'abord une histoire d'amour :

Après le repas, Jésus dit à Simon-Pierre : « Simon, fils de Jean, m'aimes-tu plus que ceux-ci ? » Il répondit : « Oui, Seigneur, tu sais que je t'aime. » Jésus lui dit : « Pais mes agneaux. » Il lui dit une deuxième fois : « Simon, fils de Jean, m'aimes-tu ? » Il lui répondit : « Oui, Seigneur tu sais que je t'aime. » Jésus lui dit : « Pais mes agneaux. » Il lui dit pour la troisième fois : « Simon, fils de Jean, m'aimes-tu ? » Pierre fut peiné de ce qu'il lui demandât pour la troisième fois : m'aimes-tu ? et il lui dit : « Seigneur, tu sais tout, tu sais que je t'aime. » Jésus lui dit : « Pais mes brebis. »

En montant sur le siège romain de Pierre, les papes entendent-ils cette même question ? Il me semble que d'âge en âge toute l'histoire de l'Eglise lui est liée, que toutes les erreurs et les déviations dont elle a souffert ont été autant de manières restrictives ou présomptueuses de répondre, l'un répondant « oui » sous bénéfice d'inventaire, l'autre s'accordant à soi-même une confiance excessive. La bonne réponse est celle de Pierre. La troisième :

« Dans l'épisode rapporté par saint Jean (et qui se situe après la Résurrection), questions et réponses ont leur éloquence et leur poids spécifiques. A la question du Christ : " M'aimes-tu ? ", Pierre ne répond pas directement : " Oui, je t'aime ", mais, et sa réponse est significative : " Seigneur tu sais tout, tu sais que je t'aime ". Il ne clame pas son amour. Il ne se conduit pas comme il l'a fait quelques jours plus tôt, lorsqu'il affirmait : " Si tous viennent à douter de toi, moi je ne douterai jamais. " Il éprouve le besoin d'appuyer sa réponse, sa confession, non pas sur le témoignage de sa conscience, non pas sur les certitudes de son propre cœur, mais, selon l'expression de saint Jean, sur " Celui qui sait ce qu'il y a dans le cœur de l'homme ".

« C'est pour cela que sa réponse est si véridique. Et, pour nous, si convaincante. Elle a dû convaincre le Christ lui-même, puisqu'il l'a ratifiée trois fois en disant : " Pais mes brebis. " Ces paroles expriment le plus haut degré de confiance ; car ces agneaux, ces brebis, ce sont tous ceux qui ont été rachetés, dit saint Paul, " un prix très cher ", au prix de la Croix et de la Résurrection. Le prix de la rédemption est infini, donc aussi celui des âmes rachetées. Tout cela tient dans cet ordre concis : " Pais mes brebis. "

« L'Eglise nous rappelle souvent ce dialogue entre le Christ et Pierre. Celui qui a à remplir le service de Pierre, sur le siège occupé jadis par le premier apôtre, affronte dès le premier jour cette interrogation poignante, et il rend grâces au pêcheur de Bethsaïda d'avoir répondu comme il l'a fait, et non pas autrement : " Seigneur, tu sais tout, tu sais que je t'aime. "

« La question " M'aimes-tu ? " est la plus difficile que l'on puisse poser. C'est bien, si celui qui interroge sur l'amour connaît le mystère des cœurs, car cela permet de répondre comme Pierre a répondu. Ainsi doit répondre l'amour humain. Et l'Eglise. Et le monde. Y compris le monde d'aujourd'hui. »

Ainsi a-t-il répondu lui-même de toute évidence. Mais, avant de lui demander ce qu'il croit, et comment il croit, je voudrais savoir si, au milieu de tant d'activités, il a encore le temps de lire :

« J'ai toujours beaucoup lu, encore que je n'aie jamais été un dévoreur de bibliothèques, excepté peut-être dans ma jeunesse, à l'âge où l'on commence à découvrir la beauté des lettres. Dans le travail proprement scientifique, auquel je n'ai pu consacrer que peu d'années de ma vie, je ne cherchais pas l'érudition, mais ce qui me semblait essentiel au progrès de mes recherches. Le temps de l'assimilation et de la réflexion comptait davantage. Il en a toujours été ainsi, de manière évidemment plus ou moins régulière.

« Aujourd'hui, bien sûr, je dispose de moins de temps qu'autrefois pour lire, et pourtant je peux dire qu'en un sens je lis davantage, surtout ce qui peut contribuer à m'informer. Cela m'est possible grâce à la méthode remarquable appliquée par mes collaborateurs, et qui me permet de prendre rapidement connaissance des publications essentielles, tout en me donnant parallèlement la possibilité d'entrer dans les détails, selon le besoin et l'opportunité.

« Je lis " systématiquement " des ouvrages de théologie, de spiritualité, de philosophie et de sciences humaines. En ce moment, par exemple, beaucoup plus de théologie que de philosophie. Je lis certains livres d'un bout à l'autre... et j'en feuillette quelques-uns, comme je parcours les revues. Dans le domaine des sciences naturelles, certains textes retiennent parfois toute mon attention. Je les lis avec beaucoup de profit, bien que je ne sois pas particulièrement préparé à ce genre de lecture.

« Quant aux " belles-lettres ", c'est le luxe de mes vacances. Mais il m'arrive cependant de lire " hors programme ", comme tout dernièrement un choix étendu des poèmes de Milosz et de Rainer Maria Rilke, ce qui ne m'avait pas été possible autrefois. Mais c'est là l'exception. »

Car il prend peu de libertés avec son emploi du temps. En fait, il n'en prend aucune. En dehors des quelques journées de détente qu'il passe à Castel Gandolfo, où il finit d'ailleurs par travailler autant qu'à Rome, il ne s'accorde pas une minute de vie personnelle. L'anesthésie générale est jusqu'ici le seul moyen que l'on ait trouvé de lui faire quitter son service.

S'il a un peu moins de temps pour lire, il en trouve pour écrire, et il écrit dru. Devant le flot doctrinal et oratoire qui ruisselle de Saint-Pierre et se répand sur le monde en encycliques, homélies, mandements et allocutions diverses, des journalistes insidieux se sont demandé, perplexes, qui pouvait bien fournir tant d'idées au pape et, après enquête, convinrent à regret que le pape pensait par lui-même. Il écrit parfois sur un thème simple des choses d'une éloquence puissante, comme l'allocution inaugurale de son pontificat, ou son homélie de Notre-Dame de Paris ; parfois des choses difficiles, comme autrefois *La Personne et l'Acte,* ouvrage excessivement ardu dont on dit en Pologne que la lecture en est imposée pour leurs péchés aux grands coupables, qui préfèrent en général persévérer dans l'impénitence.

Lorsque la foi est en cause, il lui arrive d'écrire à genoux devant le saint-sacrement, un peu comme Thomas d'Aquin mettait sa tête dans le tabernacle avant de parler de l'eucharistie. Mais je ne crois pas qu'il écrive encore des poèmes, ou alors il les tient cachés, et c'est dommage. C'était le bouquet de fleurs au créneau du donjon. Dommage ? Je ne sais trop. La poésie est liée à la prophétie, et il y a des prophéties que l'on préfère ne pas entendre. Je pense à ce poème qui prend une résonance inquiétante depuis l'attentat du 13 mai, où saint Stanislas se murmure à lui-même devant un roi de Pologne réfractaire aux sentiments chrétiens :

Ma parole ne t'a pas converti
Mon sang te convertira

LA FOI

I

Ce n'est pas sans émotion que j'ouvre le deuxième livre de ce dialogue ; car ce que j'ai maintenant à transcrire est de l'ordre de la confession spirituelle la plus élevée, et la plus humble, où celui qui ne parle jamais que pour le bien de ses frères et du peuple qui lui a été confié va soumettre sa propre foi à un examen sans détours ni complaisance, afin que, dans le monde, ceux qui s'interrogent en secret entendent de lui les « paroles priées » qui mettront fin, sinon à leurs questions, du moins à leur solitude.

Mais, je l'ai déjà dit, avec Jean-Paul II l'on n'est jamais très loin de l'Evangile, et nous allons entrer dans le sujet en traversant une parabole : celle de la brebis perdue.

A Paris, lors de la soirée bruyante et magnifique du Parc des Princes, on vit un jeune homme monter à la tribune un papier à la main et poser au saint-père, avec une sorte de fièvre, une série de questions sur le ton de déférence comminatoire qui est celui de la jeunesse quand elle veut bien s'adresser à l'âge mûr. Il était athée, disait-il, mais il ne voulait pas manquer la chance de croire que lui offrait la présence du pape. Sa lecture faite, il disparut dans le tumulte des chants et des ovations, d'autres questions vinrent, et les siennes restèrent sans réponse. Des mois plus tard, Jean-Paul II se reprochait encore d'avoir laissé sa brebis glisser dans le puits de l'anonymat :

« Je suis heureux que vous évoquiez le Parc des Princes et ma rencontre avec les jeunes lors de mon voyage à Paris. Comment a-t-il pu se faire que je n'aie pas répondu à la question, ou plutôt à la série de questions de ce jeune homme ? Est-il possible d'oublier des questions aussi importantes ?

« C'est pourtant ce qui est arrivé. N'oubliez pas qu'à ce moment de la soirée plusieurs jeunes, et parmi eux une jeune fille handicapée, occupaient la tribune et me posaient eux aussi, à un rythme accéléré, des questions que je suivais attentivement. »

Tout le monde se souvient en effet que ce soir-là l'enthousiasme et la spontanéité de la juvénile assistance démolirent le programme, et que le pape abandonna, pour improviser, l'allocution qu'il avait préparée.

« Dès que ce jeune homme eut pris la parole, il fut clair que son point de vue différait totalement des autres et que ses questions ne figuraient pas sur la liste qui m'avait été remise. Le problème qu'il soulevait était fondamental. Il était impossible de le traiter en quelques mots dans son étendue et sa complexité, mais il fallait tout au moins dire qu'il méritait une réponse autrement fouillée que ne le permettait le cadre de la rencontre... Aussitôt après j'ai commencé mon discours, système global de réponses à toutes les questions. Mon allocution est bientôt devenue une sorte de dialogue à cinquante mille voix. La température de la réunion montait de plus en plus, comme toujours avec les jeunes, ce qui fait que j'ai tout simplement oublié de répondre à l'unique interlocuteur qui, hors programme, s'était déclaré athée. »

L'occasion ne devait pas se représenter. Il n'y aurait pas d'autre soirée du même genre. « Et comme vous le savez, dit-il, le programme de mon séjour à Paris était particulièrement chargé. Cela commençait à 7 heures du matin et finissait à minuit ! »

... Au plus tôt. Je me rappelle avoir été bloqué vers cette heure-là à une porte de Paris avec une cinquantaine d'autres automobilistes. Renseignements pris, le pape devait passer par là. Tout le monde descendit de voiture, la sienne finit par surgir d'un tunnel et nous l'aperçûmes un instant dans son grand manteau rouge sous la lumière du plafonnier. Il nous adressa un geste amical, il y eut des vivats, et chacun reprit tranquillement le volant. C'était la première fois que je voyais des automobilistes parisiens supporter un embouteillage d'un quart d'heure sans devenir enragés d'impatience. Si dans les temps futurs il est question de béatifier Jean-Paul II, j'espère que ce miracle sera versé au dossier.

Cependant, le saint-père souhaite que chacun trouve ici la réponse qu'il n'a pas donnée dans l'aimable vacarme du Parc ; réponse qui recevra tous les compléments voulus dans la suite de ce livre :

« Ce n'est qu'après mon retour à Rome que je me suis souvenu de la question laissée sans réponse. J'ai immédiatement écrit au cardinal Marty pour lui demander de retrouver ce jeune homme et de lui présenter mes excuses. Peu après, le cardinal me répondait que le nécessaire avait été fait, et que " tout allait bien ". »

« A l'époque, j'ai été désolé de cette omission. Aujourd'hui, après avoir relu à tête reposée le questionnaire que vous m'avez remis sous les yeux, je regrette moins de n'avoir pas répondu alors comme je me le proposais. Cela aurait peut-être clos le débat, au lieu de l'ouvrir. *Felix culpa !* Heureuse faute. Grâce à cette omission, nous allons parler de LA FOI. »

Ma culture religieuse n'a rien d'encyclopédique et je n'ai pas pris connaissance, je le confesse, de tous les documents pontificaux publiés depuis que je suis entré dans l'Eglise par la fenêtre, plutôt que par la porte. Cependant, de la lettre de Pie XI contre le nazisme à celle de Jean-Paul II sur le travail, je crois m'être montré assez attentif aux encycliques. Or je ne me rappelle pas avoir lu un texte relatif à la foi pure au sens le plus simple, le plus ordinaire et le plus « inquiétant », pour ne pas dire le plus douloureux, qui pour l'incroyant et souvent pour le croyant lui-même tient en deux mots : Dieu existe-t-il ?

« Le jeune homme du Parc des Princes m'a

demandé : " Saint-Père, en qui croyez-vous ? Pourquoi croyez-vous ? Qu'est-ce qui vaut le don de notre vie et quel est ce Dieu que vous adorez ? " Vous m'avez dit que cette série de questions pouvait entraîner un examen complet des problèmes posés par la foi. Je suis de cet avis. Aussi la réponse ne saurait-elle être fragmentaire, peut-être même devrait-elle être prise sous plusieurs angles ; car ce jeune homme n'a pas seulement demandé " quel est ce Dieu " en qui le pape croit et qu'il adore ; il voulait savoir aussi " pourquoi " il croit...

« Et, cependant, il me semble que l'essentiel n'est pas là. L'important, c'est ce moment où la foi était interrogée par l'incroyance, cette mise en évidence de deux attitudes intérieures correspondant à deux manières d'exister et d'être homme. Certes, à toutes les époques de l'histoire et même tout au long de notre ère chrétienne, on a vu des incroyants à côté des croyants. Pourtant, de nos jours, ces prises de position contraires me semblent plus conscientes et plus radicales. Il n'y a tout simplement plus moyen aujourd'hui de parler de la foi sans tenir compte de l'incroyance et de l'athéisme.

« Ces deux mots n'ont d'ailleurs pas une teneur identique. Strictement parlant, l'athéisme s'oppose au théisme. Par contre, la foi ne s'identifie pas avec le théisme ou avec une quelconque conception du monde [le pape dit : *Weltanschauung*] admettant l'existence de Dieu. La foi est beaucoup plus que cela : c'est une réponse intérieure à la Parole de Dieu dans la sphère de la pensée et de la volonté de l'être humain ; donc elle implique une intervention particulière de Dieu. " A maintes reprises et sous maintes formes, dit saint Paul aux Hébreux, Dieu a parlé jadis à nos pères par les prophètes. En ces jours qui sont les derniers, Il nous a parlé par le Fils. "

« Ainsi donc dans la notion de " foi " le théisme est organiquement inclus, mais essentiellement transcendé. La foi est évidemment " théiste " (en ce qu'elle croit à l'existence d'un Dieu) mais elle n'est pas seulement théiste. Dans son essence même, elle est " théologale ", c'est-à-dire qu'elle ne se borne pas à citer Dieu, elle parle de Lui, avec Lui.

« Revenons à notre jeune homme qui, au Parc des Princes, s'est déclaré " athée ". Ses propos valent d'être attentivement relus. Voici ce qu'il dit : " Je suis athée. Je me refuse à toute croyance et à tout dogmatisme. Je veux dire ensuite que je ne combats la foi de personne ; cependant, je ne comprends pas la foi. " L'aveu est précis. En disant " Je suis athée ", ce jeune homme veut surtout affirmer qu'il est incroyant, plutôt que nier l'existence de Dieu. Ce qu'il rejette, c'est ce qu'il appelle " croyance " et " dogmatisme ", comme s'il estimait l'une et l'autre indispensables pour admettre l'existence de Dieu — tout au moins pour l'admettre d'une certaine façon. Cependant, on peut voir qu'il s'abstient d'attaquer la foi de ceux qui croient. Non seulement il se refuse à la combattre et à la traiter de manière négative, mais il témoigne d'un certain intérêt pour elle, autrement dit pour un fait qu'à son avis il ne peut comprendre, ce qu'il désire cependant. C'est pourquoi il s'adresse au pape. C'est du moins ce qui ressort du questionnaire. »

J'admire ce patient déchiffrement d'un message dont j'ai seulement noté, pour ma part, que toutes les phrases commençaient par « je », point de départ qui rend à mon avis très difficile la recherche de la vérité chrétienne.

« Il faut tenir compte de tout ce que je viens de dire, non seulement pour réparer une omission, mais aussi parce que la déclaration du Parc est significative pour toute une génération. Lorsque le jeune homme refuse d'admettre des croyances toutes faites et contraignantes pour son intelligence, il explique au fond, indirectement, pourquoi il ne peut comprendre la foi.

« Car la foi ne contraint pas l'intelligence, elle ne l'assujettit pas à un système de " vérités toutes faites ". Nous venons d'établir la distinction entre la conception du monde théiste et la foi : dans les deux cas il s'agit d'un *engagement authentique* de notre intelligence. En tant que conception du monde le théisme résulte d'un raisonnement ou d'une certaine façon de comprendre l'univers, tandis que la foi est une réponse consciente et libre de l'esprit à la Parole du Dieu vivant. Elle engage comme telle la personne tout entière. Le fait *que* je croie, et *pourquoi* je crois, se rattache organiquement à *ce que* je crois. »

II

Cependant, cette Parole à laquelle nous sommes invités à donner une réponse « consciente et libre » ne trouve pas que des oreilles attentives, et l'on songe inévitablement à la parole de l'Evangile :

« Lorsque le Fils de l'homme reviendra, trouvera-t-il encore la foi sur la terre ? » Les chrétiens les plus convaincus eux-mêmes ne semblent retenir aujourd'hui de l'Evangile que ce qui peut contribuer au changement social ou à l'expression de leur liberté individuelle. L'idée se répand parmi eux que Dieu étant « inconnaissable », il est inutile de parler de Lui : si l'on ne peut « en » parler, on ne peut non plus « Lui » parler, ce qui a pour effet de rendre la contemplation et la prière également vaines, et vaine notre « réponse consciente et libre ».

Peut-on connaître Dieu ?

« A vrai dire, nous avons abordé ce problème en analysant la déclaration du jeune homme du Parc des Princes. Vous cherchez des précisions. La question est vaste et la bibliographie abondante. Vous savez en quels termes l'Eglise s'est prononcée au cours du premier concile du Vatican. Tout cela est connu. Mais si nous voulons que notre entretien se poursuive comme tel et ne tourne pas au traité, je vous propose une autre méthode, plus concrète. »

Pour la deuxième fois, le pape va me parler de mes livres. Je sais ce que l'on dira. On dira que je mets à profit la bienveillance du saint-père pour donner du retentissement à mes ouvrages, trop heureux de prendre par là une revanche sur certaines incompréhensions ou critiques, et que j'ai dû amener moi-même la conversation sur ce terrain. *Nego simpliciter :* je nie purement et simplement, comme disent les théologiens en colère. Je n'ai nulle revanche à prendre, l'amitié du saint-père est mon bien le plus précieux et je n'ai pas l'intention de le dilapider en réclame. Enfin, je ne suis pas heureux du tout d'avoir à transcrire ce qui me concerne dans le passage que l'on va lire, et ma première pensée a été de faire comme si je n'avais rien entendu. Le saint-père n'a pas voulu qu'il en soit ainsi, il m'a enjoint de répéter sa réponse telle qu'il l'avait faite, pour une raison décisive : la question « Peut-on connaître Dieu ? » présente à l'intelligence une telle multitude de faces que l'on ne sait par quelle porte y entrer. Elle est comparable à cette autre question : « Qu'est-ce que Dieu ? » que Thomas d'Aquin se posait dans son enfance, et à laquelle il n'a pas cessé de répondre pendant quarante ans. Or, le récit de la brusque illumination qui m'a converti fournit au saint-père un point de départ, il vient de le dire, concret. Passant par cette porte, il sera amené tout d'abord à nous apprendre, ce qui est important pour l'histoire, qu'il n'y a pas eu d'expérience mystique dans sa vie, ensuite à traiter le problème de la connaissance de Dieu tel qu'il se pose pour tout chrétien vivant sa foi et de sa foi.

Tout chrétien, j'en suis sûr, sera touché par la simplicité avec laquelle le saint-père se confie ; j'imagine que plusieurs seront surpris d'apprendre à quel niveau de profondeur limpide la foi s'ancre chez lui, et chez eux :

« Je tiens compte du fait que je suis en train de causer avec un écrivain qui, il y a douze ans, a publié un livre bien connu : *Dieu existe, je L'ai rencontré.* J'ai eu l'occasion de lire, à l'époque, cette singulière relation de votre expérience personnelle. Il y a quelques mois, vous m'avez apporté un deuxième livre, dont j'ai pris connaissance aussitôt, intitulé *Il y a un autre monde.* C'est également un témoignage autobiographique qui se propose de cerner plus minutieusement les faits rapportés dans *Dieu existe, je L'ai rencontré.* Ce qui me semble le plus suggestif, dans votre deuxième livre, c'est le rapprochement entre deux conversions : la vôtre, en 1935, et celle d'Alphonse Ratisbonne il y a un siècle. Ces deux faits coïncident sur un point : une transformation intérieure totale, parfaitement inattendue, immédiate, le passage de l'incroyance (ou de l' " athéisme ") à la foi sans nulle préparation. On dirait, dans les deux cas, qu'une force invisible fait basculer le sujet conscient vers le pôle opposé, en le situant dans un autre monde, diamétralement distinct du précédent. Il y a, plutôt, abandon d'une vie pour une autre vie. Vous-même ainsi qu'autrefois Ratisbonne, d'incroyants que vous étiez vous êtes devenus en un clin d'œil des catholiques intégralement croyants, apparemment sans nul cheminement, sans aucune catéchèse préalable.

« Le titre de votre premier livre est magnifique et provocant. Que veut dire le mot " rencontrer " ? Dans les relations humaines cela signifie " apercevoir " : nous ne pouvons dire cela de la rencontre de Dieu. Ce serait contraire aux paroles de Jean l'Evangéliste : " Nul n'a vu Dieu[1] " comme au témoignage de Moïse à qui Dieu dit, dans l'Ancien Testament : " Tu ne peux voir Ma face, car l'homme ne peut Me voir et demeurer en vie[2] ". Aussi bien ne prétendez-vous nullement avoir vu Dieu au moment de votre conversion. Le titre de votre livre dit seulement que vous avez expérimenté Son action en vous, que vous

1. Jean, I, 18.
2. Exode, XXXIII, 20.

avez pour ainsi dire ressenti la touche intérieure de Sa lumière et de Sa puissance. C'est la seule explication de cette violente transformation, et du fait que dans votre nouvel état d'esprit vous vous retrouviez instantanément, vous preniez une conscience immédiate de votre identité. Qui plus est, vous sentez en même temps que vous êtes vous-même et peut-être plus vous-même qu'avant. Votre conversion ne vous a pas dépouillé, privé de votre personne, bien au contraire. C'est un argument de poids, expérimental, contre la thèse de la prétendue " aliénation " de l'homme par la religion. »

Il y en a un autre, en faveur de l'Eglise. Comme le pape vient de le souligner, je n'ai pas « vu Dieu », non. Mais Sa lumière, oui. Et l'on ne sait généralement pas, ou l'on a oublié que cette lumière n'est pas la lumière physique qui frappe et ricoche avec indifférence, mais une lumière de vérité, une lumière proprement enseignante qui informe en éclairant, et qui en un instant vous en apprend plus sur la religion chrétienne que dix ouvrages de doctrine. Or, et c'est un bien grand sujet d'étonnement, cet enseignement sans paroles est exactement celui de l'Eglise. Que la vérité chrétienne vous vienne d'un coup de soleil spirituel ou par le canal de la foi transmise par la tradition, elle est la même, la coïncidence est absolue et parfaite. Le converti découvre l'Amérique, et les géographes de l'Eglise, qui n'y sont jamais allés, la connaissent au moins aussi bien que lui. L'argument, il me semble, plaide avec force pour la véracité de l'enseignement chrétien. Je regrette qu'il ait été si peu employé.

Mais Jean-Paul II va revenir sur la naissance de sa propre foi, dont il m'a déjà parlé dans la première partie de cet entretien :

« Ce que je viens de dire ne répond pas à votre dernière question, mais prépare le terrain. Arrêtons-nous un moment à cette étape. Personnellement, je n'ai pas vécu l'expérience qui a été votre partage. Depuis mon enfance, j'ai vécu dans une atmosphère de foi dont à vrai dire je ne me suis jamais coupé, bien que les situations et les contextes de mon existence, surtout dans ma jeunesse, se soient souvent modifiés ou superposés. Nous avons eu, déjà, l'occasion d'en parler. Pour moi, le problème fondamental n'a pas été celui d'une conversion de l'incroyance à la foi, mais plutôt celui d'un passage de la foi héritée, reçue, et plus affective qu'intellectuelle à une foi consciente et de pleine maturité, intellectuellement approfondie après un choix personnel. Ce passage lent et graduel par différentes voies, cette traversée que je ne dirigeais que jusqu'à un certain point sur la carte semblait menée de l'extérieur par la succession des événements, sans doute ; mais elle l'était aussi à un niveau de ma vie intérieure plus profond que mes réflexions, choix, réponses ou intellections. J'ai conscience que dans ce long processus, qui dure encore, *je ne suis pas seul.* »

Dans quelle mesure la connaissance de Dieu relève-t-elle de l'intelligence, jusqu'à quel point est-elle une connaissance de la foi acceptant la parole de la Révélation divine ?

« Je voudrais me répondre en vous répondant. Mais il nous faut tout d'abord régler une question autour de laquelle nous avons déjà tourné. Je viens de mentionner la foi " héritée et reçue " par l'intermédiaire de mes parents, du milieu où j'ai vécu et grandi, de ma paroisse, de mes éducateurs et directeurs spirituels, de mes collègues, etc. Mais tout en admettant tous ces conditionnements, je ne pense pas que ma foi puisse être dite " traditionnelle ", qu'elle soit un conformisme, le fruit d'une adaptation aux autres, une de ces choses que l'on se rend propres par simple assimilation. Non ! Je ne saurais admettre pareille interprétation de ma foi ou, si vous voulez, de mon " théisme " — pour employer ce terme encore une fois. Je dis non, absolument. Je ne saurais accepter cette manière de voir. Car, sans rien oublier de ce que je dois à d'autres (y compris à l'histoire de ma patrie), je dois constater en toute conscience que cet ensemble de convictions et d'attitudes qui me donnent le droit et le devoir de me considérer comme chrétien est en même temps et d'un bout à l'autre le fruit de ma propre pensée et de mon choix personnel.

« Mais vous voulez savoir ce que cet ensemble de convictions doit à un cheminement rationnel vers Dieu, et à une adhésion de l'intelligence au Verbe et au mystère enclos en Lui : c'est votre problème de la connaissance de Dieu par la raison (ce que l'on pourrait nommer précisément " théisme ") et de son accueil par la foi, qui naît de la Révélation et par la Révélation. Or, en continuant à scruter à fond ma conscience religieuse — dont je sais naturellement qu'elle est celle d'un homme croyant — je constate que cette foi qui est la mienne ne commence pas en moi indépendamment de la conviction intellectuelle que Dieu existe, mais conjointement avec elle et pour ainsi dire sur son terrain. »

Ainsi se distinguent et s'unissent dans l'architecture de la vie spirituelle la part de l'intelligence et celle du don, comme dans le vitrail la part de l'œuvre humaine et celle de la lumière.

« Cette conviction intellectuelle de l'existence de Dieu, évidemment jointe à quelque notion de ce qu'Il est, passe pour ainsi dire dans toute la dimension du mystère révélé. Il y a eu dans ma vie une période où l'aspect intellectuel prédominait. Cependant, avec le temps, et sans pour autant cesser de s'approfondir, il s'est distingué et comme effacé pour céder de plus en plus de place à ce qui est mystère, à ce qui pénètre l'âme dans les paroles de la Révélation, laissant ces paroles s'épanouir et s'éclairer dans ma conscience religieuse.

« Ce que je vous dis là peut tenir lieu de réponse à votre question : Dieu est-il " inconnaissable ", ou peut-on le connaître même sans avoir la foi ? Moi, je réponds (tout en restant sur le terrain de ma conscience, et en suivant son témoignage) : Je sais que " je crois " en Dieu, mais je sais aussi que ce " je crois " est en corrélation avec une connaissance d'ordre intellectuel. Ce fait, et celui qu'au cours des siècles tant d'hommes qui ignoraient la Révélation aient reconnu (et reconnaissent encore) que Dieu existe et en aient eu une certaine idée, m'autorise à conclure que l'on peut l'atteindre par la raison seule, bien que cette connaissance soit généralement peu adéquate et peu précise. »

Pascal dit qu'une proposition philosophique, si fausse qu'elle paraisse, est toujours vraie « par quelque côté », et que c'est ce côté-là qu'il faut découvrir avant de discuter les autres. Jean-Paul II va faire bénéficier la « théologie de la mort de Dieu » de son sens pascalien du débat. On sait que l'on groupe sous cette rubrique des penseurs chrétiens qui affirment des choses bien différentes ayant toutefois ceci de commun qu'elles ne sont généralement pas claires. Cependant, elles sont vraies « par quelque côté » :

« A notre époque et surtout dans notre civilisation occidentale, en Europe plus encore peut-être qu'en Amérique, on rencontre de plus en plus souvent le phénomène d'un athéisme intellectuel qui à mon sens est plutôt un " agnosticisme " qu'un " athéisme " proprement dit. L'agnostique nous dit : " J'ignore si Dieu existe, je n'en ai pas de preuves ", alors que l'athée affirme : " Je sais qu'Il n'existe pas ". Ce phénomène répandu a certainement contribué à l'éclosion des divers systèmes de la " mort de Dieu " et même, ultérieurement, à celle d'une " théologie de la mort de Dieu ". Cette formule qui semble contenir une contradiction interne cesse d'être tellement absurde quand nous l'envisageons comme un essai de réflexion, qui peut être théologique, sur le phénomène de l'agnosticisme moderne et de l'athéisme, et quand nous essayons d'examiner ses racines dans la mentalité des hommes d'aujourd'hui. J'ajouterai en passant que la dénomination de " théologie de la mort de Dieu " me semble un équivalent négatif au titre de votre livre *Dieu existe, je L'ai rencontré.* »

J'ai en effet écrit ce livre et choisi ce titre (qui rend exactement compte de ce que j'avais à dire) par réaction contre le déferlement de toute une littérature funéraire où l'un annonçait que Dieu était

« mort en Jésus-Christ », l'autre prêchant « Dieu sans Dieu », tous parlant de mort où j'avais trouvé la vie et, qui plus est, la vie éternelle. L'une des caractéristiques de la pensée religieuse contemporaine est que le bon grain et l'ivraie y poussent si bien entrelacés que l'on est à peu près sûr d'arracher une vérité en tirant sur une erreur. Il faut la main délicate de Jean-Paul II pour détortiller les « théologies de la mort de Dieu » de leur ivraie.

Quant à l'agnosticisme religieux ou à l'athéisme tout court, l'origine de leur développement est à chercher, selon le pape, « dans la subordination des problèmes ontologiques aux problèmes épistémologiques », dans le vocabulaire de la philosophie l'*ontologie* concernant l'être des choses, et l'*épistémologie* se rapportant plutôt à la manière de les connaître. Pour le lecteur à qui ce langage serait moins familier qu'au saint-père, disons, dans celui du fabuliste, que l'intelligence, probablement lasse de scruter la mystérieuse transparence de l'être, s'est rabattue sur la matière qu'il emprunte pour se manifester, comme une Cendrillon brouillée avec sa marraine qui abandonnerait son carrosse doré pour analyser les citrouilles. La pensée humaine ne quittera plus l'observable et le mesurable, sauf pour construire des systèmes ou façonner des chimères :

« L'agnosticisme et l'athéisme sont des produits de l'épistémologie positiviste. L'homme contemporain la met couramment en pratique, sans trop se soucier de son aspect théorique et du mode de connaissance qu'elle limite au monde visible, dont la perception s'obtient parfois à l'aide d'appareils extrêmement raffinés permettant d'atteindre la matière dans sa dimension ultra-microscopique. Mais quel que soit le pouvoir d'investigation de nos instruments, ce que l'on perçoit est d'ordre matériel, et matériel seulement. Cette forme de connaissance dite expérimentale s'est emparée des esprits et elle les a coupés de tout ce qui est " trans-matériel " ou " trans-phénoménal ". Dans le cadre des diverses méthodologies utiles et efficaces pour scruter le monde visible de plus en plus en profondeur, mais qui impliquent l'épistémologie positiviste, non seulement il n'y a pas de place pour ce qui est " invisible ", mais encore cet " invisible " perd son sens. C'est cet état des esprits que vise l'expression " mort de Dieu ".

« Et si Dieu n'est pas " mort " dans mon intelligence, cela est dû, notamment, au refus conscient que j'oppose aux mécanismes ainsi qu'aux structures méthodologiques et épistémologiques que je connais bien et qui ont conduit à Sa " mort " dans l'esprit de l'homme contemporain. Cela ne signifie nullement que je n'admire pas les progrès et les conquêtes de la science. Il s'agit de tout autre chose. J'apprécie tout ce qui a été acquis dans l'ordre des recherches et des expériences des sciences positives Mais je n'admets pas la règle positiviste. Je ne suis pas d'accord parce qu'elle a de l'expérience une notion rétrécie et de ce fait erronée qui prive l'homme de réalités accessibles à sa connaissance. Je crains que la prochaine étape de cette épistémologie ne soit, après la " mort de Dieu ", *la mort de l'homme,* que nous voyons poindre à l'horizon de notre culture et de notre civilisation. »

La « mort de l'homme » ? Il ne s'agit nullement d'un brusque accès de pessimisme chez un homme qui ne s'abandonne jamais à ce genre de sentiment. Le pessimisme est engendré par le doute, et le doute est un produit des petites industries artisanales du « moi » : si la foi est bien, comme le pape nous l'a dit tout à l'heure, un « engagement de la personne tout entière », où logerait le doute ? Le pape ne désespère nullement de l'espèce. De même que la « mort de Dieu » n'est rien de plus qu'une occultation passagère du divin dans les esprits obstinément tournés vers la matière, de même la « mort de l'homme », contrecoup psychologique de la « mort de Dieu », est-elle un obscurcissement provisoire — on veut du moins l'espérer — du reflet de Dieu dans les consciences.

En tout cas ni l'un ni l'autre, ni Dieu ni l'homme ne sont « morts » dans la philosophie de Jean-Paul II, ce qu'il explique en partie par son opposition catégorique au positivisme, dans la mesure où celui-ci prétend réduire la connaissance à ce qui tombe sous les sens :

« Mais ce n'est qu'une explication négative. Il y a une explication positive, qui m'oblige à revenir sur un point mentionné dans mon esquisse autobiographique. Je vous ai signalé alors la grande expérience, presque le bouleversement intellectuel qu'avait provoqué en moi, au début de mes études, mon premier contact avec un simple manuel de métaphysique ou de " philosophie de l'être " — et il se peut qu'il y ait dans cet ébranlement intérieur quelque analogie, ou un avant-goût de l'expérience qui constitue l'essentiel de vos livres. Cette découverte intellectuelle d'autrefois, que l'on pourrait définir selon Aristote comme une découverte de la " philosophie première ", ou de la dimension la plus élémentaire de notre connaissance tant préscientifique que proprement scientifique, a formé dans mon esprit une base durable pour la connaissance intellectuelle de Dieu. Il s'agit là d'un vaste terrain de rencontres intellectuelles avec Lui. La philosophie de l'être ouvre à l'esprit humain de larges perspectives à cet égard, et ces perspectives sont plus importantes, à un certain point de vue, que les cinq " voies " dites encore " preuves de l'existence de Dieu " dénombrées par saint Thomas d'Aquin. Je ne les répéterai pas ni ne donnerai ici d'appréciation sur elles. A mon sens, chacune de ces " voies " est une certaine variante s'inscrivant, pour la préciser, dans la perspective de l'*être* et de l'*existence*. Thomas d'Aquin n'est pas seulement un continuateur de l'œuvre d'Aristote dans le domaine de la " philosophie première ". Il a rénové et réformé celle-ci ainsi que l'ont montré des thomistes français comme Maritain et Gilson.

« D'un autre point de vue, des résultats d'une immense importance ont été obtenus par la philosophie de la religion dans l'ordre de la connaissance intellectuelle de Dieu. Cette philosophie use d'une autre méthode que la philosophie de l'être. Elle se fonde sur l'analyse de l'expérience religieuse, donc en tenant compte de la subjectivité humaine. Ce type d'analyse est particulièrement proche de ma pensée. Il s'agit là, directement, de la connaissance de *Dieu*, et non seulement de l'*Absolu* comme dans la perspective purement métaphysique propre à la philosophie de l'être. Cela ne m'empêche pas d'être convaincu que l'ouverture vers l' " être " et l' " existence " (plus précisément de l'être dans l'aspect de l'existence) demeure une base essentielle pour la connaissance de Dieu par la raison. »

III

Ainsi, l'intelligence peut se faire une idée de Dieu et, contrairement à une opinion passée à l'état de lieu commun, la raison peut fort bien Le démontrer, si elle ne peut pas Le montrer. Je me demande même si elle a jamais réussi à démontrer autre chose, et c'est si vrai que depuis deux ou trois siècles l'on s'évertue soit à limiter sa juridiction à ce qui peut se voir ou se compter, soit à lui interdire de se poser certaines questions, comme ces « pourquoi » dont le biologiste Jean Rostand disait qu' « ils n'ont sans doute aucun sens », qu' « ils n'ont sans doute pas le droit de sortir d'une bouche humaine », mais que « nous avons bien de la peine à [les] ravaler quand la nausée métaphysique nous les fait monter à la gorge [1] » !

Mais la raison ne donne de Dieu qu'une connaissance aveugle et ce n'est pas d'elle, c'est de l'Ecriture, et de la Révélation que vient l'espérance des hommes depuis les commencements conscients de la religion judéo-chrétienne. Et si ce sont bien là deux autres moyens de connaître Dieu, comment, dans quelles dispositions d'esprit faut-il lire l'Ecri-

1. Jean ROSTAND, *Ce que je crois*, Grasset.

ture, et comment la Révélation nous est-elle communiquée, à supposer qu'il faille entendre par ce mot un enseignement personnel de Dieu ? Je pose cette question au saint-père pour deux raisons. La première est que la Bible est soumise depuis quelque temps à un tel traitement que, à en croire certains commentateurs, tout dans ce livre vénérable serait sujet à caution, excepté les notes de bas de page, dont ils sont eux-mêmes les auteurs, de sorte que la Bible serait moins un moyen de connaître Dieu que de connaître les biblistes. La seconde est qu'il me semble plus important que jamais de savoir si le judéo-christianisme est bien le résultat somme toute surprenant d'une conversation avec Dieu, et si notre commune religion est bien une religion *révélée :*

« Savoir dans quelles " dispositions d'esprit " il convient de lire l'Ecriture, et comment " nous est communiquée la Révélation " sont des questions qui exigent au préalable une certaine mise en ordre. Mais, si je m'en tiens à la façon dont vous les formulez, elles répondent d'elles-mêmes. Car, en admettant comme vous le faites que " la Révélation est un enseignement personnel de Dieu ", alors il est clair que, pour lire la Bible où cette Révélation a été fixée par écrit pour durer, l'attitude qui convient est celle du disciple. Elle n'est nullement opposée à celle du savant, s'il est bien entendu que le savant n'est pas tant celui qui enseigne les autres que celui qui sait se montrer un disciple plus mûr en approfondissant l'objet de son étude.

« La connaissance intellectuelle de Dieu consiste en quelque sorte à lire sa présence dans le livre de l'Univers (ainsi, pour Einstein, la découverte de la sagesse que révèlent la structure et l'organisation du monde). Si la lecture de l'Ecriture doit former en nous la foi — disons plutôt : si elle doit former notre foi —, alors elle doit non seulement pénétrer en profondeur les textes bibliques, mais *dépasser* ce contenu vers Celui qui, par les paroles de l'Ecriture, Se communique Lui-même. C'est un mode de connaissance tout à fait distinct : il s'agit moins de *connaître* Dieu que de *faire sa connaissance.* »

On a bien lu : par les paroles de l'Ecriture, Dieu « Se communique Lui-même ». Par conséquent, il n'y aurait nulle différence à faire entre ce qu'Il *est,* et ce qu'Il *dit ;* Il serait inclus dans son message, de telle façon que la lecture de la Bible serait en réalité une communion et comme une première version de l'eucharistie. J'aimerais en savoir davantage, mais le pape souhaite que nous nous en tenions là pour le moment, et d'ailleurs une autre question me vient à l'esprit. Pour le chrétien, l'Ecriture, c'est d'abord l'Evangile. Or, l'idée s'est peu à peu insinuée chez les chrétiens que les textes des quatre évangélistes (Matthieu, Marc, Luc et Jean) ont été rédigés après coup dans le langage de la fable, pour rendre la vérité nouvelle accessible à des intelligences primitives. Ce que l'on appelle le « sens premier de l'Evangile », à savoir la relation que j'appellerai journalistique du fait divers divin de l'Incarnation, ne serait qu'une manière imaginée et pastorale d'exposer une doctrine inédite, trop difficile à comprendre dans son aspect purement spirituel.

D'après cette conception meurtrière de l'Evangile, le christianisme serait un ésotérisme profond, dissimulé pour la délectation des connaisseurs sous les oripeaux multicolores du conte. Pourtant, c'est son

« sens premier » qui a fait la fortune de l'Evangile ; c'est parce qu'il a été reçu comme une nouvelle vraie, et non comme une mythologie de plus, qu'il a conquis tant de cœurs dans tant de siècles ; c'est parce qu'ils ont cru qu'un homme, effectivement né d'une vierge, avait effectivement souffert pour eux, et qu'effectivement crucifié sous Ponce Pilate il avait effectivement ressuscité le troisième jour, que d'innombrables martyrs sont allés au supplice ; c'est parce qu'ils ont donné leur vie pour une personne, et non pour leurs idées, qu'on les appelle des témoins, et non des adhérents, et c'est pour cela qu'à notre tour, dans les temps anciens, nous avons commencé à croire. « Mon Père, dit le Christ, je Vous remercie d'avoir caché ces choses aux sages et aux savants, pour les révéler aux humbles et aux petits. » Si ces mots n'avaient jamais été prononcés, ou s'ils ne l'avaient été que pour séduire les humbles, les véritables destinataires du message étant « les sages et les savants », alors l'Evangile serait menteur, et Dieu se jouerait des esprits simples, auxquels il promet son royaume. D'où ma question : L'Evangile rapporte-t-il des *faits* ayant réellement eu lieu en un temps donné ?

La réponse du saint-père commence par une citation de la constitution *Dei Verbum* (De la Révélation divine) du concile Vatican II :

« *L'Eglise affirme avec constance et fermeté que les Quatre Evangiles, dont elle atteste sans hésiter l'historicité, transmettent fidèlement ce que Jésus, le Fils de Dieu, pendant qu'il vivait au milieu des hommes, a réellement fait et enseigné en vue de leur salut éternel, jusqu'au jour où il fut enlevé au ciel*[1]. *Après l'ascension du Seigneur, les apôtres ont transmis à leurs auditeurs ce que Jésus avait dit et fait, avec cette intelligence plus profonde dont ils jouissaient eux-mêmes, instruits qu'ils étaient par les événements glorieux du Christ et illuminés par la lumière de l'Esprit de vérité. Les saints auteurs ont composé les Quatre Evangiles en choisissant entre beaucoup d'éléments transmis oralement ou, déjà, par écrit, rédigeant un résumé des autres, ou les expliquant en fonction de la situation des Eglises locales, mais en gardant toujours la forme de la parole vivante telle que Jésus l'avait proclamée, afin de ne nous livrer sur lui que des choses vraies et sincères. Ils ont écrit dans cette intention, soit en puisant dans leur propre mémoire et leurs souvenirs, soit d'après le témoignage de ceux " qui furent dès le début témoins oculaires et serviteurs de la parole*[2] *", afin que nous puissions ajouter foi à l'enseignement que nous avons reçu.* »

Ce long fragment du texte conciliaire, me dit le pape, « donne à mon avis pleine réponse à votre question, avec tout ce qu'il faut pour préciser cette réponse. On sait que parallèlement aux Quatre Evangiles commençaient à paraître les autres textes du Nouveau Testament. Ici, j'aurai recours une fois de plus à un passage de la constitution *Dei Verbum*, qui touche à notre problème. Nous lisons donc :

« *Outre les Quatre Evangiles, le Nouveau Testament comprend aussi les épîtres de saint Paul et d'autres écrits apostoliques rédigés sous l'inspiration du Saint-Esprit. Ces écrits, en vertu d'un dessein divin*

---

1. Actes, I, 1-2.
2. Luc, I, 2-4.

plein de sagesse, confirment ce qui est dit par ailleurs du Christ Seigneur ; ils mettent sa doctrine authentique de mieux en mieux en lumière, proclamant la force salutaire de son œuvre divine, font connaître aux hommes l'histoire des débuts de l'Eglise et de sa merveilleuse diffusion, et annoncent par avance sa glorieuse consommation à la fin des temps.

« On le voit par ces deux citations, l'esprit critique des exégètes et des commentateurs des Ecritures s'est toujours concentré sur l'historicité des Quatre Evangiles eux-mêmes, et sur l'historicité de leur contenu. A cet égard la constitution conciliaire condense en peu de mots la synthèse des recherches de nombreux historiens et biblistes. »

Du premier texte, je retiens surtout les premières lignes : les Evangiles « transmettent fidèlement ce que Jésus a réellement fait et enseigné ». La foi n'en demande pas plus, mais elle n'en demande pas moins. S'il en allait autrement, l'Evangile ne serait pas une « nouvelle », mais tout au plus une nouveauté, Noël, Pâques et les autres grandes dates du calendrier chrétien ne seraient pas des fêtes, mais des thèmes de dissertation religieuse qu'il n'y aurait aucune raison de développer en musique.

« Cependant, l'historicité des faits rapportés dans les Evangiles me permet d'ajouter une remarque au thème de la connaissance ou " cognoscibilité " de Dieu que vous avez abordé tout à l'heure. Ce Dieu en qui nous croyons en tant que chrétiens est non seulement le *créateur invisible* que notre intelligence peut atteindre à travers le monde et les créatures.

C'est un Dieu qui *vient* vers l'homme et qui, de ce fait, *entre* dans l'histoire... »

... Qui est notre lieu de séjour naturel :

« L'homme est un être engagé dans l'histoire, donc soumis au temps qui s'écoule, mais il est conscient de ce temps qui passe et qu'il doit remplir en s'accomplissant lui-même : il lui faut s'établir dans le temps, et utiliser celui-ci pour faire de soi-même un être unique et qui ne sera jamais répété [le saint-père dit : « irrépétitible »]. L'historicité diffère essentiellement de la limitation par le temps. Car tous les êtres du monde qui nous entoure passent avec le temps. Seul l'homme a une histoire et seul il la crée. Certes, il la crée dans l'engrenage de la durée, mais en même temps il la crée grâce à ce qui, en lui, résiste, et surmonte le caractère passager de son existence. [Le pape dit : « la passagèreté » ; dans notre vocabulaire, le mot ne concerne, et c'est dommage, que les vols migrateurs.] En parlant d' " historicité ", je n'envisage pas la création de l'histoire comme culture ou comme science ; je pense à la manière même d'exister de l'homme comme tel, de chaque homme sans exception.

« Ainsi conçue, l'historicité de l'homme explique l'apparition de Dieu à l'horizon, son entrée dans l'histoire. La Révélation atteint son sommet dans les faits composant la vie du Christ, rapportés par les Quatre Evangiles et confirmés par les autres écrits du Nouveau Testament, comme le dit la constitution *Dei Verbum*. Toute la Révélation est historique en ce sens qu'elle se rapporte à l' " historicité " comme mode d'existence de l'homme en ce monde. Elle proclame les " grandes œuvres de Dieu ", à savoir les effets de son action transcendante — ou plutôt de son don à l'homme. Ces œuvres apparaissent dans l'histoire en général sous la forme concrète de l'histoire du salut. »

J'invite le lecteur à prêter la plus grande attention à la démonstration qui va suivre. Elle prend appui sur une évidence indéniable et solide comme le roc : il y a dans l'être humain — le saint-père vient de le dire — quelque chose qui résiste à l'ensevelissement du temps, qui le pousse à produire une œuvre, à écrire un nom dans le marbre, ou dans le ciel, à bâtir des pyramides ou plus prosaïquement à avoir des enfants, ce qui lui confère une sorte de perpétuité biologique. Ce principe irréductible qui le fait vivre en traversant sa propre histoire et qui est en lui comme un souvenir, un reflet et une semence d'éternité, c'est cela même qui vient lui rappeler qu'il est « à la ressemblance de Dieu », et c'est dans cette part profonde et comme initiale de la personne que la foi prend racine :

« Dieu se donne à l'homme créé à son image, et seule cette " image " et " ressemblance[1] " peut rendre possible cette communication. Celle-ci crée la trame la plus intérieure, transcendante et finale de l'histoire de chaque homme et de l'humanité tout entière. Il s'agit aussi d'une trame " trans-historique " puisque, tout en tenant compte du caractère transitoire de l'homme, inscrit dans le temps avec tout le monde visible, elle manifeste simultanément ce qui en lui ne passe pas, ce qui résiste au temps, à la destruction, à la mort. Nous venons de le dire,

1. Genèse, I, 26 : « Dieu dit : " Faisons l'homme à notre image, selon notre ressemblance. " »

c'est cela l'*historicité* de l'homme : cet arrêt, cette saisie de ce qui passe pour en extraire *ce qui ne passe pas,* qui sert à immortaliser ce qui est le plus essentiellement humain, ce par quoi l'homme est image et ressemblance de Dieu, et dépasse toutes les créatures soumises à une existence éphémère. L'*historicité,* c'est aussi l'existence de *quelqu'un* qui, tout en " passant ", garde son identité.

« Comprise de la sorte, l'historicité de l'homme est le lieu de référence de la Révélation où se façonnent la foi et son histoire, par conséquent l'histoire du salut.

« Cela dit, l'historicité de l'homme ainsi considérée est une des sources de la pensée théiste, de l'intelligence allant à la rencontre de Dieu. C'est précisément dans son historicité et à cause d'elle que l'homme est incité à chercher un Etre qui réalise tout ce qui résiste en lui à la *passagèreté,* soit l'ultime Transcendant de sa propre transcendance, le modèle éternel dont il est, en tant qu'homme, l'image et la ressemblance.

« Ainsi donc, ce n'est pas seulement le monde (ou l'Univers) qui est à la base de la connaissance rationnelle de Dieu, mais aussi et peut-être surtout l'homme lui-même-dans-le-monde, l'homme dans son historicité, c'est-à-dire en même temps dans ce qui la dépasse. »

IV

Chez Jean-Paul II la puissance de travail est considérable, par l'effet conjoint d'un bon organisme et d'une bonne organisation. Avant l'attentat du 13 mai, il se dégageait de sa personne une impression de force extraordinaire. Lorsqu'il disait la messe sur la place Saint-Pierre, les remous de son ample robe blanche claquaient autour de lui comme les plis de la *Victoire de Samothrace,* ce coup de vent dans la pierre. La première fois que je l'ai vu d'assez près, il remontait une galerie du Vatican entre deux rangées de visiteurs, et une escouade de *monsignori* s'essoufflait à le suivre. Depuis, il redevient ce qu'il était, mais, si j'ose risquer cette figure, il ne laisse pas encore son cheval s'emballer comme autrefois.

Pour ce qui est de son organisation, elle est à la fois rigoureuse et à géométrie variable quant aux différentes parties de ses journées ordinaires. Il se lève à 6 heures moins le quart, pas très facilement, me dit-il. Messe à 7 heures, après une longue méditation. Il n'est pas rare qu'une petite audience de quelque dix à quinze minutes précède le petit déjeuner auquel il a toujours un ou plusieurs invités. De 9 heures à 11 heures, le pape travaille dans son bureau et ne reçoit pas. A Cracovie, il s'enfermait à double tour dans sa chapelle, où un petit bureau, installé près d'une fenêtre, était tourné vers l'autel. Le cardinal Wojtyla écrivait deux heures durant sous le soleil du saint-sacrement, et en deux heures cet homme que la prière tient pour ainsi dire constamment sous les armes abat un travail considérable. A 11 heures commencent les audiences, qui se poursuivent jusqu'à 1 heure et demie, 2 heures moins le quart. Au déjeuner comme au petit déjeuner, des invités que le pape veut honorer ou dont il attend quelque complément d'information. Il prend ensuite une demi-heure de repos avant de monter dire le bréviaire sur sa terrasse. De 3 heures et demie à 6 heures et demie, il travaille dans son bureau avec ses plus proches collaborateurs, puis viennent avec leurs dossiers les ministres et les hauts fonctionnaires de la Curie, qui est le gouvernement de l'Eglise. Le dîner, que l'on appelle « souper » au Vatican, se prend vers 8 heures. A 9 heures, c'est de nouveau le cabinet de travail et la chapelle, la fin du bréviaire dont les « heures » ont été dites dans les intervalles. Le saint-père se couche souvent après 11 heures du soir, après avoir consacré toute sa journée à l'Eglise, par la prière, par la pensée, par la parole et l'action, sans en distraire une minute à d'autres fins.

Jean-Paul II apporte à tout ce qu'il fait la même conscience exacte, on l'aura vu à la minutie de ses réponses, si bien qu'un dialogue comme le nôtre, qu'il considère comme privé, bien qu'il ait décidé de le rendre public, n'aura jamais empiété sur les heures de travail, qu'il a le sentiment de devoir toutes à l'Eglise. Il s'accorde cependant quelques moments de liberté, à Castel Gandolfo, ou le dimanche matin, ou encore durant les repas, qui ne sont pas tous réservés à des visiteurs importants. Dans la grande salle à manger tendue de gris, façon galerie de peinture (il y a de très belles œuvres anciennes aux murs), où l'on remarque sur un meuble d'angle une statuette polonaise représentant sainte Anne portant dans ses bras la Vierge Marie, qui tient elle-même l'Enfant Jésus sur son cœur, le cérémonial est toujours le même. Le saint-père prend place d'un côté de la table, où il est seul, son invité en face de lui, ses deux secrétaires aux deux bouts. Sitôt dit le bénédicité, le pape pointe le doigt vers les feuillets que vous lui apportez : « Alors, dit-il, où en sommes-nous ? » Il mange très vite, et moins qu'on ne le prétend, sans prêter grande attention à ce qui lui est servi, écarte l'assiette vide d'un geste qui semble balayer une objection et vous écoute dans l'attitude familière qu'on lui voit sur mainte image, le coude sur la table, la joue dans la main et l'œil en coin qui suit le défilé de l'argumentation au bout de laquelle, arrivé avant vous, il vous attend patiemment. Car la patience est l'un de ses traits de caractère les plus profonds. « Je ne suis pas pressé », dit-il volontiers. Mais son esprit ne dévie jamais de sa course et toute décision, une fois prise, est instantanément applicable, à la surprise des intéressés. Ce qu'ils prenaient pour de l'hésitation n'était que la prudence de l'alpiniste qui « s'assure », le pape ne prenant qu'une seule sorte d' « assurance » : la prière, qui précède longuement tout ce qu'il fait comme tout ce qu'il dit.

Cependant, lorsqu'un pape veut bien répondre à vos questions, la double crainte vous saisit d'en poser trop, ou pas assez, bientôt suivie de l'appréhension de ne pas poser celle qui convient. J'ai pensé qu'il était de mon devoir de me faire, dans mon questionnaire, le délégué de ceux qui n'ont jamais la parole et qui ne trouvent guère à interroger qu'eux-mêmes, comme Hamlet dans son monologue d'une simplicité radicale : Etre, ou ne pas être ? Dieu est-Il, ou n'est-Il pas ? D'où les questions que je viens de poser au saint-père sur la connaissance de Dieu, l'Ecriture, l'historicité de l'Evangile et la réalité des faits qu'il rapporte. Mais la foi, dont on parle tant sans jamais nous dire en quoi elle consiste ? Peut-on donner une définition de cette foi dont les uns disent qu'elle est un don de Dieu, les autres un engagement, ou encore « la substance des choses que nous espérons » ?

« Peut-être faudrait-il s'entendre d'abord sur le terme même de " définition ", mais passons outre pour le moment. Pour ma part, je ne ferais pas abstraction de l'ancienne définition du catéchisme, que j'ai apprise à l'école primaire, et suivant laquelle la foi est " admettre comme vérité ce que Dieu a révélé et que l'Eglise nous donne à croire ". Cependant, je ne vous y renvoie pas, car cette définition, telle quelle, peut s'attirer le reproche de ne pas mettre assez en évidence la personne, sujet de la foi. Encore que l'expression même " admettre comme vérité " implique clairement l'existence du sujet. Elle indique également le caractère cognitif de la foi, par sa référence à la vérité qui est au centre de son dynamisme. Le jeune homme du Parc des Princes nous a montré cela aussi par un effet de contraste avec l'incroyance et l'athéisme.

« Pourtant, votre question va plus loin. Il y a liaison et continuité entre les trois formules que vous avancez comme équivalentes : chacune d'elles exprime un autre aspect de cette splendide réalité qu'est la foi.

« Tout d'abord, le *don*. Permettez-moi de citer une fois de plus le concile Vatican II : *Il a plu à Dieu, dans sa bonté et sa sagesse, de se révéler lui-même et de faire connaître le mystère de sa volonté : par le Christ, Verbe incarné, les hommes ont, dans le Saint-Esprit, accès auprès du Père et deviennent participants de la nature divine. Ainsi, par la Révélation, Dieu, qui est invisible, dans l'immensité de Son amour s'adresse aux hommes comme à des amis et converse avec eux, pour les inviter à entrer en communion avec Lui, et les recevoir en cette communion.* »

Ce texte de la constitution *Dei Verbum* est entrecoupé de références à l'Ancien et au Nouveau Testament, principalement tirées de l'Exode, du livre de Baruch, de l'évangile de saint Jean et des épîtres de saint Paul[1]. Le Christ y est appelé, comme dans nombre d'écrits religieux, le « Verbe incarné », expression mystérieuse pour beaucoup, et dont l'explication à elle seule a produit plus d'un livre. Pour être bref, disons que dans l'histoire des hommes, avant que les mots ne se dégradent au point d'être devenus inopérants, la parole (le « verbe », en grec : *logos*) était au commencement de l'action et à l'origine des choses. Pour les Egyptiens et les Hébreux, entre autres, la simple parole humaine avait d'une certaine façon pouvoir sur ce qu'elle nommait ; la Parole divine était créatrice, et comme un intermédiaire entre Dieu et le rien. Ainsi, lorsque nous lisons dans la Bible : « Dieu dit : " Que la

1. Les voici, dans l'ordre des citations : Ephésiens, I, 9 (« Le mystère de Sa volonté ») ; Ephésiens, II, 18 (« Accès auprès du Père ») ; Exode, XXXIII, 11 ; Colossiens, I, 15 ; Timothée I, I, 17 (« Dieu invisible ») ; Baruch, III, 38 (« Il converse avec les hommes ») ; Romains, XVI, 26, et I, 5 ; Corinthiens II, X, 5-6 (pour l'ensemble du texte).

lumière soit " », les mots à retenir pour ce qui nous occupe sont : « Dieu dit » ; c'est parce qu'Il dit, qu'*il y a*. Le Christ, par qui selon le Credo des chrétiens « tout a été fait », est la Parole en personne, créatrice et rédemptrice. « Au commencement était la Parole », dit l'évangile de Jean. L'Univers serait une phrase de Dieu dont nous ne connaîtrions pas encore la fin.

Mais le pape revient sur la citation du concile : « Ces paroles, d'une densité et d'une précision admirables, ne parlent pas encore de la foi, mais de la Révélation. La Révélation, c'est " Dieu qui Se communique ". Elle a donc le caractère du don ou de la grâce : don de personne à personne, dans la communion des personnes. Don parfaitement gratuit et libre qui ne s'explique par rien d'autre que l'amour.

« Tout cela concerne la Révélation. Et la foi ?

« Nous lisons plus loin, dans le même texte : " A Dieu qui se révèle il faut apporter l'*obéissance de la foi* par laquelle l'homme se confie tout entier, librement, à Dieu, apportant à *Celui qui révèle* la soumission complète de son intelligence et de son cœur et donnant de toute sa volonté plein assentiment à la Révélation qu'Il a faite. " La foi est donc cette réponse de l'homme à la Révélation par laquelle Dieu " Se communique ". La constitution *Dei Verbum* exprime parfaitement le caractère essentiellement personnel de la foi.

« Dans les mots " l'homme se confie à Dieu par l'obéissance de la foi ", il faut bien, ne fût-ce qu'indirectement, voir cette pensée que la foi, en tant que réponse à la Révélation par laquelle Dieu " Se donne à l'homme ", suppose par son dynamisme intérieur un don réciproque de l'homme, qui en quelque sorte " se donne aussi à Dieu ". Ce *don de soi* est la structure la plus profonde et la plus personnelle de la foi.

« Dans l'acte de foi, l'homme ne répond pas à Dieu par le don d'une parcelle de lui-même, mais par le don de sa personne tout entière. Bien entendu, dans ce rapport de réciprocité, la proportion des disproportions reste intacte. »

Donc la méprise est fréquente. Ceux qui disent : « La foi est un don », sous-entendant qu'ils ne l'ont pas reçu, sont à la fois dans la vérité et dans l'erreur. Dans la vérité, car il y a effectivement don de Dieu. Dans l'erreur, car ce don n'est pas de ceux qui n'appellent qu'une banale formalité d'enregistrement; il ne prend effet que dans la réciprocité :

« L'homme se donne ou " se confie " à Dieu dans la foi, par la réponse de la foi à la mesure de son être créé — donc dépendant. Il ne s'agit donc pas d'une relation d'égal à égal, et c'est pourquoi *Dei Verbum* emploie les termes " se confie ", d'une souveraine précision. Dans la " communion " avec Dieu, la foi marque le premier pas.

« Selon l'enseignement des apôtres, la foi trouve sa plénitude de vie dans l'amour. C'est dans l'amour que l'abandon confiant à Dieu acquiert son caractère propre et cette dimension de don réciproque dont la foi est l'amorce.

« Ainsi donc, alors que l'ancienne définition tirée de mon catéchisme parlait surtout de l'acceptation comme " vérité de tout ce que Dieu a révélé ", le texte conciliaire, en parlant d'abandon à Dieu, met plutôt en relief le caractère personnaliste de la foi. L'aspect cognitif n'est pas voilé ou décalé pour autant, mais il est pour ainsi dire organiquement intégré dans la dimension globale du sujet répondant à Dieu par la foi. Nous parlerons de cela plus tard.

« Ai-je répondu à votre question touchant la foi considérée comme un don ? Non, pas encore. Si nous nous en tenions à ce que je viens de dire, nous serions sur la pente du pélagianisme, que l'Eglise a depuis longtemps et très vite surmonté. »

Le pélagianisme est la doctrine de Pélage, moine du ve siècle qui avait ses idées sur le péché originel. Il en limitait les effets à Adam, et privilégiait l'effort humain en enseignant que la grâce était proportionnée au mérite, opinion radicalement démentie par tout ce que l'on sait de l'amour de Dieu, ou de l'amour des parents pour leurs enfants, qui n'ont pas à se donner de peine pour être aimés. La doctrine de Pélage a été condamnée par le concile de Carthage en 418, mais elle a reparu depuis sous divers déguisements. Je soupçonne ce moine excessivement comptable d'être à l'origine de la maxime que d'innombrables bonnes personnes sont tout à fait sûres d'avoir lue dans l'Evangile, où elle ne figure pas : « Aide-toi, le ciel t'aidera ».

« Réponse à la Révélation de Dieu, la foi n'est cependant pas un don que l'homme ferait à Dieu par ses seuls moyens propres, mais, essentiellement, un don intérieur où croît et fleurit l'abandon confiant de l'homme à Dieu.

« Nous avons lu dans la constitution *Dei Verbum*

que l'obéissance de la foi (par laquelle l'homme s'en remet tout entier et librement à Dieu en témoignant au " Dieu révélateur " une soumission totale de l'esprit et de la volonté, et en donnant de tout son cœur son assentiment à la Révélation) est en même temps le fruit d'une action intérieure de l'Esprit saint, et qu'elle dépend entièrement et essentiellement de cette action. Nous lisons en effet : " Pour pouvoir manifester cette foi, l'homme a besoin de la grâce de Dieu, qui fait les premières avances et qui l'aide, ainsi que du secours de l'Esprit saint pour toucher son cœur et le tourner vers Dieu, pour ouvrir les yeux de son âme, et, selon les Pères de Vatican I, donner à tous la joie profonde de consentir et de croire à la vérité. " Et, plus loin : " Pour que l'on puisse pénétrer plus en profondeur le sens de la Révélation, le même Esprit saint ne cesse de rendre par ses dons la foi plus parfaite. "

« En ce sens la foi est un don intérieur de Dieu qui rend apte à répondre à la Révélation, c'est-à-dire à la Parole en laquelle Dieu Se révèle. C'est une Parole proclamée " à mainte reprise et sous mainte forme " par les prophètes, et en fin de compte par l'incarnation du Verbe. En recevant ce Verbe nous recevons Dieu Lui-même, qui par lui Se révèle. Cette acceptation du Verbe incarné est en même temps un acte d'abandon à Dieu, soit, en quelque sorte, un engagement. Tel serait, en réponse à votre question, le deuxième aspect de la foi. »

De nouveau, le pape va employer deux mots d'usage courant parmi les philosophes, et qui courent moins souvent dans le langage ordinaire — qui est le mien —, le mot « ontique » et le mot « transcendant ». L' « ontique » se rapporte à l'être des choses. Est « transcendant » pour nous ce qui s'élève au-dessus du commun, passe le mérite ordinaire, ou échappe aux lois qui retiennent le reste. La « transcendance » est très appréciée des philosophes, mais elle n'a pas le même sens dans toutes les écoles. Pour la géométrie — qui a toujours le dernier mot — la courbe « transcendantale » est la courbe dans le calcul de laquelle on fait entrer l'infini. Je crois que cette définition est celle qui se rapproche le plus de la pensée du saint-père lorsqu'il parle de la transcendance de l'homme.

« Avant de vous dire comment j'incline à concevoir cet engagement, permettez-moi d'examiner une fois de plus le sens fondamental de ce mot à la lumière de l' abandon confiant à Dieu.

« J'ai déjà attiré votre attention sur la différence entre la formule du catéchisme : " accepter comme vérité tout ce que Dieu révèle ", et l'abandon à Dieu. Dans la première définition, la foi est surtout d'ordre intellectuel, en tant qu'elle est accueil et assimilation du donné révélé. Par contre, lorsque la constitution *Dei Verbum* nous dit que l'homme se confie à Dieu " par l'obéissance de la foi ", nous affrontons toute la dimension ontique et existentielle, et pour ainsi dire tout le drame de l'existence propre à l'homme.

« Dans la foi, l'homme découvre la relativité de son être tourné vers un *moi* absolu, et le caractère contingent de son existence. Croire, c'est confier ce *moi humain* dans toute sa transcendance et dans toute sa grandeur transcendante, mais aussi avec ses limites, sa fragilité, sa condition mortelle, à *Quelqu'un* qui s'annonce comme le *commencement* et la *fin,* transcendant tout le créé et le contingent, mais qui se révèle en même temps comme une Personne qui nous invite à la convivialité, à la participation, à la communion. Une personne absolue — ou mieux : un Absolu personnel.

« L'abandon à Dieu par la foi (par l'obéissance de la foi) pénètre au plus profond de l'existence humaine, au cœur même de l'existence personnelle. C'est ainsi qu'il faut entendre cet " engagement " que vous avez mentionné dans votre question, et qui se présente comme la solution du problème même de l'existence, ou du drame personnel de l'existence humaine. C'est beaucoup plus qu'un théisme purement intellectuel, et cela va plus profond et plus loin que l'acte d' " accepter comme vérité ce que Dieu a révélé ".

« Lorsque Dieu se révèle, et que la foi l'accepte, *c'est l'homme qui se voit révélé à lui-même et confirmé dans son être d'homme et de personne.*

« Nous savons que Dieu se révèle en Jésus-Christ, et qu'en même temps, comme le dit la constitution *Gaudium et Spes,* que Jésus-Christ révèle l'homme à l'homme : " Le mystère de l'homme ne s'éclaire vraiment que dans le mystère du Verbe incarné[1]. "

« Ainsi ces divers aspects, ces différents éléments ou données de la Révélation s'avèrent profondément cohérents, et acquièrent leur cohésion définitive dans l'homme et *dans sa vocation.* L'essence de la foi réside non seulement dans la connaissance, mais aussi dans la vocation, dans l'*appel.* Car qu'est-ce

1. *Gaudium et Spes,* 22. Cette constitution du concile Vatican II sera souvent citée par le saint-père, qui a largement contribué à son élaboration.

donc au fond que cette obéissance de la foi par laquelle l'homme manifeste " une soumission totale de son intelligence et de sa volonté au Dieu qui se révèle " ? Ce n'est pas seulement entendre la Parole, l'écouter (au sens de lui obéir) : c'est aussi répondre à un appel, à un certain " Suis-moi ! " à la fois historique et eschatologique, prononcé sur la terre et dans les cieux.

« A mon sens, il faut avoir bien présente à l'esprit cette relation entre la connaissance et la vocation, inhérente à l'essence même de la foi, si l'on veut déchiffrer correctement le riche, très riche message de Vatican II. A réfléchir sur l'ensemble de son contenu, je suis arrivé à la conclusion que croire, selon Vatican II, c'est entrer dans la mission de l'Eglise en acceptant de participer à la triple mission du Christ, prophète, prêtre, roi. On voit par là comment la foi, en tant qu'engagement, découvre à nos yeux des perspectives toujours nouvelles, même par rapport à son contenu. Je suis toutefois convaincu qu'à la base de cet aspect de la foi se trouve l'acte d'abandon à Dieu, où *le don* et *l'engagement* se rencontrent de la manière la plus étroite et la plus profonde. »

Jean-Paul II déroule posément sa démonstration d'un thème à l'autre comme un fil électrique, et vous vous demandez combien de temps va durer l'installation lorsqu'il réussit la connexion décisive qui illumine soudain l'édifice doctrinal. L'exposé qui précède est un bon exemple de sa méthode. Il part de constatations presque banales sur la Révélation et la nature humaine, pour aboutir à des conclusions puissantes et neuves parmi lesquelles je retiens pour ma part celle-ci, que la foi est au plus intime de notre être ce qui établit la coïncidence du divin et de cette part essentielle de nous-mêmes qui ne veut pas mourir.

Reste à élucider la belle et mystérieuse formule attribuée à saint Paul : « La foi est la substance des choses que nous espérons », incluse dans ma question. Signifie-t-elle que par la foi nous est donné maintenant, dans l'obscurité, ce que nous verrons plus tard dans la lumière d'un nouveau monde ? Ou bien, comme je l'ai cru longtemps, est-ce à dire que la foi est en quelque sorte la matière première de notre part de charité, dans l'éternel échange qui sera notre joie ? En quel sens faut-il prendre la phrase de la lettre aux Hébreux[1] ?

Mais le saint-père entend le grec, et l'on se souvient qu'il a étudié la philologie à l'université. Je vais en supporter les conséquences :

« Avec les lunettes de la critique biblique, le terme de " substance " correspond à l'*hypostasis* du grec, et a son histoire à part dans la théologie des conciles. A Nicée, il désignait plutôt l' " Essence ", plus tard la " Personne ", d'où la définition du dogme trinitaire : " une nature en trois hypostases[2] " ; et celle du dogme christologique : l' " union hypostatique de deux natures[3] ". Dans la Bible, *hypostasis* a un sens plus proche de sa racine : " ce qui est en dessous ", donc " base " ou fondement. En conséquence, alors que l' *hypostasis* de la lettre aux Hébreux était rendu par le mot " substance " dans

1. Hébreux, XI, 1.
2. Dieu en trois personnes.
3. La nature divine et la nature humaine dans le Christ.

la Vulgate[1], les traducteurs plus modernes n'emploient plus ce terme. Ils le traduisent d'une manière plus " objective " en parlant de *fondement*, de *garantie*, de *caution*, ou bien d'une façon plus " subjective " en disant *certitude* ou *raison d'espérer*.

« De plus, le passage en question de la lettre aux Hébreux qui est inclus dans une longue argumentation sur la foi (quarante paragraphes), n'est complet qu'ainsi : " fondement des choses que nous espérons ", et " preuve de celles que nous ne voyons pas ".

« Après ces remarques philologiques, je ne craindrai pas de dire que, selon l'auteur de la lettre, dans la foi nous est donnée de *façon invisible* une *réalité* qui est en même temps l'*objet de notre espérance*.

« La foi, impliquant la ferme conviction que cette *réalité invisible* existe, est de ce fait le fondement de l'espérance que nous avons de l'atteindre.

« Pour résumer, on peut affirmer que l'ancienne définition de nos catéchismes a été considérablement développée et enrichie grâce aux études bibliques et aux textes conciliaires. Certes, on pourrait et même on devrait en dire davantage. Ne fût-ce que dans la lettre aux Hébreux que nous venons d'évoquer, nous lisons que la foi permet non seulement de *connaître Dieu*, mais de *Lui plaire*, qu'elle est la *force* des martyrs et des confesseurs[2]. Moi-même, il y eut un temps où j'ai étudié la question de la foi dans les œuvres de saint Jean de la Croix. Vous savez qu'il

1. La Vulgate est la version latine de la Bible, composée en partie au IVe siècle par saint Jérôme, sous le contrôle d'un petit collège de rabbins pour les textes hébreux, et adoptée par l'Eglise. Rédigée en latin, la Vulgate était donc à l'époque une publication en langue « vulgaire ».

2. Hébreux, XI, 6, 32-38.

parle des *nuits* de la foi, pour faire comprendre de façon imagée que cette participation essentielle à la connaissance de lui-même, que Dieu nous accorde dans la foi, dépasse les facultés humaines, aussi bien sur le plan du sensible que sur le plan spirituel. Précisément, ce caractère supra-sensible et supra-intellectuel de la foi, en se manifestant sur les chemins d'une vie intérieure intense, garantit que l'on approche de la Réalité donnée à l'homme dans la foi, et qu'il cherche de toutes ses forces à atteindre.

« Cette analyse de la foi, due à un grand mystique, est pour moi singulièrement convaincante », conclut le pape. Qui ajoute, toujours charitable, et pour me consoler sans doute de la perte de « substance » que je viens d'éprouver : « Cela ne diminue en rien la portée de vos questions. »

Mais une difficulté subsiste. Dans la lettre aux Hébreux, il est parlé des « choses que nous espérons » sans plus de précision, comme s'il était inutile d'en dire davantage à des chrétiens. Et l'on peut supposer en effet que les martyrs allant au supplice n'hésitaient pas sur ce que la foi leur donnait lieu d'espérer. Je ne suis pas sûr que tous les chrétiens d'aujourd'hui, surtout les chrétiens du monde occidental à qui la dure nécessité du témoignage a été épargnée depuis longtemps, aient la même vision claire et distincte des promesses de leur religion. La foi et l'espérance marchent dans la même voie, l'espérance ayant un pas d'avance sur sa compagne ; mais où vont-elles ? Quelles sont ces « choses que nous espérons » ?

« Encore une question qui appellerait tout un

traité ! Essayons d'éviter cela, en reprenant le fil de notre propos. Je n'oublie pas un instant que j'ai affaire à l'auteur du livre *Dieu existe, je L'ai rencontré,* et du suivant, fondé sur la même expérience, et qui évoque l'existence de l' " autre monde ". Où il s'agit précisément du *monde invisible,* de cette *réalité* que nous espérons. Le texte de la lettre aux Hébreux que nous venons d'analyser s'accorde parfaitement avec d'autres où l'auteur inspiré évoque l' " espérance qui est en nous " et dont chaque chrétien " doit rendre compte " face aux hommes. »

C'est en effet une vérité oubliée que le chrétien n'est pas propriétaire de la Révélation, et qu'il doit compte aux autres de la grâce qu'il a reçue. Je me réserve de revenir sur ce point tandis que le saint-père ouvre un nouveau sillon de pensées :

« Si croire est admettre comme vérité ce que Dieu a révélé, avoir l'espérance chrétienne, c'est attendre avec une certitude surnaturelle " ce que Dieu a promis à l'homme à cause des mérites de Jésus-Christ ". Mieux : c'est tendre à cela, ordonner sa vie dans la perspective de cet avenir que l'homme et le monde possèdent en Dieu.

« Je pense que le moment saisissant décrit dans vos deux livres, ce moment d'une violente transformation intérieure, d'une conversion de l'incroyance à la foi, a été en même temps une amorce de l'espérance : la découverte de cet avenir dont je viens de parler. Avant, vous ne l'admettiez pas, et vous n'ordonniez pas votre vie dans cette perspective ; à partir de ce moment vous avez commencé à vivre dans ce sens et à tendre vers cet avenir.

« Quant à moi, je n'ai pas fait dans ma vie l'expérience d'un bouleversement aussi violent. Je vous l'ai dit, les années de mon enfance et mon adolescence se sont écoulées dans une atmosphère de foi, de foi transmise, et librement continuée. J'avais la conscience très vive, parfois poignante, des " fins dernières " et surtout du " jugement de Dieu ". Dans le catéchisme de mon école primaire, les " fins dernières " figuraient dans le chapitre de *l'espérance chrétienne,* il y était successivement question de la mort, du jugement — particulier et dernier —, du ciel, de l'enfer, du purgatoire. Au centre de cette eschatologie catéchétique se trouvait, c'était du moins mon impression, le *jugement de Dieu.* Cette vision des fins dernières avait surtout le caractère d'un grand examen de toute la vie, des actions bonnes et mauvaises. L'aspect moral prédominait, transféré dans la dimension de la vie d'outre-tombe dont Dieu est le maître et suprême garant.

« Bien sûr, cette vision est conforme à la Révélation, on peut invoquer en sa faveur différents textes de l'Ecriture, à commencer par la fresque grandiose du chapitre XXV de saint Matthieu[1]. Je suis convaincu qu'elle s'insère dans les structures de la foi et de l'éthique d'une immense majorité de l'humanité, et non seulement des chrétiens croyants. En se fondant sur cette vision des choses, on peut " rendre compte de l'espérance qui est en nous " — mais elle ne répond pas à toute la richesse de cette espérance. Cet avenir que nous avons en Dieu selon les paroles de la vie éternelle est infiniment plus riche, plus intimement lié au temps présent, comme

1. Après deux paraboles sur le royaume des cieux, ce chapitre XXV de l'évangile selon Matthieu évoque le jugement des nations (« Venez, les bénis de mon Père », etc.). Ce texte sera repris un peu plus loin.

à tout le passé de l'homme et du monde depuis le commencement et tout au long de l'histoire révélée. C'est en raison de cet *avenir* que cette histoire porte le nom d' " histoire du salut " et l'est effectivement. »

Les chrétiens qui ont parfois bien de la peine à organiser leur croyance trouveront sans doute quelque réconfort dans les paroles qui vont suivre, où le saint-père confesse que la « synthèse » de sa foi ne s'est pas faite toute seule, ni si tôt :

« Je dois vous avouer sur ce point que c'est le concile Vatican II qui m'a aidé à trouver la synthèse de ma foi personnelle, en premier lieu le chapitre 7 de la constitution *Lumen gentium* intitulé : " Le Caractère eschatologique de l'Eglise pérégrinante et sa relation avec l'Eglise du ciel. " J'étais déjà évêque lorsque j'ai pris part au concile. Auparavant, j'avais évidemment étudié le traité des fins dernières, et dans deux universités. A l'Angelicum de Rome, j'avais consacré beaucoup de temps aux articles de la *Somme théologique*[1] concernant tant *la béatitude* que la *vision béatifique*. Je crois cependant que c'est la constitution conciliaire sur l'Eglise qui m'a permis de découvrir la synthèse de cette réalité que nous espérons. Et c'est pourquoi je tiens à vous répondre, pour ainsi dire, texte en main. La découverte que j'ai faite alors consiste en ceci : tandis qu'autrefois j'envisageais surtout l'eschatologie de l'homme et mon avenir personnel d'outre-tombe,

1. De saint Thomas d'Aquin, « docteur commun de l'Eglise », dont l'enseignement est depuis des siècles à la base de la formation des clercs, même quand il est contesté. La « vision béatifique » mentionnée dans la même phrase est la vision de Dieu.

qui est entre les mains de Dieu, la constitution du concile a déplacé le centre de gravitation vers l'Eglise et le monde, ce qui donne sa pleine dimension à la doctrine des fins humaines.

« Voici le texte en question :

« *L'Eglise à laquelle nous sommes tous appelés en Jésus-Christ et dans laquelle nous acquérons la sainteté par la grâce de Dieu ne trouvera son achèvement que dans la gloire du ciel, lorsque sera venu le temps du renouveau universel, et que tout l'univers, intimement uni à l'homme grâce à qui il parvient à sa fin, sera, lui aussi, parfaitement restauré dans le Christ... Ce renouveau, que nous attendons, a déjà commencé dans le Christ. Il progresse par le Saint-Esprit et, grâce à lui, se poursuit dans l'Eglise, dont la foi nous instruit même sur le sens de notre vie temporelle, dès lors que nous accomplissons, dans l'espérance des biens futurs, la tâche que le Père nous a confiée dans le monde et qu'ainsi nous opérons notre salut... Cependant, jusqu'à l'heure où se verront " les nouveaux cieux et la nouvelle terre où la justice habite ", l'Eglise en pèlerinage portera dans ses sacrements et ses institutions, qui relèvent du temps, la figure du siècle qui passe : elle vit elle-même au milieu des créatures qui gémissent encore " dans les douleurs de l'enfantement " en attendant la " révélation des fils de Dieu ", selon les magnifiques paroles de l'épître aux Romains... Mais l'heure n'est pas encore venue où nous paraîtrons avec le Christ dans la gloire, devenus semblables à Dieu parce que nous le verrons tel qu'Il est... Avant de régner avec le Christ glorieux, nous comparaîtrons tous devant le " tribunal du Christ pour rendre compte de ce que nous avons accompli durant cette vie de chair, en bien ou en mal "... Ainsi, à la fin du monde, ceux qui auront fait le bien iront à la résurrection de la vie, ceux qui auront fait le mal, à celle du jugement*[1]. »

« Je ne vous relirai pas tout le chapitre. Ce ne sont que quelques fragments. Il en est beaucoup d'autres qui seraient à citer, aussi bien dans la constitution dogmatique *Lumen gentium* que dans la constitution pastorale *Gaudium et Spes.* Ce sont des textes chargés de paroles bibliques d'une éloquence et d'une originalité d'expression unique en son genre. Il faudrait établir un parallèle de tous ces passages pour répondre à la question : " Quelle est la *réalité* que nous attendons dans la foi ? "

« Pour tout résumer, je vous dirai ceci :

« Nous espérons dans la foi que Dieu achève et parachève Son don[2] révélé " depuis le commencement ". Dieu se révèle Soi-même à l'homme. Par conséquent, la vie éternelle trouve son centre dans la vision de Dieu face à face, selon l'expression de saint Paul, autrement dit dans l'ultime connaissance de Dieu tel qu'Il est, et dans l'amour découlant de cette connaissance, qui unit l'homme à Dieu dans cet amour, *qu'Il est Lui-même.* Ce don de l'insondable trinité, Père, Fils, Saint-Esprit, sera inséré dans le don du " ciel nouveau " et de la " nouvelle terre ", c'est-à-dire du monde et de l'homme affranchis des liens du péché et de la mort par la *réalité* de la Résurrection et de la gloire de fils de Dieu adoptés à jamais.

---

1. *Lumen gentium* (48). Toutes les phrases de ce texte s'appuient sur des citations du Nouveau Testament. Dans l'ordre : Actes, III, 21 ; Philippiens, II, 12 ; Pierre II, III, 13 ; Romains, VIII, 19, 22 ; Colossiens, III, 4 ; Jean I, III, 2 ; Corinthiens II, V, 10 ; Jean I, V, 29 ; Matthieu, XXV, 46.

2. C'est la Création.

« Cette foi, nous la confessons dans le symbole des apôtres, lorsque nous disons : " Je crois à la résurrection de la chair, et à la vie éternelle. "

« Dans ce même symbole, nous confessons aussi notre foi en la communion des saints.

« Ce don mené à son achèvement et dont la révélation se développe en s'approfondissant depuis le commencement, dépasse infiniment l'ordre des droits naturels et des tendances de l'homme. C'est pourquoi c'est un pur don absolu, au plein sens du terme. »

Cependant, quel est ce jugement dont il vient d'être question à plusieurs reprises et qui faisait surgir dans les imaginations d'autrefois le décor et l'équipement de la justice humaine, avec ses réquisitoires, ses plaidoiries et sa comptabilité pénale ?

« Dans sa transcendance, l'homme va à la rencontre de Dieu, infiniment parfait. Il s'arrête pour ainsi dire au seuil du *jugement,* entendu comme un besoin de se retrouver enfin dans la vérité, absolue et universelle. Il comprend la nécessité d'une justice définitive. Il perçoit également, parfois d'une manière extrêmement aiguë, la nécessité d'une purification intégrale face à la majesté de l'infinie sainteté. Tout cela, ce sont les " fins dernières " dans la perspective du sujet humain. Cependant, dans l'intention divine, la pleine dimension du don surpasse les vues humaines. Peut-être le mot qui nous aide le mieux à comprendre cela est-il le mot " communion ", qui évoque à la fois l'union du face à face avec le Dieu vivant, et l'union entre les hommes définitivement accordés à la divine mesure de l'existence et de la coexistence : *Communio sanctorum,* la communion des saints.

« En fin de compte, les paroles nous font défaut. C'est encore le langage de la Bible qui touche la cible ; il faut simplement arrêter son attention sur chaque phrase, sur chaque parole de ce langage, et, par la prière, entrer dans leur profondeur. »

Pour ma part, c'est la première fois que je vois passer cette idée, je devrais dire cette lumière, qui explique le « jugement » final par le désir de tout être de « se retrouver un jour dans la vérité absolue », dans la vérité de sa propre personne, de l'Univers, et de Dieu. Ainsi entendu, le « jugement » cesse de sentir le prétoire : c'est d'abord une libération, des doutes et des masques, des erreurs et des obscurités suspectes, des mensonges et des illusions de cette vie et s'il y a « tribunal » il ne siégera pas sous le glaive et la balance de la justice humaine, mais sous la devise de l'Evangile : « La vérité vous délivrera. » La « communion des saints » réglera le reste, à commencer, si j'ose dire, par l'addition.

Ce vieux dogme ultramoderne de la communion des saints occupe une grande place dans la pensée du saint-père. Vieux dogme, en effet. Son origine historique assez incertaine remonte probablement aux premiers âges du christianisme. En ce temps-là, beaucoup étaient appelés au martyre, mais tous n'avaient pas la force d'aller jusqu'au bout. Quelques-uns faiblissaient, que la communauté tenait à l'écart pour un certain temps. Ils pouvaient abréger la durée de cette exclusion en priant l'un de ceux qui avaient survécu aux supplices d'adresser, à l'Eglise des catacombes, une lettre où le martyr rescapé demandait que les mérites de son témoignage sanglant fussent reversés sur le frère défaillant, afin de hâter sa réintégration. Ces virements de fonds spirituels, qui ont donné lieu plus tard à la pratique inflationniste des « indulgences », mettent en œuvre le principe typiquement chrétien de la réversibilité des mérites, article essentiel de la « communion des saints » dont le centre rayonnant est Jésus-Christ.

Quant à l'origine divine du dogme, je la chercherai, pour ma part, dans ce chapitre xxv de l'évangile selon saint Matthieu, auquel le saint-père a fait allusion tout à l'heure et dont voici les versets déterminants :

Alors Il dira à ceux qui seront à sa droite : « Venez, les bénis de mon Père, prenez possession du royaume qui vous a été préparé dès la fondation du monde.

« Car j'ai eu faim, et vous m'avez donné à manger; j'ai eu soif, et vous m'avez donné à boire; j'étais étranger, et vous m'avez recueilli;

« J'étais nu, et vous m'avez vêtu; j'étais malade, et vous êtes venus; j'étais en prison, et vous m'avez visité. »

Les justes lui répondront : « Seigneur, quand t'avons-nous vu avoir faim, et t'avons-nous donné à manger, ou avoir soif, et t'avons-nous donné à boire ?

« Quand t'avons-nous vu étranger, et t'avons-nous recueilli; ou nu, et t'avons-nous vêtu ?

« Quand t'avons-nous vu malade, ou en prison, et t'avons-nous visité ? »

Alors Il leur répondra : « Je vous le dis en vérité, ces choses, chaque fois que vous les avez faites pour l'un de ces plus petits qui sont mes frères, c'est à moi que vous les avez faites. »

Les dogmes sont des pensées vivantes, et à mon avis le cœur de celui-là bat dans cet évangile, très précisément dans ces mots : « Ce que vous faites, c'est à moi que vous le faites. » Les actes humains vont bien au-delà de l'entourage et du périmètre social ou politique. Tout acte humain passe par Jésus-Christ et, par lui, atteint les autres jusqu'aux extrémités du monde. Car ce que je fais en bien ou en mal, c'est d'abord à lui que je le fais. Entre moi et mon prochain, ou cet inconnu au loin que je ne rencontrerai jamais, il y a sa personne, que je ne vois pas et qui est la première à recueillir mes larmes ou à recevoir mes coups, qui retentissent jusqu'au fond du ciel. En prenant ma nature d'homme, il m'a mis en communication avec la totalité de l'univers visible et invisible, des vivants et des morts, et la violence que je crois commettre dans l'ombre fait frissonner au loin un ange inconnu. Mais le plus faible mérite acquis par sa grâce ira lui aussi au plus démuni, qui sans me connaître attend mon bon vouloir, instruit ou ne sachant rien de cette réversibilité spirituelle qui fait du pauvre le créancier permanent du riche. Depuis l'Incarnation, les actes humains ont une répercussion infinie. C'est ainsi que je me représente la communion des saints. « Vieux dogme ultramoderne », dont tous les systèmes contemporains sont des caricatures ou des contrefaçons, sous la forme pénitentiaire de la responsabilité collective. Notre justice sortirait peut-être de ses graves perplexités morales si, sans se désintéresser des mobiles d'un méfait, elle s'inspirait un peu du « vieux dogme ultramoderne » pour s'intéresser à ses conséquences. Le coupable n'en deviendrait peut-être pas meilleur. La société, si.

V

Croire, a dit Jean-Paul II, c'est entrer « dans la triple mission du Christ ». Or, certains « missionnaires » (chrétiens, nous le sommes tous, selon la définition du saint-père) hésitent ou se refusent aujourd'hui à parler ouvertement de Jésus-Christ, par discrétion à l'égard de leurs interlocuteurs incroyants ou attachés à d'autres religions. Craignant d'être taxés de prosélytisme, voire de colonialisme religieux, ils récusent toute évangélisation, se font un devoir de ne rien annoncer à personne et entendent borner leur action à l' « échange » et au « partage » de leurs sentiments — sans préciser comment ils s'y prennent pour en exclure Jésus-Christ.

Comme beaucoup de convertis, incapables de taire la nouvelle qui les a bouleversés, j'ai peine à comprendre cette forme d'apostolat muet. Est-elle dans la ligne de Vatican II ?

« Le mandat missionnaire, contenu dans les paroles du Christ lui-même, n'a qu'un sens : " Allez dans le monde entier, enseignez tous les peuples, en les baptisant au nom du Père, du Fils et du Saint-Esprit... Apprenez-leur à observer *tout* ce que j'ai prescrit... et voici, je suis avec vous jusqu'à la fin du monde[1] ".

1. Matthieu, XXVIII, 19-20.

« Vatican II s'est attelé à l'œuvre de l'œcuménisme, c'est-à-dire de l'unité de tous les chrétiens. Il a dit aussi son respect et son estime pour les religions non chrétiennes, prenant surtout en considération le judaïsme et l'islam. En outre, le concile s'est largement exprimé sur la liberté religieuse.

« Et tout cela ne contredit en rien le fait que le même concile a confirmé l'action missionnaire de l'Eglise dans le décret *Ad gentes* [Aux nations]. De plus, dans son document *Lumen gentium,* il a mis en évidence que l'Eglise, de sa nature, est missionnaire. Ce rôle missionnaire de l'Eglise vient en droite ligne du mystère du Père qui S'est rendu proche et S'est révélé à nous en *envoyant* Son Fils. Quittant cette terre après avoir accompli sa mission, le Christ est resté parmi les siens, resté dans l'Eglise par l'Esprit saint envoyé en son nom par le Père, selon sa parole de la veille de la Passion. C'est ainsi que le mandat missionnaire confié aux apôtres est lié à la plus profonde raison d'être de l'Eglise. Depuis le début l'Eglise est missionnaire, et elle ne cessera jamais de l'être.

« Vatican II a encore accentué ce caractère dans son appel à l'engagement œcuménique en vue de l'unité des chrétiens, ainsi que par la mise en relief de tous les éléments de vérité, de toutes les valeurs authentiques que l'on trouve dans les religions non chrétiennes. En ce qui concerne l'unité des chrétiens, nous sommes dans le cercle des confesseurs et des disciples du même Christ qui, dans son oraison sacerdotale, a prié le Père pour que tous les disciples soient " Un ". La recherche constante et humble des chemins vers cette unité répond sûrement à la vocation missionnaire de l'Eglise, si l'on se rappelle que cette même prière se termine sur ces mots : " Afin que le monde croie que c'est Toi qui m'as envoyé[1]. "

« En ce qui concerne les religions non chrétiennes, le chemin du mandat missionnaire passe par une meilleure connaissance des « fois » professées. Un chrétien conscient de sa participation à la mission du Christ, qui contient la plénitude de ce que Dieu a voulu révéler de Soi à l'humanité, ne cessera de désirer que cette plénitude devienne la part de tout homme. Il ne cessera d'y travailler, tout en gardant un respect total pour les convictions de ceux qui croient autrement. Mais, souvent, il ne cessera de prier pour ce qui, il le sait très bien, ne sera pas le fruit des seules pensées religieuses de l'homme, si nobles soient-elles, mais un don de Dieu seul. Il laissera Dieu seul juge de la conscience de ses frères qui croient autrement ou ne croient pas. Et à Dieu seul il laissera le droit exclusif de faire fructifier Sa vérité dans les esprits et les cœurs, faisant pour sa part, dans cette intention, tout ce qui est en son pouvoir.

« La déclaration du concile sur la liberté religieuse est sur ce point d'une éloquence magistrale, surtout dans sa deuxième partie intitulée " La liberté religieuse à la lumière de la Révélation ". »

Cette déclaration, qui a marqué pour beaucoup d'observateurs la rupture de l'Eglise avec la célèbre formule « Hors l'Eglise, point de salut » (et qui n'était d'ailleurs pas si terrible, nul ne connaissant les limites de l'Eglise), concilie le devoir de tout

---

1. Jean, XVII, 21.

disciple d'annoncer la vérité reçue du Christ et celui d'agir « avec amour, prudence et patience » envers ceux qui sont dans l'erreur ou l'ignorance de la foi, qui ne saurait être imposée à personne. Elle se prévaut de l'exemple du Christ lui-même, qui n'a pas voulu que son royaume fût défendu par l'épée ni étendu par la force.

« Le Christ formule également le mandat missionnaire de l'Eglise dans un autre texte, où il est dit : " Vous serez mes témoins à Jérusalem et en Samarie, et jusqu'aux confins de la terre[1]. " Dégageons la relation réciproque de ces deux passages : " Enseignez en baptisant... " et " Vous serez mes témoins... ", relation fondamentale pour un authentique dynamisme missionnaire. Même si tous les chrétiens ne sont pas appelés à " enseigner et baptiser ", tous, selon leur vocation propre, doivent être " témoins " à la mesure du don reçu du Seigneur. Ce peut être un témoignage sans paroles — qui parlera par la sainteté et l'authenticité d'une vie conforme à l'esprit évangélique.

« A mon avis, Vatican II a confirmé pleinement ces lignes essentielles de la *praxis* missionnaire de l'Eglise. En situant cette *praxis* dans le contexte œcuménique, dans le rapport de l'Eglise aux religions non chrétiennes et suivant le principe bien compris de la liberté religieuse, le concile s'est montré désireux de voir l'activité missionnaire mûrir dans chacune de ses dimensions, conformément à la situation de l'homme dans le monde d'aujourd'hui, sous toutes les latitudes. »

1. Actes, I, 8.

VI

Equipé comme personne pour le combat rapproché de la controverse, le saint-père déteste la polémique et ses classifications sommaires. Il est vrai qu'il tient du ciel deux charismes qui le dispensent d'entrer dans nos misérables querelles. Le premier est d'agir par sa seule présence, comme tout le monde a pu s'en apercevoir le jour de son intronisation où, sans qu'il eût encore prononcé plus de trois mots, l'on vit pleurer des diplomates dans les travées officielles, phénomène aussi rare que la giboulée de mars au Sahel. Lorsqu'une dissension s'élève dans l'Eglise, il réunit les antagonistes, s'assied au bout de la table, ne dit rien, et tout s'arrange. On a vu cela lors de certains synodes que l'on annonçait orageux et qui ont fini comme de paisibles couchers de soleil, chacun sous le regard du pape ayant pris conscience que l'autre en face avait aussi ses raisons, qui n'étaient pas toutes mauvaises. Autre don — qui fait aussi l'homme —, l'aptitude à remonter aux causes, fort loin dans l'histoire, ou très haut dans la théologie. En lisant les pages qui précèdent, on se sera aperçu plus d'une fois qu'il n'hésitait jamais à prendre ses références dans la Genèse, et même au-delà, pour en reporter les conséquences très avant dans le futur. Pour parler en images, disons qu'il pique l'une des branches de son compas intellectuel sur la question du jour et qu'il écarte l'autre le plus loin possible dans le passé. Il lui suffit ensuite de faire pivoter l'instrument pour que la courbe de sa pensée aille vous déposer au milieu de vos fins dernières et que soient irrémédiablement survolées et dépassées les divisions qui vous semblaient si graves un instant auparavant. Par exemple, sa conception de la foi, qu'il vient d'exposer longuement, me semble très belle et tout à fait irréfutable ; mais, avec l'idée de rédemption, elle implique la notion de péché qui a tout l'air d'être en train de se perdre, grand dommage pour l'humanité. Car la notion de péché est liée à la dignité de l'être humain de telle sorte qu'il y a plus d'honneur à reconnaître une faute qu'à produire n'importe quelle action d'éclat.

Mais quand je dis au saint-père qu'à cet égard nous avons la malchance, nous autres chrétiens d'Occident, de vivre « entre une gauche sans péché », convertie sur le tard à Jean-Jacques Rousseau, « et une droite sans pardon », qui croit tellement au péché qu'elle donne parfois l'impression de ne croire à rien d'autre, il refuse de me suivre sur ce terrain, ouvre son compas à cent quatre-vingts degrés et me fait faire une fois de plus l'expérience de sa méthode transcendantale :

« J'ignore ce que vous entendez (ou plutôt à qui vous faites allusion) quand vous parlez de la " droite " et de la " gauche " chrétiennes. Aussi ma réponse ne s'adressera ni à des personnes ni à des milieux déterminés, et sera simplement fonction de la question soulevée.

« Tout d'abord, je tiens à vous dire mon accord, pour des raisons essentielles, avec cette assertion que la *notion de péché* est liée à la *dignité de la personne humaine* (je dis : la notion de péché, ce qui n'est pas la même chose que le péché), comme la notion de rémission des péchés intéresse tout l'avenir spirituel de la personne. Cette constatation est tirée du cœur même de l'Evangile. Pour en prendre conscience, il suffit de rappeler les premiers mots de l'appel du Christ dans l'évangile de Marc : " Les temps sont accomplis, le royaume de Dieu est proche. Convertissez-vous, et croyez à l'Evangile. " A travers toutes les actions et les paroles du Christ et tout ce que nous disent sa croix et sa résurrection, on voit bien que l'homme a toujours besoin de se convertir pour retrouver sa grandeur spirituelle, et la dignité qui lui est propre. C'est pour lui que le Christ est venu, afin de lui ouvrir la possibilité d'une conversion effective, c'est-à-dire de la rémission des péchés.

« Voici les premières paroles du Seigneur aux apôtres après sa résurrection : " Recevez l'Esprit saint ! Ceux à qui vous remettrez les péchés, ils leur seront remis[1]. " Comme s'il voulait leur dire : " Voici ce que je vous apporte et vous remets comme fruit essentiel de ma croix, de ma mort, de ma résurrection. "

« Pourquoi la notion de péché est-elle liée à la dignité de l'homme ? Parce que cette dignité exige *aussi* que l'homme vive dans la vérité. Or la vérité sur l'homme, c'est qu'il commet le mal, qu'il est pécheur. Tous ceux-là même qui s'évertuent à rayer la notion de péché du vocabulaire des cœurs, et à l'effacer du langage humain, confirment cette vérité de différentes manières. Effacer la notion de péché,

1. Jean, XX, 22, 23.

c'est appauvrir l'homme sur un point constitutif de l'expérience de son humanité.

« Si l'on veut éliminer la notion de péché, c'est pour " libérer " l'homme de la perspective d'une " conversion " (et donc de la " pénitence " sacramentelle). Cependant, cette démarche aboutit dans le vide ou plutôt grève le subconscient de l'idée du *mal inévitable,* et en quelque sorte *normal.* Suit la nécessité de ne pas appeler le mal *mal* mais *bien,* pour pouvoir y céder jusque dans le domaine des exigences morales les plus fondamentales.

« Le Christ est à la fois miséricordieux et intransigeant. Il désigne le bien et le mal par leur nom, sans transaction ni compromis ; mais il se montre aussi toujours prêt au pardon. Tout ce qu'il fait, chacune de ses paroles dit sa foi en l'homme — qui ne peut se " renouveler " qu'en se convertissant, en devenant de plus en plus homme, et homme libre. Paul de Tarse reprend et lance ce message avec la passion du néophyte, du persécuteur converti. Et l'Eglise, qui n'hésite jamais à appeler le bien et le mal par leur nom et qui ne cesse jamais de remettre les péchés, sert en définitive le bien de l'homme dans le sens le plus profond, je dirai même encore une fois le plus constitutif de son humanité. J'ai essayé d'exprimer quelques idées au moins élémentaires sur ce sujet dans l'encyclique *Redemptor hominis*.

« Peu importe d'où viennent ces deux points de vue apparemment opposés, que vous résumez en disant que les uns sont " sans péché ", les autres " sans pardon ", car ils se rencontrent et mènent en dernière analyse au même résultat. A quoi ? Je dirai : tout d'abord, sous l'angle de l'expérience humaine, à un grand danger anthropologique — la mise en péril chez l'homme du sens même de son existence. La philosophie moderne nous donne une expression multiple de ce danger, de ce péril. »

L'homme sans péché et sans pardon est une telle anomalie que la philosophie moderne finit par nier son existence, et c'est ce que le saint-père a appelé tout à l'heure la « mort de l'homme » :

« A quoi mènent ces erreurs ? La réponse la plus profonde, nous la trouvons dans les paroles du Christ, ces paroles mystérieuses où il est dit que tout mal peut être vaincu par l'amour, et que tout péché peut être remis, sauf un : le péché contre l'Esprit saint.

« Ce péché consiste pour l'homme à fermer pour ainsi dire hermétiquement sa vie intérieure à tout ce que l'Esprit saint peut lui apporter. Or, si, comme il résulte des paroles du Seigneur ressuscité, l'Esprit saint apporte précisément la " rémission des péchés ", il est clair que cette rémission demande que l'homme ait la conscience du péché, le sentiment de sa peccaminosité. Dans le cas contraire, l'homme est fermé, et du même coup non affranchi, non libéré du péché qui demeure en lui et s'aggrave à cause de son péché contre le Saint-Esprit. »

VII

La foi, dont tout le monde parle et que l'on ne prend pas toujours la peine de définir, nous savons maintenant d'où elle vient, où elle va. Et ce qu'elle est : la chose la plus naturelle en ceci qu'elle coïncide avec l'aptitude au dépassement de soi qui nous fait hommes. La plus surnaturelle car elle agit en nous comme une sorte de miracle permanent. Mais il subsiste un obstacle majeur sur lequel bien des bonnes volontés se brisent, la douloureuse objection du cœur pour qui une larme d'enfant est plus lourde que tous les mondes : le mal. Non pas le mal moral. Il suffit à chacun de s'examiner honnêtement pour en savoir l'origine. Le mal physique, la souffrance des innocents, question terrible pour le croyant, pierre d'achoppement brutale pour l'incroyant. Et, cette fois, je monte chez le saint-père avec de l'angoisse en feuilles et en points d'interrogation dans mon cartable : la souffrance, pourquoi ? Est-il des douleurs que seule peut apaiser la présence réelle de Dieu, et qui rendent ceux qui ont à les supporter tellement semblables à Jésus-Christ qu'ils n'ont plus d'interlocuteur valable que le Père en personne ?

« Vous distinguez la dimension objective : les faits, comme la souffrance des innocents, du réflexe subjectif : la conscience du mal, qui constitue, comme vous le dites, " une question terrible pour le croyant " et " une pierre d'achoppement pour l'incroyant ". C'est vrai. Les incroyants nient bien souvent l'existence de Dieu à cause du mal qui existe dans le monde, et la foi des croyants, pour la même raison, est mise à rude épreuve. Or cette seconde dimension, la conscience du mal, est parfois plus douloureuse que le mal lui-même. Certes, il est difficile de mesurer cette sorte de réalité, mais on peut admettre, par exemple, que la conscience de la souffrance des autres, en particulier des proches, est une souffrance parfois plus grande que celle qui en est cause. »

La compassion peut être plus dure que la passion ; car celle-ci a ses limites naturelles, alors que la compassion ouvre l'être à l'infini et le déchire sans le tuer. Le pape me donnera à comprendre, dans un instant, que chez le Christ la compassion (pour l'humanité) s'ajoute à la Passion.

« Parlant d'expérience, je vous dirai qu'autrefois, adolescent, j'étais surtout *intimidé* par la souffrance humaine. Il fut un temps où je redoutais d'approcher ceux qui souffraient : j'éprouvais une sorte de remords devant cette souffrance qui m'était épargnée. De plus je me sentais gêné, estimant que tout ce que je pouvais dire aux malades n'était que " chèque sans provision " ; ou plutôt, c'était tirer des chèques sur *leur* provision, car c'était eux qui souffraient, et non pas moi.

« Il y a une certaine vérité dans le dicton : " Le bien-portant ne comprend pas le malade ", encore que l'on puisse le retourner en disant que le malade non plus ne comprend pas toujours le bien-portant, qui lui aussi souffre d'une autre manière devant sa souffrance.

« En me conduisant de plus en plus souvent à la rencontre de ceux qui souffrent, et de maintes façons, le service pastoral m'a fait sortir de cette période de timidité. Je dois ajouter ici que j'en suis sorti surtout parce que les malades eux-mêmes m'y ont aidé. A les visiter, je me suis rendu compte peu à peu, puis de manière à n'en plus jamais douter qu'entre leur souffrance et la conscience qu'ils en avaient s'établissaient des relations tout à fait inattendues. Je crois bien avoir atteint un sommet dans ce domaine le jour où j'ai entendu ces mots de la bouche d'un très grand malade : " Mon père, vous ne savez pas à quel point je suis heureux ! "

« J'avais devant moi un invalide cloué au lit et qui avait tout perdu pendant l'insurrection de Varsovie. Et voici qu'au lieu de se plaindre cet homme me disait : " Je suis heureux ! " Je n'eus pas même à lui demander pourquoi. Je compris sans qu'il eût à me le dire ce qui devait se passer dans son âme, comment cette sorte de transfiguration pouvait se faire, et surtout *qui* pouvait l'opérer. Depuis j'ai rencontré chez elles ou dans les hôpitaux bien des personnes étreintes par la souffrance, et plus d'une fois j'ai pu discerner en elles les traces de la même évolution intérieure, reconnaissant ses différents stades, ses diverses modifications. J'ai connu des médecins, des infirmiers et d'autres personnes attachées au service des malades, et qui savaient frayer la voie à ce processus mystique... »

Il pourrait ajouter, mais il ne le fait pas, que ces médecins, ces infirmiers, il les a vus au pied de son lit, et qu'il a fait l'expérience de la souffrance sur lui-même : après l'attentat du 13 mai, il a bu longuement à cette source amère qu'il n'osait approcher dans sa jeunesse. Durant son deuxième séjour à l'hôpital Gemelli, qu'un peu trop d'optimisme lui avait fait quitter prématurément, et où le virus logé dans l'énorme transfusion de sang du jour de l'attentat l'avait ramené terriblement affaibli, émacié, fiévreux, méconnaissable, il s'est trouvé pendant plus d'une semaine, m'a-t-il dit, très près de la mort.

Je raconterai cela plus loin, puisqu'il ne m'en parle pas aujourd'hui.

« Ce que je vous dis là ne traite pas notre problème dans toute son étendue. Comment oublier le mal que les hommes infligent aux hommes, les camps de concentration, les tortures, tous les mécanismes d'oppression et de destruction de ce qu'il y a de plus humain dans l'homme ? Il est bien difficile de peser le mal qui se fait dans le monde, de dénombrer les causes de cette souffrance humaine qui a fait dire au Christ, dans le jardin des Oliviers : " S'il se peut, que ce calice s'éloigne de moi ! " Ce calice du Jeudi saint, le lendemain Croix au calvaire...

« Certes, les hommes multiplient les efforts pour s'affranchir du mal, des maladies, des cataclysmes, des guerres. Ces efforts ne sont pas vains. En même temps les dimensions du mal objectif dans le monde et ses répercussions subjectives dans les consciences sont malaisées à évaluer. Les moyens dont nous disposons aujourd'hui pour combattre le mal et la souffrance sont admirables, de même que ceux qui mènent cette lutte. Et l'Evangile est un formidable appel mobilisateur, un message toujours agissant du bon, du miséricordieux Samaritain. Toutefois...

« Toutefois il semble que les racines du mal soient plus profondes, qu'il y ait dans le mal comme un mystère plus grand que l'homme, qui dépasse son histoire et ses moyens d'action. A considérer les efforts que l'homme déploie pour vaincre le mal — surtout de nos jours — on a l'impression que ses interventions n'atteignent que les symptômes et ne vont pas assez aux causes, aux sources cachées du mal. On oublie trop que celui-ci a non seulement une dimension physique, mais une dimension éthique, et que cette dernière est plus fondamentale. »

Mais voici le moment et le lieu où, comme je le disais tout à l'heure, passion et compassion vont se joindre en une souffrance unique :

« Au jardin des Oliviers, face à la Passion et à la Croix, Jésus embrasse toute la dimension du mal qui est dans le cœur de l'homme et dans l'histoire de l'humanité, et demande que " ce calice " soit éloigné de lui ; cependant, dit-il, " Père, non pas ma volonté, mais Ta volonté [1] ". C'est pourquoi cette prière est un moment si poignant dans l'ensemble de la mission du Christ. Elle est aussi le point auquel reviendront sans cesse nos questions sur le mal dans le monde, le mal comme permis et accepté dans le plan éternel de Dieu... du Père... Lorsque notre pensée humaine sur le mal se rapporte avec inquiétude à ce plan éternel, nous venons avec notre angoisse au jardin des Oliviers, avant de monter au calvaire, sous la croix du Christ...

« Gethsémani et le Calvaire nous apprennent que le Fils de Dieu s'est trouvé dans la même situation que tout homme aux prises dans ce monde avec le poids du mal. Il a été du côté de l'homme qui souffre. En ce lieu d'agonie, il a proclamé jusqu'au bout le

---

1. La veille de sa crucifixion, au jardin des Oliviers, Jésus « prit avec lui Pierre et les deux fils de Zébédée, et il commença à éprouver de la tristesse et des angoisses. Il leur dit alors : " Restez avec moi, mon âme est triste jusqu'à la mort. " Puis ayant fait quelques pas, il se jeta la face contre terre et pria ainsi : " Mon Père, s'il est possible, que cette coupe s'éloigne de moi ! Cependant, non pas ce que je veux, mais ce que Tu veux. " » (Matthieu, XXVI, 37-39). Le récit de Marc est identique. Luc ajoute que pendant cette heure d'agonie, la sueur du Christ « devint comme du sang ».

Royaume de Dieu, la vérité de l'amour plus fort que la passion et plus fort que la mort.

« Nous croyons qu'en assumant le poids du mal il a vaincu le mal. Qu'il a vaincu le péché et la mort. *Qu'il a greffé au fond de la souffrance la puissance de la rédemption et la lumière de l'espérance.* C'est là ce qu'il partage avec tout homme. Ceux qui souffrent et que mon service pastoral m'a donné de rencontrer en ont témoigné et en témoignent encore tous les jours devant moi.

« Le Christ a guéri des malades, rendu la vue à des aveugles, l'ouïe à des sourds, il a fait revivre Lazare. Mais à tous ceux qui souffrent, du mal moral, du mal physique, *il ne cesse d'offrir cette greffe de rédemption,* qui vient de sa croix et de sa résurrection.

« Je l'ai dit, il est difficile de mesurer le mal qui est notre lot sur cette terre. C'est un mystère plus grand que l'homme, plus profond que son cœur. Gethsémani et le calvaire du Christ nous parlent de cela, et témoignent en même temps que dans l'histoire de l'homme, dans son cœur, agit un autre mystère, celui de la Rédemption, qui travaillera jusqu'à la fin à déraciner le mal. Et en ce mystère ne se prépare pas seulement le jour du jugement, mais mûrissent aussi " les cieux nouveaux et la nouvelle terre " où il est écrit que " la justice habitera ", et qu'alors " Dieu lui-même essuiera toute larme de leurs yeux et que de mort il n'y aura plus, ni de pleurs, ni de cris, ni de peine[1]. " »

---

1. Apocalypse, XXI, 4.

LES MŒURS

I

Assis dans un coin de la place Saint-Pierre au milieu d'un groupe de pèlerins polonais, j'attends le saint-père avec les vingt ou trente mille personnes que l'audience publique ramène entre les files de barrières grises tous les mercredis. A quelques pas, un suisse dans son drôle de costume lacéré marche de long en large, et la légère déclivité de la place le fait plus grand que la colonnade. De l'autre côté, les bâtiments du Vatican se recoupent sous des angles différents. La manière italienne de gérer l'espace n'est pas la nôtre. Les Français, qui vivent au large sur une terre peu peuplée, appellent « perspective » des alignements de parallèles filant en ligne droite vers un improbable rendez-vous à l'horizon. C'est une tradition qui va de Karnak à Versailles. Les Romains, au contraire, entassent leurs monuments dans un désordre apparent qui a pour effet magique de créer de l'espace là où il n'y en avait pas beaucoup. Lorsque le pape aura franchi l' « arc des cloches » à gauche de la basilique dans ce véhicule blanc que les Mexicains ont appelé les premiers le *papamobile,* les banderoles se déploieront sur la foule comme soulevées par le vent, et l'acclamation montera de la mer. Les papes sont toujours acclamés : ils rendent à Rome, dans l'ordre spirituel, quelque chose de son antique suprématie temporelle. Deuxième raison, ils concentrent en eux le maximum de légitimité par la double investiture de Dieu et du vote de l'Eglise, qui fait qu'à tous les yeux ils ont le droit d'être là, et de parler comme ils parlent. Ce principe de légitimité vit en eux d'une vie si manifeste que même ceux qui contestent la papauté ne peuvent que le reconnaître, et se contentent d'en circonscrire les effets à l'Eglise catholique. La troisième raison, à mon avis la plus forte, celle qui crée l'émotion, est qu'un pape, dans le sentiment populaire — qui est aussi le mien —, apparaît comme l'ultime intermédiaire connu entre ce monde et Dieu, il se meut à la lisière de l'invisible et quand il étend ses bras sur la foule, elle ne sait pas s'il va au ciel, ou s'il en vient. C'est une sensation mystique très aiguë, et peu m'importe qu'elle soit fondée ou non en théologie : elle suscite la vénération immédiate, et je la décris telle qu'elle est, comme le résultat joyeux et volontiers tapageur d'une certaine proximité du surnaturel.

Cependant, il entre dans la popularité de Jean-Paul II un élément de plus sur lequel je me suis souvent interrogé. C'est déformer la question sans la résoudre que de parler de « vedettariat » ou de « superstition », et recourir aux formules toutes faites sur la « psychologie des foules » n'aide en rien à comprendre comment cet homme a convaincu avant d'avoir ouvert la bouche, et pourquoi le monde s'est tourné vers lui avec espoir alors que personne ne savait rien de lui. L'explication de ce phénomène n'est pas à chercher dans la psychologie des foules, mais dans la psychologie de Jean-Paul II, dans l'exceptionnelle unité de sa personne. On pourrait dire que c'est un marbre sans faille, sculpté par l'Evangile ; mais non, un marbre ne vit pas, il faut renoncer à cette image, aller plus loin. Il faut se rappeler ce qu'il nous a dit au début de cet entretien sur sa jeunesse, où il a « reçu plus de grâces » qu'il n'a eu de « luttes à mener » pour rester tout à Dieu. Il faut se rappeler le chapitre précédent où il nous a laissés entrevoir à quelle profondeur la grâce et la foi nouaient en lui leur dialogue vivifiant, comment cette réponse personnelle à la Parole de Dieu qu'il appelle la foi ne peut qu'être irrévocable, quand on n'a qu'une parole, et comment sa vie spirituelle prenait naissance au plus intime de son être, à son origine même, comme à l'instant de cet élan initial qui porte l'homme vers un au-delà de soi-même où l'attend son éternité. A partir de l'acte libre de la foi, sa vie spirituelle décrit sa parabole imperturbable et l'on n'imagine rien qui puisse la faire dévier. En lui, l'Evangile, la vocation et la personne ne font qu'un — ce qui n'est pas un cas fréquent — et c'est cette cohésion intérieure littéralement nucléaire qui le fait rayonner. Là, je crois, est le secret de l'attraction qu'il exerce sur les foules. Dans ce chapitre sur les mœurs, on va voir que la morale est partie intégrante de cette unité, comme les mathématiques font partie de l'architecture.

Mais s'il en est ainsi chez le pape, il n'en va pas de même dans le monde. La foi périclitant, la morale ne repose plus sur les commandements de Dieu, mais en fin de compte sur l'appréciation personnelle, plus ou moins corrigée par l'autorité de l'Etat dans des régimes tendant tantôt vers l'anarchie, tantôt vers la contrainte.

La tyrannie étatique l'emporte dans les pays où, selon le mot fameux définissant le totalitarisme, « tout ce qui n'est pas défendu est obligatoire » ; l'Occident, pour sa part, glisse vers une sorte d'autogestion morale à laquelle l'Etat ne trouve plus à opposer aucune loi divine ou philosophique. Dans les systèmes collectivistes, l'individu réduit à l'état de molécule du corps social ne saurait manifester une existence morale personnelle sans risquer l'asile psychiatrique, laboratoire officiel d'analyse et de régénération des molécules. Là où il est encore libre, l'être humain entend statuer lui-même sur sa propre morale, pour autant qu'il éprouve le besoin d'en avoir une, sans plus se préoccuper d'un Dieu auquel il ne croit pas, que d'un prochain renvoyé à l'assistance publique des organismes sociaux. Il ne se sait plus « à l'image de Dieu », aussi les interventions de l'Eglise en matière de mœurs privées sont-elles de moins en moins bien comprises et reçues. L'homme contemporain se trouve dans la situation prédite par le serpent du premier jardin : « Mangez de ce fruit et vous serez comme des dieux, connaissant le bien et le mal », ce qui signifie : vous ne serez plus des « images » de Dieu, mais des dieux, et en tant que tels vous « connaîtrez », autrement dit vous définirez et vous décréterez vous-mêmes ce qui est bien et ce qui est mal.

D'où les questions que je vais poser au saint-père : les interventions de l'Eglise sont-elles nécessaires, et comment se concilient-elles avec la liberté individuelle ? Peut-on penser que cette liberté est elle-même fondée en Dieu, qui seul peut sauver l'homme du déterminisme intégral ? Mais tout d'abord, quelle est la signification du célèbre verset 26 du premier livre de la Bible : « Dieu dit : " Faisons l'homme à notre image, selon notre ressemblance " », deux lignes d'une densité incroyable qu'une longue accoutumance a rendues banales, mais sur lesquelles n'en sont pas moins bâtis des siècles de religion ? De ce que l'homme est « à l'image de Dieu » suit-il simplement une morale, ou un conflit permanent à l'intérieur de l'être humain, qui étant fait ou comme frappé à l'effigie d'un autre, ne pourrait paradoxalement être lui-même qu'en cet autre ? Le pape répond :

« Comme vos questions l'indiquent, la " morale " implique une définition de l'homme ; car on ne peut parler de morale sans se demander *qui* est l'homme, et sans chercher une réponse adéquate à cette question. Toute la tradition de l' " éthique " en tant que philosophie de la morale le confirme. Ayant beaucoup médité sur ce problème durant mes études, je voudrais ajouter que la relation " morale-homme " est importante dans les deux sens : je veux dire que non seulement l'on ne peut comprendre ni interpréter la morale sans savoir *qui est l'homme,* mais encore que l'on ne peut pas non plus comprendre et expliquer l'homme sans répondre avec exactitude à la question : " Qu'est-ce que la morale ? " Ce sont des réalités connexes, essentiellement corrélatives, qui réagissent l'une sur l'autre.

« Vous mentionnez le texte du premier chapitre de la Genèse, donc du début de l'Ecriture sainte, selon lequel l'homme est fait à l'image de Dieu. Ce texte n'a cessé de m'émerveiller, et en l'approfondissant mon émerveillement n'a fait que croître. La création de l'homme y est rapportée à deux reprises, ce qui s'explique par l'origine du livre qui nous vient de deux sources distinctes. La seconde partie (à partir du verset 29) relève d'un document plus ancien que le premier : c'est le texte dit " yahviste ", car Dieu y est désigné sous le nom de Yahvé, avant la révélation de ce nom à Moïse. »

Allusion à l'épisode du « buisson ardent », chapitre III du livre de l'Exode, versets 13 et 14 : « Moïse dit à Dieu : " J'irai donc vers les enfants d'Israël, et je leur dirai : Le Dieu de vos pères m'envoie vers vous. Mais s'ils me demandent quel est son nom, que leur répondrai-je ? " Dieu dit à Moïse : " Je Suis celui qui Suis. C'est ainsi que tu répondras aux enfants d'Israël : Celui dont le nom est Je Suis m'a envoyé vers vous. " »

D'après les spécialistes, ce « Je Suis celui qui Suis » est comme un commentaire du nom propre au Dieu d'Israël. Certains préfèrent dire « Je Suis celui qui Est », ce qui est grammaticalement moins surprenant, mais métaphysiquement plus faible ; d'autres traduisent l'hébreu par « Je Suis ce que je serai », en référence à l'immuable éternité de Dieu ; et d'autres encore par un « Je Suis qui je Suis », qui a le défaut de ressembler moins à une révélation qu'à une fin de non-recevoir quelque peu narquoise.

Il faut ajouter que les juifs ne prononcent jamais ce nom et ce n'est évidemment pas pour éviter une difficulté, mais parce que, dans la pensée juive,

« nommer » est déjà « s'approprier » d'une certaine manière ce que l'on nomme, chose impensable lorsqu'il s'agit de Dieu.

« Dans la partie " yahviste " l'homme n'est pas appelé " image de Dieu ". Cette appellation se trouve dans la première partie de la Genèse, versets 1 à 28, qui est d'origine plus tardive, donc pour nous plus récente, et que l'on attribue à la tradition dite " sacerdotale ". J'en ai parlé il y a quelque temps dans mes audiences publiques du mercredi.

« Ce qui m'a frappé dans l'analyse de ces deux descriptions de la création de l'homme, c'est tout d'abord le fait que chacune d'elles exige un procédé philosophique distinct (ce que j'ai relevé également dans mes méditations du mercredi). Plus encore, le texte ancien qui ne mentionne pas " l'homme fait à l'image de Dieu " contient cependant un commentaire spécifique de cette appellation. Il nous montre comment l'homme, dès le début, a pris conscience de sa différence avec les autres êtres vivants (*animalia*). Cette constatation pour ainsi dire expérimentale de sa " non-ressemblance " avec d'autres créatures, en premier lieu avec les créatures simplement animées, fait ressortir indirectement cette ressemblance fondamentale, spécifiée dans le premier chapitre de la Genèse et qui fait l'homme " image de Dieu ".

« Inutile de préciser que cette notion joue un rôle clé dans l'anthropologie et la théologie depuis les temps les plus reculés. Il suffit de citer les représentants les plus illustres de l'époque patristique comme Cyrille d'Alexandrie, Grégoire de Nazianze ou saint Augustin, ou les grands maîtres de la théologie du Moyen Age, saint Bonaventure et saint Thomas d'Aquin en tête. Depuis, l'importance de cette expression biblique n'a cessé de se confirmer. Les méthodes diffèrent, les références philosophiques également, mais le fond de l'anthropologie biblique reste le même.

« Vous me demandez : quelles en sont les conséquences — une morale, ou une situation de " conflit permanent " ? L'une et l'autre, à mon avis. La morale n'est possible que dans un sujet personnel, capable de penser en catégories absolues, de distinguer le bien du mal, en un mot : doté d'une conscience. Cet état de choses, cette situation intérieure engendre nécessairement non pas tant un conflit qu'une tension. Oui ! la morale implique une tension d'ordre spirituel, mais qui se répercute dans toute la subjectivité complexe de l'être humain. Grâce à certaines analyses philosophiques, mais bien plus encore par les chefs-d'œuvre littéraires, on voit de quelle puissante caisse de résonance dispose la conscience dans la sphère des émotions et des sentiments humains les plus profonds.

« Toute cette richesse propre à l'être humain met en évidence sa transcendance en tant que dimension constitutive de son existence : par son humanité même, l'homme est appelé à se dépasser soi-même. Ce fait, décrit de diverses manières, explique tant dans le langage ancien que dans le langage moderne, particulièrement sensible à l'expérience directe, ce que veut dire " à l'image de Dieu ". »

On a eu l'occasion de le constater, le pape fait souvent appel à l'idée de « transcendance », considérée comme une certaine aptitude de l'homme à franchir ses propres limites pour aller au-delà, plus loin, ou plus haut, propriété singulière dont on trouve des preuves jusque dans les grottes de Lascaux, car on ne peut dessiner un bison sans sortir de soi pour être ce bison l'espace d'un coup de pinceau, ou dans le phénomène bien contemporain de la dépression nerveuse, drame de l'être refermé sur lui-même et saisi par le vertige de son néant originel. Mais alors l'homme ne serait pas un être fini, à la différence des animaux qui sont parfaits dans leur genre, et il existerait en lui une brèche, un quelque chose d'inachevé qui l'ouvrirait du côté de l'infini, et qui serait cause de son inquiétude et de son insatisfaction perpétuelles. Dans ce cas, le danger du monde actuel ne serait-il pas de faire de l'homme un être achevé soit en l'intégrant à un système rigoureusement étanche à l'infini, soit en refermant par divers procédés médicaux la brèche en question, en traitant ses aspirations spirituelles comme de mauvais rêves hépatiques et en le guérissant de Dieu avec des tranquillisants ?

Le saint-père pense qu'il y a deux questions dans ma question, la première faisant suite au dialogue sur l' « image de Dieu », la seconde se rattachant à la première, mais relevant plutôt du jugement de valeur sur notre époque :

« Dans le cadre du dialogue sur l'" image de Dieu, morale et tension " on peut expliquer à peu près comme ceci les rapports de la " finitude " et de l' " infinitude " dans le sujet humain : l'homme est évidemment un être " fini ", tributaire du temps et de l'espace, soumis aux lois de la matière et de la nature, mais en même temps il est ouvert du côté de l'infini. Il s'agit moins de l' " infini mathématique " que de l'infini au sens d' " absolu ". Je veux dire que par son caractère spirituel, l'homme n'est pas seulement tourné vers les choses vraies, bonnes et belles, mais vers la vérité, le bien et la beauté comme tels. Cette ouverture fonde la transcendance qui lui est propre. C'est grâce à elle que l'homme " force " sa finitude — cette finitude qui par ailleurs lui est non moins propre, au sens physique aussi bien que métaphysique du terme ; car l'homme, ouvert sur l'infini, possède la structure d'un être fini, l'homme tout entier, corporel et spirituel, en tant que composé humain.

« Nous nous trouvons ici à la frontière de deux langages : celui de la philosophie de la " conscience " et celui de la philosophie de l' " être ". Les deux sont reconnaissables dans votre question. Lorsque vous dites : " L'homme est un être fini ", vous parlez le langage de la philosophie de l' " être ". Lorsque vous demandez ensuite : " Quelle est la cause de l'éternelle inquiétude de l'homme ? ", vous passez au niveau augustinien de l'expérience intérieure et de la conscience. J'estime que ces deux langages sont également indispensables pour exprimer la réalité totale de l'homme.

« En revenant encore à votre manière de poser la question, je vous ferai remarquer que l'expression " être fini " n'y est pas employée dans le sens que je viens de dire, mais plutôt dans celui-ci : l'homme serait un être *non achevé,* ce qu'indiquerait précisément cette " fissure " ouverte en lui vers l'infini. D'autres natures dans le monde de la nature seraient à leur manière des " êtres achevés ", tandis que l'homme, ouvert à l'absolu, attendrait son achèvement.

« Je pense que c'est une image qui répond à la réalité de l'homme, une image que la philosophie — d'une certaine façon celle de l' " être ", d'une autre celle de la " conscience " — exprime par l'éternelle dialectique de la matière et de l'esprit, en tant que ces deux éléments constituent ensemble l'homme, comme être et comme sujet.

« La même image est à la base de la Bonne Nouvelle. Elle se dessine peut-être de la façon la plus nette dans certains textes de saint Paul opposant la " chair " à l' " esprit ". Si l' " esprit " est justement cette brèche, cette fissure à travers laquelle l'être humain en tant que " corps " pressent l'infini, alors selon l'apôtre, dans cette brèche, dans cet esprit humain ouvert vers l'infini, l'Esprit saint agit par l'entremise du Christ crucifié et ressuscité. Sous son influence l'homme tout entier porte des fruits de sainteté, de bonnes actions, de salut.

« Le langage de saint Paul est entièrement original. On peut aussi bien le rapprocher de celui de l' " être ", comme l'a fait saint Thomas d'Aquin, que de celui de la " conscience " et de l'expérience intérieure, comme l'ont fait saint Augustin, Pascal, Kierkegaard ou de grands mystiques comme saint Jean de la Croix.

« Plus importante toutefois que le langage est la vérité même qu'il exprime : la vérité sur l'homme, qui n'est pas une " passion inutile ", selon le mot de Jean-Paul Sartre, mais un être dont la *profondeur* perceptible à travers cette brèche ouverte sur l'infini appelle et rencontre une *Autre Profondeur* et trouve en Elle la réponse à son inquiétude spirituelle. »

La vision proposée, il reste la pratique. Les gens qui gouvernent ou qui manipulent les autres se soucient peu d'avoir affaire à un être aussi malcommode, et ils se préoccupent moins de le maintenir ouvert que de le clore définitivement ; les aspirations à l'infini ne sont mentionnées dans aucun programme, et le commerce avec le Saint-Esprit ne fait pas partie de l'économie de marché.

« Vous exprimez une crainte proche de mes propres craintes touchant la situation de l'homme dans la civilisation contemporaine, où — pour employer le langage de saint Paul — de nombreux facteurs contribuent à la prépondérance du corps sur l'esprit. " La chair convoite contre l'esprit, et l'esprit contre la chair [1] "... Cela se voit aussi bien dans les faits que dans les systèmes, de sorte que l'on relève deux formes de matérialisme, théorique et pratique. La seconde est la plus répandue, la première, naturellement, va plus au fond. Car l'une constitue un système ou une idéologie fermée de l'intérieur, tandis que l'autre touche avant tout certaines sphères de l'action et du jugement des valeurs.

« Je pense que vous visez ces deux matérialismes qui seraient nés de telle sorte que le matérialisme théorique entraînerait le matérialisme pratique comme sa conséquence logique. A observer la vie, on s'aperçoit cependant que ce n'est pas toujours le cas. »

Il n'y a pas nécessairement de parti pris idéologique à l'origine du matérialisme pratique :

« Celui-ci se manifeste surtout sous l'effet des

---

1. Galates, v, 17.

impulsions ou des attractions produites par des valeurs matérielles, sensuelles ou temporelles sur toute la sphère de la concupiscence et de l'affectivité. Cette action immédiate, directe, n'implique pas obligatoirement des convictions philosophiques, ni même l'acceptation préalable d'une hiérarchie de valeurs. Il peut même arriver le contraire, car l'homme est en lui-même divisé de telle façon que, selon saint Paul, " il commet le mal qu'il ne veut pas, et ne fait pas le bien qu'il veut[1] ". C'est un aspect du problème d'une grande importance pour la morale, mais pour le moment vous ne l'avez pas abordé. »

J'ai parlé des systèmes totalitaires, qui, n'ayant d'autre finalité qu'eux-mêmes, ne supportent pas que l'homme en conçoive une autre, et le bouclent dans un cercle de pensées captives en giration perpétuelle autour du pouvoir. Mais je n'ai pas été complet, et le pape aime les dénombrements entiers :

« Je suppose qu'en parlant du danger qui menace l'homme dans le monde contemporain, vous tenez compte aussi de ce matérialisme pratique qui se présente en Occident sous la forme dite " de la société de consommation ". Diverses conceptions ou programmes utilisent ce matérialisme de fait pour convaincre l'homme qu'il est un " être achevé ", c'est-à-dire *définitivement adapté à la structure du monde visible,* et que ce monde est pour lui l'unique système de référence, du commencement à la fin, qu'il s'agisse de la zone de la pensée ou de l'échelle

1. Romains, VII, 19.

des activités. Hors de cette structure de mieux en mieux connue grâce aux innombrables disciplines qui l'étudient, l'homme n'aurait censément pas d'issue. On lui laisse la notion d'infini dans les mathématiques, mais cet infini-là ne prend pas encore en compte la " brèche " de l'esprit qui ouvre l'homme du côté de l'Absolu : vérité absolue, bien absolu, beauté, Etre enfin. A cela, l'on a déclaré *une guerre sans merci*. Cette philosophie qu'Aristote considérait comme la " philosophie première ", on la combat par omission plus que par discussion.

« Ainsi ce danger que vous mentionnez existe certainement dans le monde contemporain. Je dirais que c'est le danger de couper l'homme de sa propre profondeur. En revenant sur la notion d' " image de Dieu ", on pourrait parler d'un essai d' " absolutisation " de cette image, ce qui ne mène en réalité qu'à la rupture du lien existentiel entre elle et son modèle, à l'aliénation, à la déshumanisation et à l'engloutissement dans le monde des choses.

« Je dirais également que c'est le danger d'une " illusion fondamentale " : celle de l'homme s'imaginant que grâce au développement exclusif de la civilisation matérielle il est devenu davantage le " maître " du monde visible, voire le " maître du cosmos ", sans s'apercevoir qu'en même temps il s'est mis lui-même dans la dépendance de ce monde, qu'il s'est subordonné au pouvoir des énergies libérées, qu'il devient objet de multiples manipulations contre lesquelles il ne peut rien, précisément parce qu'il a entièrement livré au " monde " sa conscience et sa liberté. Et le " monde " s'est emparé de lui. »

Après ce rude réquisitoire, le pape en adoucit les termes en prenant le « monde » dans le sens où il est l'œuvre de Dieu :

« Excusez-moi d'employer un langage quelque peu voisin des textes de saint Jean, de son évangile aussi bien que de ses lettres. Cela ne change rien au fait que je sois plein d'admiration pour le " monde " qui remplit les pages de l'Ecriture à partir du premier chapitre de la Genèse. Cependant, c'est également l'Ecriture qui ne cesse d'exhorter l'homme à être " plus grand que le monde ", puisqu'il est à l'image de Dieu.

« *Car Dieu a créé l'homme pour l'immortalité, il en a fait l'image de sa propre éternité.*

« C'est sur ces paroles du livre de la Sagesse [1] que je voudrais achever ma réponse. »

II

Avec la « dignité », l' « humilité » et la « joie », la *liberté* est l'un des mots qui reviennent le plus souvent dans la conversation du saint-père. Il est équitable d'ajouter que ce mot surgit avec une fréquence au moins égale dans les discours contemporains, où ceux qui l'emploient se contentent toutefois d'exploiter ses propriétés exaltantes sans prendre la peine de le définir. Pour un penseur français de la fin du XVIIIe siècle, la liberté était le « droit de n'obéir qu'aux lois » ; c'était raisonnable, mais d'au-

1. Sagesse, II, 23.

tres ont aussitôt prétendu que l'idée même de « loi » était contraire à celle de « liberté », et que celle-ci requérait avant tout l'abolition de l'Etat, entreprise ardue qui jusqu'ici n'a jamais abouti qu'à un renforcement du pouvoir central tel que ce dernier, pour donner le change, se voir forcé de faire dire aux mots le contraire de ce qu'ils signifient, d'appeler « liberté » l'obligation de lui obéir, et d'envoyer le bon sens à l'asile. Pour les intellectuels raffinés, qui ne veulent rien devoir à Dieu, aux hommes ou à la nature, la liberté est la faculté toute conceptuelle de se créer soi-même en échappant au présent aussi bien qu'au passé pour vivre à l'état de projet, dans un monde imaginaire où les fantasmes chevauchent les abstractions. Pour ceux qui ont connu la prison, la liberté se présente tout simplement sous l'aspect d'un bouton de porte. Il résulte de cette multiplicité d'acceptions que l'on ne sait plus ce que le mot veut dire, ni de quelle chose il est censé rendre compte. Pour beaucoup, la liberté serait la faculté de faire tout ce que l'on veut : pour les saints, ce serait plutôt la faculté de faire aussi ce que l'on ne veut pas, par charité, par détachement, ou pour plaire à Dieu.

Qu'est-ce donc que la *liberté* pour le pape, qui ne se complaît pas plus dans les idées vagues que dans le vague à l'âme ?

« Votre question surgit des questions et des réponses précédentes comme de son terreau naturel. C'est une question fondamentale pour tout ce qui a trait à la morale. Cette " fissure " ou cette brèche de l'être, comme nous l'avons nommée, et qui ouvre l'homme vers l'infini — c'est cela la liberté. Sans elle, l'homme serait enfermé dans le monde de la nature et privé de sa transcendance. Il serait un être " fini " et " achevé ", déterminé jusqu'au bout et soumis avec toute nature animée aux limites propres à celle-ci. Donc, à la nécessité d'une mort sans espérance.

« Qu'est-ce donc que la liberté ?

« Vous avancez deux réponses extrêmes qui relèvent moins de la théorie que de la pratique, de la pensée que de l'action. Cependant, la manière d'agir suppose la manière de penser : on pourrait donc dire que l'homme est libre *selon la façon dont il envisage sa liberté* et la comprend. Toutefois, il existe un rapport inverse : l'homme comprend sa liberté selon qu'il est libre — ou dans la mesure où il s'efforce d'être libre. Cette " bilatéralité " ou ce double sens de la réflexion indiquent à quel point notre volonté et notre liberté sont liées à la connaissance.

« Il est vrai que pour certains hommes la liberté est la latitude d'agir à leur guise. Si comme vous le dites la liberté pour les saints est plutôt le pouvoir de " faire ce que l'on ne veut pas ", il convient de préciser qu'il s'agit dans chaque cas d'un *choix* conscient et d'une adhésion consciente à une hiérarchie de valeurs. Le saint n'agit pas " à l'encontre " de sa volonté : il sait vouloir plus et plus haut, par-delà les volontés ou velléités passagères. »

Les débuts de réponse du saint-père sont assez souvent arides. Il laboure la question sillon après sillon, avec une patience qui ne craint pas de mettre à l'épreuve celle de son auditeur. Et puis, lorsqu'il revient pour la dernière fois à son point de départ après avoir retourné tout le terrain et qu'à suivre des yeux ce dur labeur agricole on sent venir l'insolation, la récolte de vérités éclôt soudain, fraîche et colorée comme un champ de tulipes :

« Vous demandez donc : qu'est-ce que la liberté ? Moi aussi, je me suis posé cette question dès ma jeunesse, et j'ai longtemps cherché la réponse. Tout en étudiant, en " apprenant l'homme " comme en " travaillant sur moi " (c'est une expression courante en polonais), je n'ai même pas remarqué comment le thème de la liberté s'est trouvé au centre de mes expériences et de mes réflexions. En fin de compte, il me semble que la liberté de l'homme, c'est *ce que chacun discerne en soi quand il se sent responsable.* Evidemment, un certain discernement général de la liberté est lié à cette prise de conscience : " J'ai le choix " (bien sûr dans les limites de ce que je peux vouloir), mais ce n'est pas encore un discernement en profondeur. Je distingue la liberté non seulement comme un trait spécifique de la volonté, mais comme une propriété— constitutive de tout le sujet personnel à l'instant même où je fais l'expérience de ma responsabilité. Car c'est ainsi, et seulement ainsi que s'explique ma responsabilité.

« La liberté est ce qui m'ouvre au réel — mais aussi ce qui me lie souvent par une dépendance intérieure : la dépendance envers la vérité. C'est par cette dépendance envers la vérité reconnue et admise que je suis réellement " indépendant " — à l'égard des autres et des choses. Dépendant intérieurement *de moi-même.* La responsabilité naît avec la connaissance de la vérité : vérité de l'être, vérité des valeurs, vérité de mes références à l'être et aux valeurs, vérité des actions que j'entreprends.

« La responsabilité n'est pas seulement connaissance. Elle naît pour ainsi dire au passage de la connaissance à l'action (certes, il existe également une responsabilité de la connaissance, car la connaissance est également une forme de l'agir où joue la responsabilité envers la vérité ; mais ici il n'est pas question de cela). Alors, la responsabilité indique la nécessité d'agir conformément à la vérité connue. C'est-à-dire : en accord avec soi-même. En accord avec sa conscience et, pour être plus précis, avec une conscience formée dans la vérité. La responsabilité ainsi entendue est un autre nom de l'obligation morale.

« La liberté est donc dans l'homme une faculté d'autodétermination responsable. Elle se trouve au centre même de la transcendance propre à l'homme en tant que personne. Elle réside également à la base de la morale, où elle se manifeste comme une capacité de choix, une capacité de nombreux choix différents, sans doute, mais en premier lieu comme une faculté de choix entre le bien et le mal au sens moral de ces termes ; entre ce bien et ce mal dont témoigne la conscience, une conscience droite. »

Nous ne sommes encore qu'à la moitié du champ. Mais je connais mon interlocuteur. J'attends.

« Tout cela : conscience, vérité, responsabilité, liberté, forme un ensemble, celui de l'intériorité humaine, qui, quoique ne tombant pas sous les sens, nous est donnée dans une expérience d'une grande intensité. C'est l'expérience de l'homme et plus encore l'expérience de l' " humanité " : de ce par quoi l'homme est finalement et essentiellement homme. Cet ensemble se " compose " pour ainsi dire de la conscience, de la responsabilité, de la liberté, mais cette " composition " n'a rien de commun avec les composés de la matière. Cet ensemble intérieur peut être appelé " structure ", mais là encore il ne saurait être comparé aux structures connues des sciences naturelles. Il s'agit d'une structure d'une autre sorte. C'est là que s'enracine le fait que l'homme devient " sujet " et s'ouvre vers l'infini, donc vers l'absolu. Kant a exprimé cette idée à sa façon en affirmant que le bien moral " s'appuie sur l'impératif catégorique ". Je suis convaincu que dans cette sphère du bien et du mal moral nous touchons — sans avoir à nier le caractère contingent de l'être humain — à quelque chose d'absolu. Le philosophe polonais Wladyslaw Tatarkiewicz, mort récemment, a mis cela en lumière dans un texte intitulé : *L'Intransigeance du bien.*

« Cette structure ou cet ensemble de l'intériorité humaine a un caractère foncièrement dynamique. Lorsque nous parlons de la volonté, nous pensons en premier lieu au dynamisme de la liberté humaine, partage de tout homme sans exception. Cette liberté est en même temps don et devoir. L'homme dans sa liberté est pour soi-même une tâche à remplir. C'est en elle, sur son terrain, qu'il doit sans relâche " se conquérir " lui-même, et aussi, dans une autre dimension, conquérir le Royaume de Dieu.

« A mon avis, lorsque le Christ nous dit : " Vous connaîtrez la vérité, et la vérité vous délivrera ", il songe aussi bien au lien organique de la liberté et de la responsabilité qu'à ce dynamisme de la liberté par lequel l'homme se conquiert et, de ce fait, réalise le Royaume de Dieu. »

Corollaire : le mensonge est une prison. Le scepticisme en est une autre. La vérité gracie le détenu, et sans elle il est vain de rêver de liberté. Mais alors :

« Etre libre, c'est *vouloir* et *pouvoir* choisir ce que l'on *doit choisir,* et le choisir réellement. »

Pour le chrétien, la vérité est une Personne, la personne de Jésus-Christ, qui peut le sauver, le délivrer du mal et de la mort, et lui donner par-delà tout ce qui le lie à la terre une destinée éternelle. Est-ce donc Dieu qui nous sauve du déterminisme intégral qui, sans lui, serait notre lot ? Et si cela est vrai, pourquoi l'Eglise a-t-elle semblé si longtemps mal à l'aise à l'égard d'une notion de liberté qui n'existerait peut-être pas sans elle, je veux dire qui sans elle ne contiendrait sûrement pas la même promesse d'épanouissement ?

« Je suis convaincu que Dieu est l'ultime garant de la liberté de l'homme. Non seulement dans l'ordre des causes, lorsque nous pensons à notre origine et à ce fait que, créés " à l'image de Dieu ", nous avons été créés libres ; mais aussi lorsque nous vérifions cette pensée dans l'ordre pratique. Cela ne veut nullement dire qu'en niant l'existence de Dieu l'homme du même coup perd sa liberté. Evidemment non. En rejetant l'existence de Dieu il ne cesse pas pour autant dans son humanité d'être " image de Dieu ", et l'acte de négation qu'il produit est en lui-même une confirmation de sa liberté, exactement comme l'acte contraire. En créant l'homme à son image, Dieu a accepté à l'avance ces deux possibilités. Il a consenti que l'homme puisse l'admettre ou le nier (ce qui arrive surtout dans cette structure de la connaissance qui ne veut tenir compte que de la réalité " visible ", accessible aux sens, tandis que Dieu est une réalité invisible).

« Ce n'est donc pas en ce sens que " Dieu sauve l'homme du déterminisme ", pour reprendre les termes de votre question, puisque, comme je viens de le dire, la possibilité de nier Dieu est en un certain sens une manifestation élémentaire de la liberté de l'homme. On voit simplement dans ce cas comment et à quel degré Dieu est garant de la liberté humaine.

« Votre idée que " Dieu sauve l'homme du déterminisme " est cependant juste, mais en partant d'un autre principe. Non pas sur la base de l'existence de Dieu et de l'acceptation ou de la négation de celle-ci, mais sur le principe que l'homme *peut penser à sa propre liberté.*

« Car le déterminisme, c'est précisément ceci : l'homme envisageant sa propre liberté en fonction du monde et de ce que ce monde lui permet. Sur ce plan le déterminisme, quelle que soit l'école, est négation de la liberté. Ou bien il déclare que la liberté est une illusion, puisqu'il se fait fort de démontrer que tout ce que l'homme tient pour un acte de libre arbitre est en fin de compte déterminé, donc nécessaire (dans le *matérialisme dialectique* la liberté n'est rien d'autre que la reconnaissance, par l'homme, de cette nécessité). Ou bien c'est en quelque sorte le contraire : dans le *déterminisme rationaliste* la liberté est une nécessité dictée par la connaissance. C'est ainsi que le monde, considéré par l'homme comme un espace naturel de sa liberté, incite les déterminismes à mettre en question cette liberté, soit au niveau de ses structures et des forces qui y agissent, soit dans la manière de discerner ces structures et ces forces.

« En tant que négation de la liberté, le déterminisme est par conséquent négation de la responsabilité, donc de la morale. Cette " brèche " de l'être qui révèle la transcendance de l'homme est murée. L'ensemble intérieur, cette structure de l'intériorité dont j'ai parlé tout à l'heure, est réduite aux réflexes de l'infrastructure matérielle qui est censée constituer l'unique dimension de l'homme. Sa dimension spirituelle, spécifique et irréductible, est niée ; admettre cela, c'est considérer l'épiphénomène comme le phénomène fondamental de l'humanité. »

Selon le saint-père, la pratique se conforme à la théorie dans deux cas apparemment fort différents :

« Ce peut être la pratique d'*une société intégralement permissive,* où tout est permis justement parce que le fondement de la véritable liberté de l'homme est nié. Ce peut être aussi la pratique d'*un Etat totalitaire,* dit " totalitarisme objectivant " où l'homme n'est qu'une partie de l'ensemble, propriété de l'Etat, privé de son caractère subjectif face aux lois, et objet de manipulation collective.

« Je pense que dans ces deux situations l'homme, conscient des règles et des mécanismes de son existence, peut découvrir Dieu, ou se convaincre que Lui seul peut " le sauver du déterminisme intégral ". Il me semble que l'homme prend plus facilement conscience de cela dans le deuxième cas que dans le premier, plus facilement dans un monde totalitaire que dans un monde laxiste. Néanmoins, même dans une société permissive, il finit par en prendre conscience, à la longue. Dans l'un et l'autre cas, le passage de l'asservissement à la liberté est le plus souvent lié à la découverte de Dieu.

« Ces deux systèmes fondés sur des principes déterministes sont d'une façon ou d'une autre " programmatiquement " athées. L'athéisme est le garant de leur existence et de leur développement, de même que Dieu est le garant de la liberté humaine, de cette liberté que nous expérimentons au fond de nous-mêmes conjointement avec la responsabilité que nous confère notre liberté, comme la réalité d'une autonomie intérieure où le bien et le mal moral manifestent la dimension authentique de l'homme, être personnel. »

Toute la doctrine morale du saint-père est fortement centrée sur la liberté, cette valeur étrange que l'on affirme encore quand on la nie. Lors même que l'homme s'enchaîne à la mécanique déterministe qui fait de chacun de ses actes la conséquence inéluctable d'un concours de causes sur lesquelles il n'a pas de prise, et qu'il croit, ou veut croire qu'il est lui-même un simple produit manufacturé de la biologie et de l'histoire, que toutes ses décisions lui sont dictées par l'environnement culturel ou l'hérédité, bref qu'il est soumis sans recours avec le reste de la nature à la dure loi « du hasard et de la nécessité », il fait encore la preuve de sa liberté : car s'il ne peut éviter d'être déterminé, c'est librement qu'il est déterministe.

Pour le chrétien, Dieu a créé l'homme libre : il serait inimaginable qu'il eût créé un être « à Son image, à Sa ressemblance » et qui fût privé de ce qui peut en faire une personne ; s'il en était ainsi, Sa Parole retentirait dans le vide et Dieu ne dialoguerait jamais qu'avec Son écho dans la caverne immense de l'Univers. Le premier indice de cette liberté statutaire se lit en figure dans le commandement de « ne point toucher à l'arbre » qui était au milieu du jardin d'Eden; car si Dieu n'avait pas voulu que l'homme fût libre, il n'y aurait pas eu de commandement, parce qu'il n'y aurait pas eu d'arbre. Et tout le système de relations qui s'est établi depuis le commencement entre Dieu et l'homme implique cette liberté sans laquelle il y aurait munificence d'un côté, obéissance de l'autre, mais non pas amour.

Mais je rappelle au saint-père que ma question comprenait une seconde partie où je lui demandais pourquoi l'Eglise avait semblé si longtemps mal à l'aise à l'égard de la liberté. Imprudence. Le pape va me prendre au piège :

« Excusez ma franchise ! Je pense qu'avant l'événement que vous avez décrit dans votre livre, vous viviez dans un milieu où l'Eglise, précisément, semblait ennemie de la liberté. Ces milieux existent, il y en a beaucoup dans le monde. »

Il est vrai qu'avant ma conversion je ne connaissais guère du christianisme que ce que l'on peut en apprendre chez Voltaire ou Jean-Jacques Rousseau, qui n'ont jamais vu de l'Eglise que la part immergée dans le temporel, et il se peut que ma question se soit ressentie de ces fréquentations de ma jeunesse.

« Est-ce que l'Eglise, dans les différentes phases de son histoire, a justifié l'opinion que vous rapportez ? Certains en sont convaincus. Inutile d'engager une polémique sur ce sujet. Il suffit peut-être d'évoquer la parabole de l'Evangile sur l'arbre et ses fruits, ou plutôt sur les fruits qu'il peut ou non porter.

« Je suis persuadé que l'Eglise a toujours fondé sa mission à l'égard de l'homme sur l'affirmation de sa véritable liberté, que ce fut toujours le fondement de son enseignement sur la morale — des personnes et des sociétés. Plus d'une fois elle s'est vue contrainte — comme aujourd'hui — d'affronter et de subir le choc d'autres conceptions de la liberté dans l'ordre personnel ou collectif. Dans l'atmosphère de ces chocs et de ces conflits, l'Eglise a pu sembler, comme aujourd'hui, s'opposer à la liberté aux yeux de ceux qui la conçoivent autrement.

« Le concile Vatican II a beaucoup fait pour clarifier ces questions. Il suffit de penser ne fût-ce qu'à la déclaration sur la liberté religieuse, ou au fameux paragraphe 36 de la constitution *Gaudium et Spes* sur la juste autonomie des réalités terrestres [1]. Néanmoins le problème fondamental demeure, à savoir *la vérité concernant la liberté comme telle,* c'est-à-dire la façon fondamentale de l'envisager. En ce sens il est vrai, comme vous l'avez dit, qu'une certaine " notion de la liberté " n'existerait peut-être pas sans l'Eglise. »

---

1. Ce texte conciliaire rappelle que « les choses créées et les sociétés elles-mêmes ont leurs valeurs propres, que l'homme doit peu à peu apprendre à connaître, à utiliser et à organiser », et qu'à cet égard « l'exigence d'autonomie est pleinement légitime ». Après avoir approuvé « la recherche méthodique dans tous les domaines du savoir, quand elle est menée dans un esprit vraiment scientifique et en suivant les normes de la morale », les Pères du concile « déplorent certaines attitudes qui ont existé chez les chrétiens eux-mêmes, insuffisamment avertis de la légitime autonomie de la science », attitudes « génératrices de tensions et de conflits qui ont conduit beaucoup d'esprits à penser que science et foi s'opposaient ».

Cette définition conciliaire de « la juste autonomie des réalités terrestres », et qui fait sa part à la liberté de recherche, m'inspire une autre question : le progrès des sciences (par exemple s'il est démontré que l'instinct criminel a une origine génétique) peut-il modifier la morale chrétienne sur des points importants ?

« Il est malaisé de répondre d'emblée. Tout d'abord, votre question contient deux problèmes qu'il convient de distinguer. Le premier est de savoir si l'éthique chrétienne subit des modifications avec le progrès des sciences, ce qui concerne l'éthique comme telle. Le second, mentionné comme " entre parenthèses ", touche directement à l'anthropologie et indirectement seulement à l'éthique. Commençons par le second, qui concerne les conditionnements de la liberté humaine.

« De tout temps l'éthique catholique, autrement dit la théologie morale, a pris en considération ces conditionnements qui peuvent avoir diverses origines. Il suffit de feuilleter n'importe quel manuel pour se rendre compte de la précision avec laquelle les auteurs s'efforcent de distinguer " ce qui est volontaire " de " ce qui est involontaire ", et à quel degré un acte peut être dit " volontaire ". Le terme " volontaire " (*voluntarium*) qui désigne l'actualisation consciente du libre arbitre, est la clé servant à qualifier l'acte responsable, donc la responsabilité du caractère moralement bon ou mauvais de cet acte. Ce n'est bien entendu qu'en fonction de cette responsabilité que ce bien ou ce mal sont attribués à l'acte, et à son auteur.

« Les circonstances qui changent le caractère

" volontaire " (c'est-à-dire *conscient* et de *plein gré*) peuvent être extérieures. Evidemment, elles n'influent sur la qualification de l'acte que dans la mesure où, venant " de l'extérieur ", elles conditionnent le sujet " à l'intérieur ". Car en fin de compte ce n'est qu'ainsi, " à l'intérieur ", que le " volontaire " peut être conditionné et surtout limité. Bien entendu, les circonstances intérieures, " endogènes ", propres au sujet lui-même et à sa structure psychophysique, entrent en jeu. Par exemple un tremblement de terre ou un bombardement provoquent la peur, mais telle personne peut être d'un naturel plus craintif qu'une autre. Nous devons donc admettre que, toute proportion gardée, la première est plus menacée que la deuxième et que, comme elle est plus sujette à la peur, ce fait devra être pris en considération pour juger correctement " ce qui est volontaire " ou ce qui ne l'est pas dans ce qu'elle peut être amenée à faire.

« Conformément à ces règles de pensée, la théologie morale suit avec beaucoup d'attention ce que les sciences humaines de l'hérédité peuvent lui dire au sujet des éléments qui limitent la liberté du sujet, aussi bien d'une façon immédiate qu'habituelle et permanente. Cela nous suffira pour conclure qu'il ne s'agit pas là d'une modification de la morale, mais d'éventuels changements d'appréciation morale des actes d'un homme concret.

« C'est une autre question de savoir si les progrès de la science, par exemple de l'anthropologie, peuvent modifier l'éthique et la morale chrétiennes " sur des points importants " ou des questions essentielles. Celles-ci sont liées à l'existence reconnue des valeurs et au système des principes et des normes qui les sauvegardent. Or ici nous devons admettre l'immutabilité fondamentale des normes. Les sciences de l'homme tiennent certaines valeurs pour des données valides et reconnues, tels la dignité de l'homme ou le prix de la vie humaine. C'est pourquoi aucune de ces sciences ne saurait contribuer à ce que nous changions le commandement d'amour en commandement de haine, voire seulement d'indifférence à l'égard de notre prochain. Ou celui de " ne pas tuer " en commandement de tuer.

« Cependant diverses disciplines, à commencer par les études bibliques, peuvent nous aider à comprendre plus en profondeur les principes particuliers de la morale chrétienne, à mieux discerner leur justesse morale et à délimiter avec plus d'exactitude leurs applications pratiques. Dans le passé, le problème de l'usure et des intérêts par rapport au développement des sciences économiques a été un exemple typique, comme l'est de nos jours celui de la paternité responsable, en connexion avec le développement des sciences bio-physiologiques. »

Inutile de souligner l'importance de cette dernière phrase. Elle donne à penser que le développement des sciences de la vie peut amener un jour l'Eglise par exemple en matière de régulation des naissances, à « délimiter avec plus d'exactitude *les* applications pratiques » de ses principes.

III

C'est un fait que la liberté de conscience fort justement réclamée sous le nom de « liberté religieuse » par le concile Vatican II a tendance à se retourner aujourd'hui contre l'Eglise dans les pays où elle peut encore exercer son magistère : cette liberté qu'elle revendique pour les croyants en pensant aux régions du monde où elle leur est refusée, les croyants l'exigent d'elle à leur tour. Montrant tout au plus un intérêt poli pour les directives de la hiérarchie quand ils ne les rejettent pas purement et simplement comme abusives et déplacées, ils entendent de plus en plus rester maîtres de leur jugement sur tel ou tel aspect de la morale — que ce soit pour resserrer ou desserrer les exigences de celle-ci. L'autonomie religieuse du chrétien se manifeste par une indifférence et même une aversion croissante envers la confession, qui fait intervenir le confesseur en tiers intempestif dans un débat de la conscience avec elle-même.

D'où ma question au saint-père : l'Eglise doit-elle intervenir dans la vie intime des chrétiens ?

« Votre question en suppose une autre, plus fondamentale, et qui concerne l'essence même de la morale. Non pas de l' " éthique ", mais de la morale comme telle au sens existentiel et concret. Or la morale — " ce qui est moral " — est chose essentiellement intime, intérieure. Les problèmes de la morale sont toujours, quant au sujet, des problèmes de conscience et de volonté (attitudes, choix) : c'est dans la conscience et l'attitude que s'exprime l'" homme intérieur ".

« Certes, la morale a également une dimension extérieure, pour ainsi dire visible, appréciable du dehors par rapport aux normes objectives de la conduite humaine. Cependant ce fait — l'existence de cette dimension extérieure — ne modifie en rien le fait précédent, à savoir que la morale est une affaire de conscience et de décisions de l'intériorité humaine.

« Le Christ enseignait la morale. L'Evangile et les autres textes du Nouveau Testament le montrent de façon indubitable. Nous savons que le Décalogue, soit les dix commandements de la loi morale de l'ancienne Alliance, a été confirmé par l'Evangile, qui nous dit que, des deux commandements d'amour de Dieu et du prochain, le premier est " le plus grand ", et le second " semblable au premier ".

« En enseignant la morale, le Christ tenait compte de ces deux dimensions : la dimension extérieure, donc sociale et même " publique ", et la dimension intérieure. Toutefois, conformément à la nature même de la morale, de " ce qui est moral ", il attachait une importance primordiale à la dimension intérieure, à la droiture de la conscience humaine et de la volonté, que d'ailleurs on appelle le cœur.

« Elucidant les doutes de ses disciples sur le précepte rituel ordonnant de se laver les mains avant de manger, il a des paroles significatives : " Ce qui sort de la bouche vient du cœur et c'est cela qui rend l'homme impur. Du cœur, en effet, procèdent mauvais desseins, meurtres, adultères, débauches, vols, faux témoignages, malédictions. Voilà ce qui rend l'homme impur. Mais manger sans s'être lavé les mains ne rend pas l'homme impur[1]. " On peut trouver beaucoup de textes analogues, surtout dans le Sermon sur la montagne[2].

« En enseignant la morale, l'Eglise s'efforce de faire de même. Enseigner la morale, c'est former l'intérieur de l'être humain : éclairer la conscience à la lumière de la vérité, renforcer la volonté pour qu'elle choisisse le bien et s'affermisse en lui comme dans les bonnes œuvres. Dans le cadre de cet enseignement, grande est la place des encouragements, des admonestations et des rappels. En ne le faisant pas, l'Eglise ne trahirait-elle pas son maître ? Est-ce qu'elle peut ne pas être *mater et magistra* jusqu'au plus intime du cœur de l'homme, si c'est le Christ qui le lui a confié ? »

Ainsi disparaît la difficulté ou l'objection signalée dans le préambule de ce chapitre : l'Eglise n'intervient pas en « tiers intempestif » dans le débat de l'homme avec lui-même, elle est l'intermédiaire désigné du dialogue de la conscience avec le Christ.

« Mais pour répondre encore plus exactement à votre question, il convient d'ajouter que l'éthique catholique n'est pas seulement un ensemble de normes, de commandements, de règles d'action ; elle

1. Matthieu, XV, 18-20.
2. Matthieu, V-VII : chapitres d'instructions morales toutes passées en proverbes, trop longs pour être reproduits ici, dont le premier commence par les célèbres Béatitudes (« Heureux les pauvres en esprit... ») et se termine sur ces mots : « Soyez parfaits comme votre Père des cieux est parfait. »

comporte aussi des exhortations et des conseils tirés de l'Evangile et adressés aux consciences, c'est-à-dire à l'homme intérieur. En outre, il existe des normes concernant directement des actes *exclusivement* intérieurs. On relève déjà dans le Décalogue deux commandements commençant par ces mots : " Ne convoite pas... " et qui, par conséquent, ne visent aucun acte extérieur, mais seulement une attitude intérieure, dans le premier cas à l'égard de " la femme de ton prochain ", dans le second envers les biens d'autrui. Le Christ a mis cela encore plus en relief. Ses paroles sur le mont des Béatitudes, où il appelle " adultère de cœur " le regard qui convoite une femme, ont été pour moi le point de départ de longues réflexions sur le caractère spécifique de la morale évangélique dans ce domaine. Mais ce n'est pas tout. Nous savons que le Sermon sur la montagne parle aussi des bonnes actions " comme la prière, l'aumône, le jeûne, que le Père voit dans le secret ". »

Les « longues réflexions » de Jean-Paul II ont abouti à une allocution retentissante et mal comprise, commentée plus mal encore, et qui proscrivait ce « regard de convoitise » jusque dans l'intimité conjugale. Quoi, a-t-on dit, ne peut-on désirer sa femme sans être coupable devant la morale chrétienne ? Un peu d'attention eût suffi pour éviter des erreurs d'interprétation que l'on n'était peut-être pas toujours fâché de commettre. La convoitise n'est pas le désir, mais une forme d'avidité possessive où le cœur a bien peu de part, et qui fait de l'autre une simple chose à s'approprier. Le pape pense qu'il n'y a pas d'exception au respect que les êtres se doivent les uns aux autres, fût-ce dans le mariage, et surtout dans le mariage, qui est tout de même mieux qu'un ensemble de mauvaises habitudes à prendre à deux. On a pu mesurer à cette occasion la valeur des protestations que certains multiplient contre le mépris sournois du mâle pour la « femme objet ».

Il reste que la morale chrétienne passe souvent pour contraignante, surtout chez ceux qui ne la pratiquent pas, alors que d'autres, l'ayant privée de sa fonction surnaturelle, se bâtissent avec elle un christianisme méritoire, mais sans joie. Si le rôle de la morale évangélique n'est pas de nous interdire ce à quoi nous pourrions légitimement prétendre, mais de nous donner beaucoup plus que nous ne saurions raisonnablement espérer (à savoir : le « royaume des cieux »), peut-on prouver qu'elle est libératrice ? Est-ce elle qui construit la personne ?

« Lorsque vous dites que la morale chrétienne " passe souvent pour contraignante ", je discerne dans ce constat l'écho de différentes opinions et de différents systèmes de pensée sur la morale, en premier lieu sur la morale chrétienne sans doute, mais indirectement sur la morale tout court.

« Je désire souligner dès le début de cette réponse que depuis ma jeunesse, depuis le temps où ces sujets sont devenus chez moi des thèmes de réflexion, j'ai pensé comme je continue à penser que la morale chrétienne est *exigeante.*

« Ce terme — exigeante — est important pour cette raison qu'il répond aux deux questions que vous m'avez posées après vos observations initiales, soit : premièrement, peut-on prouver que la morale chrétienne est libératrice (et non pas gênante)? et deuxièmement, est-ce elle qui construit les personnes — et j'ajouterai : qui bâtit les *vraies* personnalités ?

« Il est hors de doute qu'il y a une différence essentielle entre le terme " contraignante " et le terme " exigeante ".

« Il est vrai que certaines personnes trouvent la morale chrétienne " gênante ". Chacun d'ailleurs est plus ou moins tenté de la qualifier ainsi lorsque la volonté bute contre ses exigences. L'homme trouve dans les principes mêmes de la morale chrétienne la racine de cette opposition à sa volonté. Souvent la morale chrétienne le place devant des exigences qu'il préférerait éviter, s'il hésite à les refuser tout net. Alors il est d'avis que la morale chrétienne est gênante, qu'elle enchaîne son libre " moi ".

« Ici il faut faire un pas de plus et poser la question : ne serait-ce pas un trait commun à toute morale ? En est-il une qui fasse que l'homme n'en soit jamais gêné, et que jamais sa volonté ne se rebelle ? Une telle morale sans conflits mériterait-elle encore le nom de morale ?

« Au cours des quelques années de ma vie où il m'a été permis de me consacrer en premier lieu au travail philosophique, j'ai étudié de plus près la pensée de Kant et de Scheler sur les rapports du devoir et de la valeur dans ce qui est " moral ". Je suis arrivé à la conclusion que la morale dans sa structure dynamique — les journaux diraient : la morale opérationnelle — se concentre sur des valeurs, et tout d'abord sur la valeur morale elle-même, qui ne saurait être conçue sans *devoirs*. Il n'y a pas de morale sans obligation. Qui plus est le sujet (le " moi "), envisageant la vérité de la valeur, c'est-à-dire le bien qu'elle représente, s'exprime par un jugement à la première personne : " Je dois... ", où le sujet, au nom de la vérité reconnue de cette valeur, se lie ou s'oblige lui-même. Il s'agit alors de savoir si l'obligation devient du coup synonyme de " contrainte " ou d' " exigence ". Je suis convaincu que pour toute morale chrétienne le second terme de l'alternative est juste, encore que l'homme ait pratiquement tendance à mettre le premier en avant. »

Beaucoup pensent aujourd'hui que « la loi doit suivre les mœurs », ce qui ne peut guère aider une société à s'améliorer; les mêmes, souvent, croient que la jeunesse veut une morale accommodante, des chemins faciles allant en pente douce dans le sens de ses penchants. Le pape ne partage ni la première opinion — comme on vient de le voir — ni la seconde :

« Pendant ma rencontre avec les jeunes du Parc des Princes, que vous avez évoquée dès le début de cet entretien sur les mœurs, j'ai eu à répondre à bien des questions. On m'a notamment demandé quels sont les principes chrétiens de l'union entre l'homme et la femme. On m'a dit : " Dans les questions d'ordre sexuel, l'Eglise a une attitude assez intransigeante. Pourquoi ? Ne craignez-vous pas, Saint-Père, que les jeunes s'éloignent de plus en plus de l'Eglise ? "

« Et voici ma réponse : " Vous me demandez quels sont les principes que l'Eglise enseigne dans le domaine de la morale sexuelle. Voyant que ces principes sont difficiles, vous exprimez la crainte que les jeunes, pour cette raison, ne se détournent de l'Eglise. Je réponds : Si vous pensez à cette question de manière profonde, en allant jusqu'au fond du problème, je vous affirme que vous vous rendrez compte d'une seule chose, qui est que dans ce domaine l'Eglise pose seulement les exigences liées à l'amour conjugal vrai, c'est-à-dire responsable. Elle exige ce que requièrent la dignité de la personne et l'ordre social fondamental. Je ne nie pas que ce soient des exigences. Mais c'est justement là le point essentiel du problème, à savoir que l'homme se réalise dans la seule mesure où il sait s'imposer des exigences à lui-même. Dans le cas contraire, ' il s'en va tout triste ', comme nous venons de le lire dans l'Evangile. La permissivité ne rend pas les hommes heureux. La société de consommation ne rend pas les hommes heureux. Elle ne l'a jamais fait. "

« J'ai dit cela avec une profonde conviction. A en juger d'après les réactions de mes auditeurs, il m'a semblé qu'ils accueillaient ma réponse avec satisfaction. »

Je peux témoigner qu'en effet les « réactions » des jeunes chrétiens ne sont pas toujours celles que l'on serait tenté de leur prêter, à lire les journaux (d'adultes). Mêlé un jour à six mille étudiants européens qui m'avaient fait l'honneur de me demander de clore les travaux de leur congrès, j'ai eu la surprise de les entendre, dans la grande salle d'audience du Vatican, saluer d'une longue ovation... le sacrement de pénitence dont le saint-père venait de souligner les bienfaits. Ce jour-là, à la fin de l'audience, les acclamations en forme de triples bans réitérés durèrent peut-être un quart d'heure. Patient, Jean-Paul II battait la mesure avec sa semelle. Six mille jeunes gens enthousiastes de la pénitence ! Je ne m'y attendais pas ; j'avais tort.

« Je n'ai pas voulu moraliser, ni n'être devant la jeunesse que le porte-parole du " système ". La morale chrétienne demande beaucoup. Elle pose même des exigences que l'on peut parfois, honnêtement, trouver trop élevées. En dehors de celles dont il a été question au Parc des Princes — et qui sont à l'origine du reproche d'être " contraignante " que l'on adresse aujourd'hui à la morale chrétienne — que dire de cette parole de l'Evangile : " Aimez vos ennemis, faites du bien à ceux qui vous haïssent [1] ", ou de celle-ci : " Si quelqu'un te frappe sur la joue droite, tends lui encore l'autre [2] " ? Il faut bien se dire franchement, face à de telles exigences : " Elles dépassent mes possibilités. " Mais le dire ne signifie pas encore qu'elles soient *contraignantes.* Cela signifie : *J'en appelle à quelque chose de plus* que ce que je peux, *je vais en appel* devant moi-même.

« Il me semble que l'on peut maintenant tenter de donner une réponse synthétique à votre question. La clé, c'est la façon de comprendre la liberté humaine. Si la liberté est la faculté de " faire tout ce que je veux " (ou plutôt tout ce dont j'ai envie) alors il est évident que devant la liberté ainsi entendue non seulement la morale chrétienne, c'est-à-dire les principes de conduite contenus dans l'Evangile et enseignés par l'Eglise, mais toute morale humaine peut passer pour contraignante : la liberté du voisin est alors une gêne et une menace pour la mienne, et c'est ce qui fait dire à Sartre : " L'enfer, c'est les

1. Luc, VI, 28.
2. Matthieu, V, 39.

autres. " Si par contre la liberté (comme je l'ai fait remarquer précédemment et ce dont je suis profondément convaincu) se manifeste par la responsabilité, c'est-à-dire par la perception de la vérité sur la dignité humaine — celle des autres et la mienne — alors la morale chrétienne paraîtra " libératrice " dans l'expérience intérieure de celui qui l'applique en conscience et honnêteté. Cette vérité qui délivre aide à comprendre la personne humaine, et par conséquent à la façonner conformément à sa destinée.

« J'admets qu'en prenant cette voie l'homme doit accepter un certain risque. Mais si l'on admet que la valeur morale constitue par essence un " bien ardu ", on ne peut vouloir qu'il en soit autrement. On ne peut vouloir que la liberté consiste en tout et pour tout dans la latitude d'agir à sa guise. Un tel programme de gestion de la liberté pourrait sembler de prime abord " libérateur ", mais par la suite il se montre toujours asservissant. De plus, il est d'ordinaire égoïste et asocial.

« Que dire finalement ? Je pense que l'attitude des jeunes qui ont participé à la rencontre du Parc des Princes et qui ont réagi comme ils l'ont fait à ma réponse, témoigne de la rectitude de leur intuition sur le sens de la liberté humaine, et sur ce que veut dire " être vraiment libre ". »

IV

Jean-Paul II a grand espoir dans la jeunesse tout comme il aime les enfants, et tandis qu'il parle, une image miroite, insistante, dans mon souvenir. Pendant une cérémonie sur la place Saint-Pierre, le pape longeant les barrières aperçoit une petite fille perdue dans la foule. On la fait passer par-dessous les barrières, le pape la prend par la main et revient seul avec elle sur le chemin de laine rouge qui mène au trône, et nous entrons soudain dans un conte : la colonnade du Bernin est une forêt de troncs dépouillés de leurs branches, le saint-père revêtu de ses amples ornements et dont la mitre scintille au soleil est un roi de légende, et la petite fille une sœur du Petit Poucet. Arrivé au trône, le roi de légende va l'élever dans ses bras, pour qu'on la voie de plus loin, et ses parents accourus du fond de la place la recevront de ses mains. Une image ravissante intercalée dans les feuillets de ma mémoire. Je sais qu'il y a des sujets plus graves, d'impitoyables guerres d'abstractions et d'intérêts qui ensanglantent le monde et j'aurai bientôt l'occasion d'en parler avec Jean-Paul II ; mais qu'y puis-je si les petits faits de la vie quotidienne me touchent plus que ceux de la vie politique, si les quelques moments de solitude effrayée d'une petite fille séparée des siens m'émeuvent plus qu'une de ces batailles d'hommes que je ne connais pas que par ouï-dire, et si l'affolement de Marie et de Joseph cherchant leur enfant dans

Jérusalem m'en dit davantage qu'un traité sur la condition humaine ? Mais l'anecdote de la place Saint-Pierre me suggère une question. Depuis le fameux « Familles, je vous hais[1] ! » lancé par une intelligence qui cultivait son ivraie avec autant de soin qu'un jardinier ses roses, une ou deux générations de « moralistes » ont écrit des choses démoralisantes qui viennent se briser contre cette robuste et sereine assertion de Chesterton : « La famille est une cellule de résistance à l'oppression. » Cet aspect de la famille ne semble pas très bien perçu aujourd'hui par les théoriciens. Qu'en pense le saint-père ?

« Les paroles de Chesterton sont belles. Belles et justes. En outre, elles sont avisées — et exigeantes. Pour que la famille puisse être, comme il l'affirme, " une cellule de résistance à l'oppression ", elle doit être une communauté d'une grande maturité et d'une grande profondeur. Lorsque je dis : " elle doit ", je veux dire qu'il s'agit d'une obligation morale. Parler de la famille comme d'une " cellule de résistance à l'oppression " est désigner sa valeur morale et, simultanément, déterminer la structure qui lui est propre. Et en fin de compte, prendre pour base la maturité spirituelle des personnes. Lorsque celle-ci vient à manquer, l'homme ou la femme peuvent ne voir dans leur union indissoluble qu'une contrainte à briser.

« Par essence la famille — bien plus qu'aucune autre communauté sociale — a une structure personnaliste. Chacun de ses membres a son importance, non pas à raison de la fonction qu'il remplit, des ressources qu'il procure ou de quoi que ce soit

1. André Gide.

d'autre, mais simplement parce qu'il existe. Qu'il est " homme ". Qu'il est " cette personne-ci ". C'est pourquoi la famille mérite plus que toute autre forme de contrat humain la magnifique qualification de " communion de personnes ", qui désigne la profondeur et l'intensité des rapports réciproques, ainsi que la profondeur et la force des liens interpersonnels qui en résultent. Si dans une famille (en supposant sa maturité morale) chaque membre a son importance, donc chaque personne en soi, cela ne saurait créer un climat d'individualisme. Rien n'est plus contraire à une famille saine qui se développe correctement. Le fait que l'homme ait une existence " pour soi " l'appelle en même temps à être " pour les autres ", comme nous le lisons dans le beau texte de *Gaudium et Spes :* " L'homme ne peut se trouver pleinement que par le don désintéressé de soi-même[1]. " Ainsi donc la " communion des personnes " est bien plus qu'un lien interhumain ; elle signifie l'existence, la vie, l'action fondée sur le principe du don réciproque — le don réciproque de l'humanité.

« Dans une famille, tout être est important par *ce qu'il est,* parce qu'il *existe.* Le don de l'humanité de chacun à chacun est pour ainsi dire la situation initiale de la famille. C'est également son devoir. Plus chaque membre d'une famille sait vivre pour les autres, plus il est évident que pour cette famille il est important parce qu'il *est,* et par *ce qu'il est.* Lors même qu'il ne mérite pas que l'on dise : " Il sait vivre pour les autres ", cela ne change rien au fait qu'il appartient à cette famille et qu'il compte parce

1. *Gaudium et Spes,* 24.

qu'il *est,* et *tel qu'il est.* Quoique, alors, il crée de la souffrance.

« Cette souffrance démontre cette vérité. Cela n'apparaît pas si clairement dans d'autres communautés qui paraissent plus " neutres ", du point de vue de la personne, moins sensibles à l'homme comme tel. J'ai écrit autrefois un petit traité sur la famille, " communion de personnes ", en m'inspirant largement du texte de *Gaudium et Spes* que je viens de citer. »

Je me demande, mais connaissant sa discrétion je ne lui demande pas si ce n'est pas lui, par hasard, qui aurait introduit ce texte dans *Gaudium et Spes.* Non, probablement. Il ne l'aurait pas qualifié de « beau ».

Mais ce qu'il vient de dire ne vaut-il pas pour la paroisse qui peut passer pour une forme d'extension de la famille, et qui souffre parfois des mêmes tentatives de dislocation ?

« Si la paroisse est une communauté qui réalise d'une certaine façon " l'Eglise locale ", alors entre elle et la famille conçue comme une " communion de personnes " il existe un rapport, une profonde cohésion et coresponsabilité. Car l'Eglise a aussi une nature " communautaire " — voyez les textes classiques de *Lumen gentium,* par exemple les paragraphes 14 et 15 — et depuis les temps les plus anciens la famille était appelée " église domestique ", ou *ecclesiola.* Voilà ce que l'on peut dire très brièvement sur la corrélation famille-paroisse sans entrer dans les détails de structure et de fonctionnement. On peut ajouter que la famille a besoin de la paroisse et que la paroisse a besoin de la famille.

Vous dites vous-même à juste titre que la paroisse est une forme d'extension de la famille ; elle est donc en quelque sorte une famille élargie, ou une communauté de familles. S'il en est ainsi, il faut tout faire pour que la famille puisse " se retrouver " dans la paroisse, et la paroisse dans la famille. C'est un principe de service pastoral vieux et éprouvé, ainsi qu'une méthode, puisque le principe même indique la façon de le mettre en pratique. »

Une autre question me trouble depuis longtemps. En Occident, beaucoup pensent aujourd'hui que le baptême doit être différé jusqu'à l'âge où le libre-arbitre peut s'exercer en toute connaissance de cause, et pour le moins jusqu'à l'âge de la majorité légale. C'était autrefois le point de vue des familles athées où la question de la religion se posait encore, par habitude, hérédité ou suggestion de l'environnement social. J'entends encore ma mère me dire qu'après ma naissance, évoquant l'hypothèse d'un baptême (dont on ne savait pas très bien s'il m'eût conduit à l'église, au temple ou à la synagogue, étant donné la variété religieuse de mes ascendants), mon père, incroyant sans faille, avait dit et répété que je choisirais ma religion « à vingt ans », si je devais jamais éprouver le besoin d'en avoir une. Cette position de principe, juste et tolérante chez un homme de parti résolument athée, m'a toujours paru — depuis que j'ai été baptisé — fausse et *injuste* quand elle est reprise à l'intérieur d'une Eglise chrétienne. Car une saine mentalité rationaliste veut en effet qu'un parti n'accepte que des adhérents adultes, encore que chacun d'eux ait des « jeunesses » dont il n'est pas sûr qu'elles soient tellement bien informées de la doctrine. Mais une Eglise ne recrute pas des adhérents, elle reçoit de Dieu des enfants qu'elle a charge de faire entrer dans la vie de la grâce, dont elle a si l'on veut la gestion mais non pas la propriété. Quant à la « pleine connaissance de cause » requise, s'il fallait l'attendre pour entrer dans l'Eglise, nul ne pourrait jamais se dire chrétien.

Bref, faut-il baptiser les petits enfants ?

« Je vous répondrai en poursuivant les réflexions contenues dans ma réponse précédente. Si la famille " se retrouve " dans la paroisse et réciproquement, cette vérité se manifeste tout particulièrement dans les moments clefs de la vie de l'une et de l'autre. L'un de ces moments est sans nul doute le sacrement du mariage lui-même, par quoi la famille commence justement comme " église domestique ". Le sacrement du baptême en est un autre. Il est fonction de la naissance des enfants, qui font du couple une famille.

« Vous voulez savoir s'il faut baptiser les petits enfants ? L'Eglise a répondu depuis longtemps, et sa réponse de jadis coïncide aussi avec la découverte de la paroisse par la famille et de la famille par la paroisse. Ce fut, c'est toujours une *réponse de la foi* — conjointe à la pratique chrétienne enracinée dans la foi et surgissant de la foi.

« Nous savons que ce ne fut pas la réponse primitive. Elle est venue avec le temps, lorsque dans l'Eglise, aussi bien que dans la famille, une tradition de la vie chrétienne se fut formée. Auparavant le baptême était surtout administré aux adultes, ce qui exigeait une certaine préparation spirituelle, fondée sur une évangélisation, une initiation, une catéchèse adaptée. D'où l'institution du *catéchuménat,* dont nous trouvons encore des traces dans la liturgie, surtout pendant le carême. Car dans les premiers siècles, ce temps du carême était surtout consacré à l'initiation intensive des convertis. Au point de vue liturgique, la " vigile pascale " (la veillée de Pâques) était le moment le plus indiqué pour le baptême, sacrement de la naissance à une nouvelle vie en Jésus-Christ. Même aujourd'hui il est difficile de comprendre la liturgie de cette veillée de Pâques autrement qu'en relation avec cette " résurrection " par le baptême à la vie qui est dans le Christ. Cette vie qui *est,* puisqu'elle s'est manifestée dans sa propre résurrection. Rappelons-nous la force des textes de saint Paul : le Christ ressuscite et révèle cette vie en lui qui est plus puissante que la mort. Par le baptême, l'homme est enseveli dans la mort du Christ, pour ressusciter avec lui de la mort du péché à la vie de la grâce[1]. »

Il est clair que le baptême des païens se convertissant à l'Evangile était baptême d'adulte ; mais, dès que des familles chrétiennes furent constituées, on baptisa les enfants. C'est plus tard, à cette époque « constantinienne » tant décriée, que le baptême fut souvent retardé en raison aussi des rigueurs de la pénitence publique.

Le saint-père a déjà employé souvent, et il emploiera encore le mot « mystère », auquel tout le monde n'attribue pas le même sens. Le mystère n'est pas dissuasif, mais incitatif ; ce n'est pas à proprement parler une chose cachée, c'est au contraire une chose révélée, mais qui nous propose dans la simul-

---

1. Romains, VI, 3-11 ; Colossiens II, 12 ; III, 1-3.

tanéité d'une indivisible unité ce que notre raison ne connaît que sous la forme séparée, successive et composée. Le mystère est un objet de contemplation pour le croyant — et il ne le rend ni plus ni moins perplexe que le physicien nucléaire qui constate que telle particule explose à la fois dans l'espace et *dans le temps*. Un dominicain dont j'ai oublié le nom, mais non pas le génie spirituel, disait qu'un mystère « est une chose obscure en elle-même, et qui éclaire tout le reste » ; c'est une invisible source de lumière, à laquelle s'expose l'intelligence contemplative.

« Il est sûr que nos aïeux dans la foi situaient leur baptême au centre même du mystère pascal, sur le fond de la magnifique catéchèse des lettres de Paul.

« Cependant, il n'est pas difficile de comprendre qu'à mesure que le christianisme acquérait une expression sociale plus complète, *à mesure que l'Eglise se retrouvait davantage dans les familles entières* et les familles comme telles dans l'Eglise mûrissait le désir que cette entrée par la grâce dans l'adoption divine (qui donne au Christ la " multitude de frères " dont parle saint Paul) se fit le plus tôt possible. Les parents chrétiens voulaient que leurs enfants passent sans tarder " de la mort à la vie ", c'est-à-dire du péché originel à la grâce sanctifiante, et deviennent fils de Dieu dans le Christ. Ils désiraient que leurs enfants puissent participer le plus tôt possible à la vie de Dieu même, et en même temps à la vie de l'Eglise, ce corps auquel le Christ communique sans limites tous les dons de sa Rédemption. En présentant leurs enfants au baptême, ils s'engageaient à compléter par l'éducation familiale ce qui relevait autrefois du catéchuménat

— et ce qui est toujours de rigueur dans le baptême des adultes.

« Vous dites : " Faut-il " baptiser les petits enfants ? Je vous réponds en rappelant comment on en est arrivé à baptiser les bébés. Ce qui fut décisif, ce qui l'est encore, c'est la pratique, la *praxis* née d'une foi vivante. Mais on trouve aussi dans cette pratique la réponse à la question : " Pourquoi " faut-il baptiser les petits enfants ? Car sans cette réponse, une telle coutume ne se serait pas implantée. Et cette réponse est que les parents ont le droit de partager avec leurs enfants ce qu'ils considèrent comme un très grand bien, un bien suprême. En présentant leurs enfants au baptême sitôt après leur naissance, les parents chrétiens manifestent leur désir de partager leur plus grand bien selon la lumière de la foi, de même que par la foi ils se retrouvent dans l'Eglise et retrouvent l'Eglise dans leur famille, l'*ecclesiola*.

« Les parents chrétiens n'envisagent pas toujours ces problèmes de la même manière que jadis. Ils n'assument pas toujours tout à fait consciemment et avec la responsabilité voulue leur rôle de catéchistes et d'éducateurs, de première importance pour leurs enfants ; ils ne perçoivent pas à quel point c'est justement la famille qui doit être le sujet de la catéchèse, qui est en même temps évangélisation. Sous cet angle, le dernier synode des évêques a opéré une sorte de redécouverte de la famille, en indiquant tout ce que la continuation de cette pratique (consciente et responsable) avait d'important. Le synode a montré qu'il était nécessaire de la fonder sur la découverte *par elle-même* de la famille chrétienne en tant que " petite Eglise ". »

Dans cet ordre d'idées, tout recommence par le mariage, institution toujours valide malgré les multiples agressions dont elle est l'objet de la part de « penseurs » (qui sont parfois, hélas, des religieux) qui représentent le mariage comme une sorte de prison où deux malheureux se condamnent eux-mêmes à jouer jusqu'à ce que mort s'ensuive une variante du *Huis clos* de Jean-Paul Sartre où l'enfer ne serait plus « les autres » mais « l'autre ». Ces misérables caricatures n'empêchent nullement le mariage, fondé sur l'admiration réciproque et un engagement sans réserve, de répondre à la fois à ce qu'il y a d'instinctif et d'idéaliste dans la nature humaine ; c'est une manière de retourner dans le Premier Jardin, et le fait d'y vieillir ensemble est une chose douce et pathétique dont les détracteurs de ce « pari d'innocence » n'ont pas la moindre idée.

Cependant, sous l'influence d'une société occidentale laxiste qui ne comprend plus que la fidélité agit par elle-même comme une grâce et qui fait dangereusement proliférer les cellules du « moi » (je crois bien que l'expression la plus entendue à la télévision est le « moi-personnellement-je » qui précède l'énoncé d'une opinion), certains jeunes peu conscients de leur faiblesse et de ce que le sacrement de mariage pourrait leur apporter de force, s'ils avaient l'humilité de le demander, jugent inutile de se marier, et vivent une conjugalité « à l'essai » qui dans la meilleure des hypothèses ne mène qu'aux félicités administratives de la régularisation. D'autres au contraire hésitent sur la profondeur de leurs sentiments, redoutent un échec et le sort difficile fait aux divorcés. A l'égard du mariage et du divorce, une évolution de l'Eglise est-elle à attendre ?

« Le sacrement du mariage est profondément enraciné dans la Révélation de Dieu et dans la vocation de l'homme. Nous remontons ici au commencement, à ces paroles de la Genèse : " Il les créa homme et femme ", qui fondent la vocation de ces " deux " à l'unité " dans le corps ", vocation liée à l'immémoriale bénédiction du Créateur préludant à la naissance de l'homme nouveau.

« Mais ce n'est pas tout. Le mariage a la structure d'une alliance, cette même alliance par laquelle Dieu s'est confié à l'homme, attendant en retour une confiance analogue dans la foi. Cette alliance a son sommet en Jésus-Christ. Pour l'exprimer, saint Paul invoque l'analogie du mariage selon l'Ancien Testament : l'amour fidèle de l'homme et de la femme unis pour toute la vie. Unis par une foi réciproque. Conformément à la même analogie, les prophètes admonestaient et châtiaient Israël pour ses infidélités à l'égard du Yahvé — Dieu de l'Alliance. Le mariage est réellement, profondément enraciné dans la Révélation.

« Et dans la vocation de l'homme. Je reviens une fois encore à la constitution *Gaudium et Spes.* Si ce que nous y lisons au sujet de l'homme est vrai — et j'estime que c'est vrai — alors le mariage n'a de sens qu'en tant qu'alliance véritable de personnes, alliance infrangible.

« Puisque l'homme, " seule créature que Dieu ait voulue pour elle-même ", ne peut " pleinement s'accomplir que par le don désintéressé de soi-même ", alors le mariage correspond à la vocation de l'homme conçue dans son intégrité. J'entends ici

" intégrité " à la fois dans son sens personnaliste et dans son sens éthique, qui sont d'ailleurs inséparables. Le sacrement du mariage est établi sur une telle conception de la vocation de l'homme, personne responsable.

« Vous me dites que ces jeunes, devant une vocation ainsi comprise, devraient être conscients de leur faiblesse et qu'il en va parfois, malheureusement, tout autrement. Gardez-vous de généraliser ! Certes, en tout cas l'homme devrait éprouver une certaine crainte devant l'ampleur d'une si grande tâche. Il devrait se demander : serai-je égal à cette œuvre ? Une telle crainte correspond à sa vérité intérieure et prouve qu'il mesure correctement la décision à prendre. Elle peut être aussi un trait d'humilité qui n'a rien à voir avec la pusillanimité.

« Il est bon que les jeunes soient humbles devant leur amour. Alors il est plus clair que cet amour est pour eux un véritable don et qu'ils seront l'un pour l'autre un don réciproque ; cela vaut mieux que de les voir sûrs d'eux-mêmes et présomptueux.

« Le mariage — comme le sacerdoce — exige une *humble magnanimité,* et une confiance mutuelle qui suppose une source plus profonde que le sentiment purement humain. »

Pensée suivie, comme toujours, de sa démonstration :

« Le sacrement par lequel l'homme et la femme, qui en sont effectivement les dispensateurs, se jurent " amour, fidélité et honnêteté jusqu'à la mort ", va à la rencontre de cette humble magnanimité qui est le fondement de la véritable dignité et vocation des époux. Le sacrement du mariage, comme tout sacrement, est un signe de l'action du Christ, un signe de la grâce à laquelle il faut se fier, car elle est plus puissante que les faiblesses aux aguets dans le cœur de l'homme, et qui menacent l'amour, la fidélité, l'honnêteté de la vie conjugale.

« L'Eglise n'ignore rien de ces faiblesses, elle tâche de les comprendre dans chaque cas, et elle s'efforce d'y obvier. C'est ainsi que le Christ agissait. En même temps, elle ne peut renoncer à sa foi en l'homme racheté, elle ne peut renoncer à la conviction qu'avec toute sa faiblesse, " il *peut* cependant tout en Celui qui le fortifie [1] ".

« Cela concerne également le problème de l'indissolubilité du mariage, sur quoi les paroles du Christ sont certainement lucides, mais non moins catégoriques pour autant. »

Je n'obtiendrai rien de plus sur ce point précis. Le pape me renvoie au VIe synode des évêques qui en lui présentant une longue série de propositions lui ont demandé de « se faire devant l'humanité interprète de la vive sollicitude de l'Eglise pour la famille », suggestion qui est à l'origine d'une « exhortation apostolique » de Jean-Paul II sur les « tâches de la famille chrétienne » comptant, selon les éditions, de 67 à 232 pages. Je renvoie à mon tour le lecteur à ce texte où sont traités à la fin, dans un esprit de pure charité évangélique, tous les cas de figures du divorce. Je citerai seulement cette recommandation : « Avec le synode, j'exhorte chaleureusement les pasteurs et la communauté des fidèles à aider les divorcés remariés. Que tous, avec une grande charité, fassent en sorte qu'ils ne se sentent

1. Philippiens IV, 13.

pas séparés de l'Eglise car ils peuvent, et même ils doivent, comme baptisés, participer à sa vie. »

Mais les femmes ? Bien que pour la piété chrétienne le plus grand des êtres créés soit l'une d'elles, la Vierge Marie, et qu'elles aient joué un rôle considérable dans l'histoire de la Révélation, on attribue à l'Eglise une certaine défiance à leur égard, et l'on en voit une preuve dans le fait qu'elle leur refuse le sacerdoce (bien que certains théologiens contemporains inclinent à le leur conférer). Là encore, un changement est-il à prévoir ?

« La même question, formulée autrement, m'a été posée au Parc des Princes. Permettez-moi de reconstituer, quoique en termes différents, cette question et la réponse insérée dans ma longue allocution aux jeunes. Voici la question, telle que je me la rappelle : " L'Eglise sera-t-elle toujours gouvernée par des hommes ? Les femmes y auront-elles toujours un rôle secondaire ? " Reliant cette question à une autre sur " le rôle actuel des laïques et surtout des jeunes dans l'Eglise ", j'ai répondu en ces termes : " Apprenez le Christ. Ne cessez d'apprendre le Christ. En lui se trouvent réellement d'insondables trésors de sagesse et d'intelligence. En lui l'homme sur qui pèsent ses limites, ses défauts, ses péchés, devient vraiment un homme nouveau, un être *pour les autres,* et gloire de Dieu selon saint Irénée, évêque de Lyon et martyr.

« L'expérience de deux mille ans nous apprend que dans la mission de tout le Peuple de Dieu, aucune différence de principe n'existe entre l'homme et la femme. L'un et l'autre, conformément à leur vocation propre, deviennent cet être humain *nouveau, pour les autres* et donc *gloire de Dieu.* S'il est vrai que ce sont les successeurs des apôtres, donc des hommes, qui gouvernent l'Eglise du point de vue hiérarchique, il n'est pas douteux que dans le sens charismatique l'influence des femmes n'y est pas moindre, peut-être même est-elle plus grande. Je vous prie de penser souvent à Marie, mère du Christ. "

« Je ne crois pas que ma réponse d'alors corresponde exactement à votre question, pour la raison qu'elle finit par où vous commencez ! Néanmoins, de quelque façon que la question soit posée, on ne peut faire abstraction du fait que seuls les apôtres ont entendu ces paroles au Cénacle, lors de l'institution de l'eucharistie : " Faites ceci en mémoire de moi. " Il n'y avait parmi eux aucune femme, bien qu'elles aient été nombreuses dans l'entourage du Christ. C'est ici que notre pensée se tourne tout spécialement vers elle, unique, qui avait pourtant un droit primordial sur ce corps et sur ce sang que le Christ livrait à l'Eglise comme sacrement de la nouvelle et éternelle Alliance, comme signe du sacrifice de la croix qui devait être renouvelé sans cesse sous les espèces du pain et du vin. En adorant l'eucharistie, l'Eglise ne salue-t-elle pas ce corps " né de la Vierge Marie, immolé sur la croix pour les hommes "? Dans la constitution *Lumen gentium,* nous lisons qu' " elle a souffert profondément avec son fils unique, et qu'elle s'est associée de toute son âme maternelle à son sacrifice ".

« Nous trouvons là l'expression la plus pleine de ce que nous appelons couramment le " sacerdoce des fidèles[1] ". Au sommet de ce sacerdoce : Marie, inégalée.

« Cependant jamais et nulle part l'Eglise ne lui a attribué le sacerdoce reçu au Cénacle par les apôtres, en tant que " service " et " fonction hiérarchique ". Non, le Christ n'a pas fait entrer sa mère dans la structure hiérarchique de l'Eglise, fondée sur les apôtres. Lorsque cette Eglise naquit à une vie autonome, le jour de la Pentecôte, Marie était présente, mais seulement comme l'une des femmes qui priaient et attendaient la venue de l'Esprit saint. En même temps, malgré et peut-être à cause de tout cela, c'est en elle et non en qui que ce soit d'autre que l'Eglise voit son modèle le plus parfait, comme l'affirme la même constitution *Lumen gentium,* sur la foi des Pères de l'Eglise.

« Ainsi donc l'exaltation d'une femme, la Vierge de Nazareth, dans l'œuvre du salut, le culte exceptionnel que lui rend l'Eglise, toutes choses que la constitution *Lumen gentium* nous enseigne de façon synthétique et combien complète, rien de tout cela ne constitue un argument en faveur du " sacerdoce des femmes " préconisé aujourd'hui dans certains milieux; au contraire, c'en serait plutôt le plus sérieux contre-argument.

« En même temps, la position de l'Eglise n'a absolument rien à voir avec une attitude inégalitaire qui serait tout à fait étrangère à l'Evangile et à la tradition. Elle contredirait toute l'économie de la Révélation et de la Rédemption. L'élévation singu-

---

1. Les fidèles participent eux aussi au sacerdoce du Christ en tant que continuateurs de l'ancienne Alliance et « peuple de prêtres » selon la vocation d'Israël.

lière de la femme en la personne de la Mère de Dieu en est la preuve. La conduite du Christ à l'égard des femmes, si frappante sur le fond de la mentalité et des mœurs de l'époque, en témoigne. Dans les textes de Vatican II, nous trouvons maint passage montrant à quel point l'Eglise se préoccupe de la dignité de la femme, et de l'égalité de ses droits, *correctement interprétée,* dans la vie moderne. J'insiste : correctement interprétée, car j'ai eu plus d'une occasion de me rendre compte à quel point cette question peut être comprise de façon erronée, et combien souvent, sous prétexte d'égalité, la femme est lésée dans ses droits. Mais c'est une autre question. »

Je pense que le saint-père fait indirectement allusion à des législations prétendument libératrices, comme la légalisation de l'avortement, qui ne sont en fait que des lois d'hommes, prises pour libérer les hommes plutôt que les femmes de leurs scrupules et de leurs responsabilités.

« Ce que je viens de dire n'est pas sans lien avec le sacerdoce des femmes. Car on ne saurait nier que cette question a surgi non pas sur le fond de la Révélation et de la tradition, mais sur celui d'un certain type de civilisation et d'une certaine mentalité. En principe, ce type de civilisation n'est opposé ni à la Révélation ni au christianisme. Les textes du dernier concile (surtout ceux de *Gaudium et Spes*) le montrent suffisamment.

« Cependant, cette compatibilité de principe n'est pas déterminante. Dispenser l'eucharistie est dès le point de départ, au moment même de son institution, un acte trop personnel du Christ pour que nous nous permettions d'en négliger le moindre aspect.

« Il est vrai qu'il n'a pas dit : " J'interdis aux femmes de faire ce que je fais ", mais au moment même où il instituait l'eucharistie, en fait ce n'est qu'aux apôtres qu'il a dit : " Faites ceci en mémoire de moi. " Il pouvait en décider autrement ! Sur ce point, il était parfaitement libre. Et précisément sur ce point, il était libre : plus d'une fois il a défendu le droit des femmes à l'aborder et à l'entourer.

« Que dire, alors ? Quelle conclusion ? Le fait qu'à cet instant décisif le Christ ait agi de cette manière nous sert d'indication suffisante et même astreignante en conscience. L'Eglise s'en tient là sans nulle intention de déprécier la femme ! Le fait qu'elle seule puisse être mère, et non pas l'homme, n'est pas davantage un indice d'inégalité entre eux. C'est dans l'ordre de la nature. Il en va de même dans l'ordre de la grâce, dans l'ordre charismatique, où les dons sont différents. »

Sur ce sujet, Jean-Paul II donne un autre argument :

« En restant dans le fil de la tradition concernant l'ordination conférée aux seuls hommes, je pense, en accord avec de nombreux théologiens, que l'Eglise garde pour elle-même ce caractère d'épouse qui est si profondément enraciné dans toute l'ecclésiologie biblique, surtout dans les lettres de Paul.

« Selon cette magnifique analogie, le Christ, époux de l'Eglise, donne à son épouse l'Eglise le don du sacrifice rédempteur : ce don qui a l'eucharistie pour sacrement. *Il faut donc que celui qui célèbre l'eucharistie, c'est-à-dire celui qui par la puissance et à la place du Christ offre son propre sacrifice de manière non sanglante, puisse exprimer qu'il y a don de l'époux à l'Eglise son épouse.*

« Ainsi la tradition de ne conférer l'ordination qu'aux hommes, observée non moins fidèlement par l'Eglise orientale que par l'Eglise occidentale, semble plus profonde que les circonstances " historiques " de l'institution de l'eucharistie. L'Eglise garde son mystère vivifiant. Elle se tient face au Christ comme l'épouse devant l'époux.

« Sans perdre de vue la Mère de Dieu, qui est son modèle, et qu'elle imite en tant que mère, car elle aussi désire être mère. »

Dans la chapelle privée de Jean-Paul II, au-dessus de l'autel, très haut, un grand crucifix ; sous l'un des bras de la croix, côté du cœur et comme à l'endroit supposé du *stabat mater,* une petite icône de la vierge de Chestochowa. La piété mariale du saint-père est connue. Elle prend sa source dans l'Evangile, bien sûr, mais elle doit beaucoup à un petit livre perdu ou caché pendant un siècle et demi, le *Traité de la vraie dévotion à la Sainte Vierge* de Louis-Marie Grignion de Monfort, écrit aux environs de l'an 1700. Ce qui fait jusqu'ici, avec le curé d'Ars, deux Français de plus dans la pensée religieuse du saint-père :

« La lecture de ce livre a marqué dans ma vie un tournant décisif. Je dis tournant, bien qu'il s'agisse d'un long cheminement intérieur qui a coïncidé avec ma préparation clandestine au sacerdoce. C'est alors qu'est tombé entre mes mains ce *traité* singulier, un de ces livres qu'il ne suffit pas d' " avoir lus ". Je me rappelle l'avoir porté longtemps sur moi, même à l'usine de soude, si bien que sa belle couverture était tachée de chaux. Je revenais sans cesse et tour à tour sur certains passages. Je me suis aperçu bien vite qu'au-delà de la forme baroque du livre il s'agissait de quelque chose de fondamental. Il s'est ensuivi que la dévotion de mon enfance et même de mon adolescence envers la mère du Christ a fait place à une nouvelle attitude, une dévotion venue du plus profond de ma foi, comme du cœur même de la réalité trinitaire et christologique.

« Alors qu'auparavant je me tenais en retrait de crainte que la dévotion mariale ne masque le Christ au lieu de lui céder le pas, j'ai compris à la lumière du traité de Grignion de Monfort qu'il en allait en vérité tout autrement. Notre relation intérieure à la Mère de Dieu résulte organiquement de notre lien au mystère du Christ. Il n'est donc pas question que l'un nous empêche de voir l'autre.

« Bien au contraire : la " vraie dévotion " à la Sainte Vierge se révèle de plus en plus précisément à celui qui avance dans le mystère du Christ, Verbe incarné, et dans le mystère trinitaire du salut qui a ce mystère pour centre. On peut même dire qu'à celui qui s'efforce de le connaître et de l'aimer le Christ lui-même désigne sa mère comme il l'a fait au Calvaire pour son disciple Jean. »

Il s'agit de cet épisode de l'Evangile : « Près de la croix de Jésus se tenaient sa mère, la sœur de sa mère Marie, femme de Cleophas et Marie de Magdala. Voyant sa mère et près d'elle le disciple qu'il aimait, Jésus dit à sa mère : " Voici ton fils. " Puis au disciple : " Voici ta mère. " » L'Evangile ajoute qu'à partir de ce jour " le disciple la prit chez lui ".

« La " dévotion parfaite à Marie " — ainsi s'exprime l'auteur du traité — c'est-à-dire sa vraie connaissance et l'abandon confiant entre ses mains, croît avec notre connaissance du Christ et notre abandon confiant à sa personne. Qui plus est, cette " dévotion parfaite " est indispensable à qui entend se donner sans réserve au Christ et à l'œuvre de la rédemption. Grignion de Montfort nous introduit dans l'agencement même des mystères dont vit notre foi, qui la font croître et la rendent féconde. Plus ma vie intérieure a été centrée sur la réalité de la Rédemption, plus l'abandon à Marie, dans l'esprit de saint Louis Grignion de Montfort, m'est apparu comme le meilleur moyen de participer avec fruit et efficacité à cette réalité, pour y puiser et en partager avec les autres les richesses inexprimables. »

Les spirituels du temps de Grignion de Montfort ne se ressemblaient pas tous, mais tous écrivaient un peu de la même façon que le saint-père a qualifiée tout à l'heure de « baroque » par référence à l'époque, et non dans le sens où les Français prennent ce mot pour désigner tout ce qui ne va pas droit. Le style « baroque » de Grignion de Montfort va fournir à Jean-Paul II l'occasion de nous donner une belle pensée sur la liberté :

« Ma dévotion mariale ainsi modelée — je ne vous en donne aujourd'hui qu'un bref aperçu — dure en moi depuis lors. Elle est partie intégrante de ma vie intérieure et de ma théologie spirituelle. On sait que l'auteur du traité définit sa dévotion comme une forme d' " esclavage ". Le mot peut heurter nos contemporains. Pour moi, je ne vois là aucune difficulté. Je pense qu'il s'agit là d'une sorte de paradoxe comme on en relève souvent dans les Evangiles, les mots " saint-esclavage " signifiant que nous ne saurions exploiter plus à fond notre liberté, le plus grand des dons que Dieu nous ait faits.

« Car la liberté se mesure à la mesure de l'amour dont nous sommes capables.

« C'est cela, je crois, que l'auteur a voulu nous montrer. Je dois ajouter que ma relation spirituelle la plus personnelle et la plus intérieure à la mère du Christ avait rejoint depuis ma jeunesse le grand fleuve de la dévotion mariale qui a son histoire et de nombreux courants complémentaires en Pologne. Yasna-Gora [1] a témoigné de cette tradition au cours des siècles, récemment encore dans les années 1956-1966, et depuis [2]. Je vous citerai en particulier le sanctuaire marial Kalwaria Zebrzydowska, proche de Cracovie et de Wadowice, où je suis né, qui m'est si cher et que j'ai visité si souvent dans ma jeunesse, puis comme prêtre et comme évêque. Je peux vous dire que j'avais trouvé là, dans le style de piété qui est celui du peuple auquel j'appartiens, ce que j'ai découvert dans le traité. »

Un dernier point : certaine psychanalyse mal entendue, qui conduit de bons chrétiens à traiter leur foi comme une maladie, voit dans le culte voué à Marie une manière oblique de dévaluer les autres femmes en les confrontant à un modèle inaccessible. Le pape n'est pas de cet avis :

« Ces tentatives d'une prétendue psychanalyse chrétienne appliquée à la spiritualité et même au

---

1. Yasna-Gora (« Clair-mont ») est la citadelle de Chestochowa, l'ultime point de résistance des Polonais aux envahisseurs suédois, à partir duquel s'est faite la reconquête du territoire au XVIIe siècle.

2. Ces années sont celles d'une neuvaine commémorative du baptême de la Pologne, dont l'Eglise polonaise a fait le point de départ d'une autre reconquête, celle-là morale et spirituelle.

dogme marial vont contre mon expérience. Mes conclusions sont diamétralement opposées : aussi loin que remontent mes souvenirs, la dévotion à la mère du Christ m'a aidé au contraire à entourer la femme d'égards, et n'a fait qu'accroître mon respect pour son mystère. »

V

On lit dans l'évangile de Jean, chapitre IV :

« Comme Jésus quittait la Judée pour retourner en Galilée, il lui fallut passer par la Samarie. Il arriva dans une ville nommée Sichar, près du champ que Jacob avait donné à son fils Joseph. Là se trouvait le puits de Jacob, Jésus, fatigué du voyage, était assis au bord du puits, vers l'heure de midi. Une femme de Samarie vint puiser de l'eau. Jésus lui dit : " Donne-moi à boire. " Car ses disciples étaient allés acheter des vivres à la ville. La femme samaritaine lui dit : " Comment toi, qui es juif, me demandes-tu à boire, à moi qui suis samaritaine ? " (Les juifs en effet n'ont pas de commerce avec les Samaritains.)

« Jésus lui dit : " Si tu connaissais le don de Dieu, et qui est celui qui te dit : Donne-moi à boire ! tu lui aurais toi-même demandé à boire, et il t'aurait donné de l'eau vive.

« — Seigneur, lui dit la femme, tu n'as rien pour puiser et le puits est profond : d'où aurais-tu donc cette eau vive ? Es-tu plus grand que notre père

Jacob, qui nous a donné ce puits et qui en a bu lui-même, ainsi que ses fils et ses troupeaux ? "

« Jésus lui répondit : " Quiconque boit de cette eau aura encore soif ; mais celui qui boira de l'eau que je lui donnerai n'aura jamais soif, et l'eau que je lui donnerai deviendra en lui une source qui jaillira jusque dans la vie éternelle. "

« La femme lui dit : " Seigneur, donne-moi de cette eau, que je n'aie plus jamais soif et que je n'aie plus à venir puiser ici !

« — Va, lui dit Jésus, appelle ton mari, et reviens ici. "

« La femme répondit : " Je n'ai pas de mari. " Jésus lui dit : " Tu fais bien de dire : Je n'ai pas de mari. Car tu as eu cinq maris, et celui avec qui tu vis maintenant n'est pas ton mari. En cela tu as dit vrai.

« — Seigneur, lui dit la femme, je vois que tu es un prophète. Nos pères ont adoré sur cette montagne, et vous dites, vous, que le lieu où il faut adorer est Jérusalem.

« — Femme, lui dit Jésus, crois-moi, l'heure vient où ce ne sera ni sur cette montagne ni à Jérusalem que vous adorerez le Père. Vous adorez qui vous ne connaissez pas ; nous, nous adorons qui nous connaissons, car le salut vient des juifs. Mais l'heure vient, et elle est déjà venue, où les vrais adorateurs adoreront le Père en esprit et en vérité ; car ce sont là les adorateurs que demande le Père : Dieu est esprit, et il faut que ceux qui l'adorent l'adorent en esprit et en vérité. "

« La femme lui dit : " Je sais que le Messie doit venir, celui qu'on appelle Christ ; quand il sera venu, il nous apprendra toutes choses. "

« Jésus lui dit : " Je le suis, moi qui te parle. "

« Sur ces mots arrivèrent ses disciples, qui furent étonnés qu'il parlât avec une femme. Toutefois, aucun ne dit : " Que demandes-tu ? " Ou : " De quoi parles-tu avec elle ? "

« Alors la femme, laissant là sa cruche, courut à la ville et dit aux gens : " Venez voir un homme qui m'a dit tout ce que j'ai fait ! Ne serait-ce pas le Christ ? " »

Ce passage de l'évangile de Jean (IV, 3-29) n'est pas seulement un chef-d'œuvre littéraire qui avec une rare économie de moyens fait surgir dans l'imagination un tableau plein de grâce et de soleil ; il n'étonne pas seulement par la hardiesse de l'enseignement qu'il contient : il m'a toujours intrigué par une certaine manière d'agir du Christ, qui dans cet épisode semble prendre des libertés, si j'ose dire, avec son propre règlement. Il dit en effet à la Samaritaine : « Tu as eu cinq maris, et celui avec qui tu vis maintenant n'est pas ton mari », et il n'en confie pas moins l'un de ses plus beaux messages à cette femme en situation irrégulière par rapport à sa doctrine du mariage. Je n'irai certes pas jusqu'à prétendre qu'il y a contradiction entre ce que le Christ dit et ce qu'il fait, mais je crois pouvoir constater que chez lui la loi le cède toujours à la charité, à l'amour des êtres, et, songeant à certaines rigueurs — par exemple à l'égard des divorcés que l'on n'admet pas à l'eucharistie —, je me demande, ou plutôt je demande au saint-père si l'Eglise ne craint pas trop souvent d'imiter son maître :

« Je pense que vous liez deux questions qui n'ont pas entre elles un rapport aussi direct que vous le suggérez. Il est vrai que, parlant avec la Samaritaine, le Christ lui confie, comme vous le dites, l'un de ses plus beaux messages. Cela ne change rien au fait qu'il dit à cette femme qui avait tout lieu de croire qu'il ne la connaissait pas : " Tu as eu cinq maris, et celui que tu as n'est pas ton mari. " Il désigne donc le péché par son nom, ce qui se répétera d'une façon plus explicite encore dans l'épisode de la femme adultère qu'on voulait lapider. Le Christ lui parle de la même façon qu'à la Samaritaine, et ce qu'il dit et ce qu'il fait alors est de nouveau " l'un de ses plus beaux messages ". La réaction des accusateurs est encore plus éloquente que ses paroles. Il leur dit : " Que celui d'entre vous qui est sans péché lui jette la première pierre[1]. " Aucun n'ose le faire. Dans ce cas-là, le Christ s'exprime moins en paroles que par cette réaction des consciences : on voit comme il les scrute profondément, comme il touche le nerf le plus caché du sens moral de ces hommes. Voilà le " message ", et il est bouleversant. Et pourtant, à la fin, il dit à la femme qu'il venait de sauver de la lapidation : " Va, et ne pèche plus. "

« Ainsi dans les deux épisodes la rencontre du péché donne au Christ une occasion de révéler les sources de la vie éternelle, les sources de la grâce, et de montrer que l'amour est plus fort que le péché... Mais il n'y a nulle indulgence envers le péché dans les deux cas. Le Christ indique simplement la voie de la conversion. Sa façon d'agir va toujours dans le même sens.

« Avec la Samaritaine, il transgresse uniquement

1. Jean, VIII, 7.

les coutumes judaïques, donc un " droit usager " : il cause avec une femme, ce qui provoque la surprise des disciples (les rabbins ne le faisaient pas) : il s'adresse à une Samaritaine, ce qui ne laisse pas de l'étonner elle-même (les juifs ne le faisaient pas !). " Bon pasteur ", Jésus cherche la brebis perdue, et lui parle. C'est tout à fait dans l'ordre de la pratique pastorale de l'Eglise, et il n'y a pas de " rigueurs " pour l'empêcher de le faire.

« Par contre, le Christ ne renonce à aucun point du Décalogue (c'est ce qu'on appelle et ce que vous appelez sans doute vous-même dans votre question la " Loi "). Il n'y a pas un seul commandement qui " cède le pas " à l'amour. Bien au contraire, tous les commandements *trouvent leur accomplissement dans l'amour* — et cet accomplissement n'entraîne le renoncement à aucun d'entre eux : pas un *iota* ne passera, que tout ne soit accompli.

« C'est ainsi que le Christ, dans l'esprit de l'amour, reproche son péché à la Samaritaine, et elle le comprend parfaitement. Qui plus est, non seulement elle est intérieurement contrite, mais elle avoue en public " tout ce qu'elle a fait ". Puis, elle amène ses compatriotes à Jésus, en tant qu'il est celui qui lui a " tout dit ". On peut donc dire que le Christ " pardonne ", remet les péchés " sous les conditions habituelles ", qui sont la contrition et la promesse de conversion.

« A qui prend vraiment au sérieux l'enseignement du Christ, les prétendues " rigueurs " de l'Eglise paraissent très bénignes. En fin de compte elles concernent toutes des actes, alors que le Christ, chaque fois, touche le fond de l'être humain : son cœur. Nous savons, notamment par le Sermon sur la montagne, que cela vaut également pour la vie conjugale et la façon dont l'homme traite sa femme. Nous en avons déjà parlé.

« Pour revenir à votre question, à mon avis, si l'Eglise a à craindre de ne pas " imiter " suffisamment le Christ, ce n'est sûrement pas dans le sens où elle serait " rigoriste " là où il fut " indulgent ". Non ! Le Christ a été exigeant. Mais il avait un tel pouvoir de pénétrer les consciences, que ceux-là mêmes qui apprenaient ses exigences se sentaient touchés par l'amour. En cela l'Eglise n'imitera jamais assez le Christ. Mais aussi, jamais elle ne cesse de l'imiter, jamais elle ne cessera de s'y efforcer. »

Donc, la contradiction que j'ai cru entrevoir entre les paroles du Christ sur le mariage et l'insigne qualité de messagère accordée à la concubine de Samarie n'existe pas. J'ai perdu mon procès. Mais, du jugement du saint-père, je retiens l'attendu pastoral qui veut que l'amour accompagne et même détermine l'exigence morale, de façon que le pécheur, et il est inutile de rappeler que nous le sommes tous, ne puisse douter de l'un en prenant connaissance de l'autre.

Cependant bien des chrétiens sont prêts à opposer au saint-père le mot fameux de saint Augustin : « Aime et fais ce que tu veux », qui tient lieu de doctrine morale et parfois de code civil à plus d'un. Et l'on comprend, certes, que celui qui aime ne saurait errer, puisqu'il s'inscrit dans le cœur même de l'économie divine. Mais beaucoup renversent ingénument le propos de saint Augustin et, parce qu'ils font ce qu'ils veulent, s'imaginent qu'ils aiment.

Est-on jamais sûr d'aimer ?

« Bien sûr, il s'agit de savoir ce que veut dire " aimer ". Si cela signifie, comme vous l'avez dit, " s'inscrire dans le cœur même de l'économie divine ", alors, en aimant ainsi " tu peux faire ce que tu veux ". Tu *peux,* car le pouvoir, la capacité d'aimer, donc la volonté sont déjà affermis dans le bien, enracinés dans la divine économie du salut et de la grâce, la source qui libère le bien en l'homme.

« L'homme, demandez-vous, peut-il être sûr qu'il aime ? Peut-il être sûr que sa volonté est enracinée dans le bien, dans l'économie du salut et de la grâce ? Il peut être sûr que Dieu veut qu'il aime vraiment. Il peut être sûr que Dieu ne lui refusera pas Sa grâce, qu'il veut son salut. Autrement dit, dans le grand drame de l'existence, placé entre bien et mal, l'homme peut être assuré que Dieu veut que le bien triomphe en lui et par lui dans le monde. Le Christ est le plus sûr garant de cette divine volonté de sauver. Le Christ crucifié et ressuscité ; le Christ qui pardonne, le Christ eucharistique. En regardant ce Christ, ou selon votre expression, en " s'inscrivant dans l'économie divine ", en s'y enracinant, l'homme peut être sûr de l'amour — en tant que *don de Dieu.*

« Peut-il être sûr de lui-même ? Saint Paul répond : " Faites votre salut, avec crainte et tremblement " et, disant cela, il précise comment l'homme " peut être sûr de son amour " : en y tendant et en y travaillant sans relâche, en priant à cette intention, en faisant tout pour " s'inscrire vraiment dans le cœur de l'économie divine ". »

S'il n'y a pas de " plus grand amour que de donner sa vie pour ceux qu'on aime ", comment ne pas penser aussitôt au père Maximilien Kolbe, qui prit à Auschwitz la place d'un de ses compagnons condamné et mourut pour lui ?

« Il serait difficile en effet de ne pas évoquer cette grande figure, de ne pas s'émerveiller devant ce triomphe du bien sur l'engrenage du mal ; devant ce fruit singulier du mystère pascal, ce triomphe de l'homme qui fut en même temps un témoignage transparent de la victoire du Christ dans l'homme et de celle de l'esprit sur le corps, dans l'oblation totale de ce corps. Et il faut le dire aussi, à la lumière de la spiritualité du père Maximilien : un témoignage de la victoire du Christ par Marie, par l'Immaculée.

« Le père Kolbe savait-il que telle serait la fin de sa vie ? Que tel serait le sens de ces " deux couronnes ", blanche et rouge, que jadis il avait désirées ? »

On raconte qu'enfant Maximilien Kolbe, violemment ému par une réflexion de sa mère (du genre : « Mais qu'est-ce que l'on pourra bien faire de toi dans la vie ? »), avait couru à l'église se jeter aux pieds de la Vierge Marie, qui lui avait donné à choisir entre deux couronnes : l'une blanche, signifiait qu'il resterait pur, l'autre rouge, qu'il mourrait martyr. Il avait demandé les deux.

« Je ne pense pas qu'il ait su, mais je ne doute pas qu'il se soit préparé à l'épreuve qui devait être la dernière de sa vie. Il n'a jamais cessé de s'y préparer, sans savoir ce qu'elle serait, ni où, ni quand elle aurait lieu. Ce qui finit par arriver semble aller au-delà non seulement du prévisible, mais aussi des forces humaines. Et pourtant le père Maximilien est allé jusque-là, il n'a pas été inégal à l'épreuve. " Je peux tout en Celui qui me fortifie ", dit saint Paul. Le père Kolbe n'est pas le seul qui ait prouvé sur lui-même la vérité de ces paroles.

« C'est ainsi qu'à votre question : " Puis-je être sûr d'aimer ? " Je répondrai : je puis, je dois même faire tout mon possible pour " m'inscrire dans le cœur même de l'économie divine... " sans m'interroger sur " mon amour ". Il mûrira tout seul. Et s'il se présente l'une de ces épreuves qui dépassent les forces humaines, alors il faudra prier encore plus instamment, comme le Christ au jardin des Oliviers. »

Mais nous n'en avons pas fini pour autant avec ce « Aime et fais ce que tu veux » utilisé si volontiers un peu partout à temps, à contretemps et à contresens. Le saint-père va prendre un livre, et faire témoigner l'auteur de la maxime :

« Il est évidemment très dangereux de se réclamer de la devise de saint Augustin sans réfléchir, et en négligeant le reste de sa pensée. On s'en rend bien compte en prenant ce " *Dilige et fac quod vis* " dans son contexte. Nous le trouvons ici, dans le commentaire de la lettre de Jean aux Parthes :

« *Le Père a livré Jésus-Christ qui fut aussi livré par Judas. N'est-ce pas une seule et même action ? Judas trahit Jésus : Dieu le Père l'avait-Il donc trahi aussi ?*

« *Loin de nous cette pensée, me direz-vous ! Mais ce n'est pas moi, c'est l'apôtre Paul qui écrit aux Romains : " Il n'a pas épargné Son propre fils, mais l'a livré pour nous tous ", et aux Galates : " Ainsi le Père l'a-t-Il livré, et s'est-Il livré Lui-même. " Qu'est-ce donc qui distingue le Père livrant Son Fils et le Fils se livrant lui-même, de Judas, disciple de Jésus, qui livre son maître ?*

« *C'est que le Père et le Fils ont agi par charité, Judas par trahison...*

« *Dieu S'est proposé le salut et la Rédemption de nos âmes, Judas n'a eu en vue que le prix de son marché...*

« *C'est donc la différence des volontés qui fait ici la différence des actes. Il s'agit d'un seul fait ; mais si nous le jugeons par les intentions qui l'ont produit, nous l'aimons, ou nous le condamnons...*

« *Telle est la puissance de la charité. Vous voyez qu'elle seule établit une différence, une distinction véritable dans les actions des humains. La seule chose qui établit cette différence, c'est la racine de la charité. Un grand nombre d'actions peuvent être bonnes en apparence, et cependant ne proviennent pas d'elle. Aussi, observez ce commandement très court : " Aimez, et faites ce que vous voulez. " Vous gardez le silence ? Faites-le par amour. Vous ouvrez la bouche ? Que la charité dicte vos paroles. Vous reprenez un frère : reprenez-le par amour ; vous croyez devoir l'épargner ? Que ce soit également par amour.*

« *Ayez au fond du cœur la racine de l'amour, elle ne peut produire que des fruits excellents.*

« Je pense que saint Augustin vous a suffisamment expliqué comment on peut et comment on doit interpréter ses paroles. »

La charité — c'est l'amour — est infaillible. Mais qui l'écoute encore, qui sait reconnaître sa voix ?

Ainsi se termine cet entretien sur les mœurs. J'ai laissé de côté beaucoup de questions, traitées par le saint-père dans ses interventions publiques, ses allocutions doctrinales ou ses encycliques ; j'ai posé celles que l'on n'a pas couramment l'occasion de lui adresser, et qui tourmentent beaucoup d'esprits. C'est pourquoi, par exemple, constatant que nous vivons aujourd'hui une étrange existence morale faite de mauvaise conscience collective et de non-culpabilité individuelle, j'ai demandé au saint-père si l'obscurcissement de la notion de péché, qui a témoigné très, très longtemps de la noblesse de la conscience humaine aux prises avec son idéal, n'était pas en fin de compte une perte sèche, non pas pour les confesseurs réduits au chômage technique, mais pour l'humanité elle-même. Je reviens d'ailleurs sur ce point avant de passer à un autre thème du dialogue :

« Je vous ai déjà répondu, mais je vais compléter ma réponse.

« La notion de péché donne au mal qui est dans le cœur de l'homme, dans ses actes, dans son histoire, un sens définitif. Pourquoi ? Elle le définit sur la base de toute la vérité intérieure de l'homme, en relation avec son intelligence et sa volonté en relation avec sa conscience. En même temps, dans cette même notion de " péché ", le mal est défini selon le rapport de l'homme à Dieu. Il est défini à ce niveau, et à cette profondeur.

« Mais ce n'est pas tout. Le mal qui est dans le cœur de l'homme, dans ses actes, dans son histoire, est défini dans la notion de péché selon la relation *de Dieu à l'homme.*

« Il appartient rigoureusement et organiquement au contexte de la Révélation.

« Il est défini dans le contexte du mystère de la Création et de la Rédemption.

« Il est défini par les paraboles du Fils prodigue [1] et du grain de blé [2].

« Il est défini par l'événement de la Croix et de la nuit pascale.

« Il est défini par la mort du Fils et l'amour du Père.

« C'est pourquoi la notion de péché, à la lumière de l'Evangile et de la foi, est inséparable de la valeur de l'homme, de la dignité de l'homme, je dirais même : de la grandeur de l'homme. Elle en témoigne sans doute *a contrario,* mais aussi par le cri d'une évidence poignante.

« L'Eglise proclame avec le Christ toute la vérité sur le péché, non pas avant tout pour accuser l'homme, mais pour rendre témoignage à l'Amour, qui veut et qui fait sa suprême dignité. »

---

1. Luc, XV, 21-24 : « Le fils prodigue dit à son père : " J'ai péché contre le ciel et contre toi, je ne suis plus digne d'être appelé ton fils "... Mais le père dit : " Mangeons et réjouissons-nous, car mon fils que voici était mort, et il est revenu à la vie ; il était perdu, et il est retrouvé. " »

2. Jean, XII, 24 : « Si le grain ne meurt, il reste seul, mais s'il meurt il porte beaucoup de fruits. »

L'ÉGLISE

I

Au siècle dernier, les papes régnaient encore sur des Etats de modeste ampleur, coloriés en jaune par les géographes et qui coupaient la botte italienne à hauteur du jarret. C'étaient de petits souverains généralement débonnaires dont les sujets eussent volontiers repris à leur compte le dicton médiéval : « Il fait bon vivre sous la crosse. » Ces possessions terrestres étaient censées garantir l'indépendance matérielle et politique de l'Eglise, avantage assorti de l'inconvénient majeur d'entraîner deux morales, celle de l'Evangile, qui veut que l'on pardonne à son frère septante sept fois sept fois, et celle des Etats, dont le code pénal est beaucoup moins endurant.

En 1870, les troupes de Victor-Emmanuel entraient dans Rome et mettaient fin à ce règne temporel. Les Etats de l'Eglise se trouvaient réduits à quelques parcelles éparses dans la Ville éternelle et alentour et, pour le principal, aux menus hectares dorés de la cité du Vatican. D'aucuns craignirent alors pour le prestige et la puissance du Saint-Siège. Il arriva bien autre chose. Le siège de Pierre, délié de ses attaches temporelles, s'éleva du coup à sa hauteur véritable et la papauté regagna au centuple, en autorité spirituelle, ce qu'elle avait perdu en pouvoir politique.

Et un autre danger se présenta aussitôt : celui d'une sacralisation intégrale qui désincarnerait la personne du pape et le tiendrait hors de portée des fidèles, qui ne le verraient plus que sous les apparences d'une icône exposée de temps en temps aux balcons de Saint-Pierre, entre deux éventails de plumes. C'est un fait que, dès lors, l'on n'aperçut plus guère le pape qu'au point de fuite d'une perspective de cardinaux et à condition de se présenter dès le petit matin en habit, cravate blanche, gilet noir et souliers vernis. Ce carcan protocolaire devenu nettement strangulatoire commença à se desserrer sous Jean XXIII, qui bientôt las de vivre en assiégé dans le Vatican se permit quelques sorties que Paul VI prolongea jusqu'à Jérusalem, en Inde et en Amérique.

Peu à peu, et pour ainsi dire de pape en pape, j'ai vu disparaître les attributs les plus surprenants de la pompe romaine, dont je me suis souvent demandé s'ils n'avaient pas été inventés par messieurs les princes du baroque, génies sournois, tout exprès pour renvoyer le christianisme au royaume des légendes mésopotamiennes, impression renforcée par les fumées de bronze du baldaquin de Saint-Pierre, l'aspect taurin de certains frontons brisés et le décorum vaguement asiatique des cérémonies baroques. Dans nos styles roman et gothique, tout le personnel de l'Ecriture sainte accourt aux portes de la cathédrale pour accueillir le passant et engager la conversation avec lui. La façade est volubile et animée, les uns donnent des nouvelles du paradis, les autres remontent des enfers pour aller ricaner dans les chapiteaux. Le baroque est moins familier, ses saints dans leurs loggias ne dialoguent plus avec la terre, c'est une pièce pleine de savantes répliques, on va la jouer devant vous avec un talent fou, vous allez voir, regardez les acteurs inspirés qui font voler le marbre autour d'eux avec leurs grands gestes dramatiques et leurs bonds dans l'extase ! Les accessoires du sacré longtemps en usage dans l'Eglise relevaient de la même esthétique où le « mystère » tournait à la représentation. Grâce à Dieu, l'on n'a pas revu depuis de longues années les éventails que l'on balançait à la hauteur du saint-père élevé sur la *sedia gestatoria*. Les apparitions du pape sur ce siège navigant qui roulait bord sur bord dans un orage de flashes avaient quelque chose de pathétique et d'effrayant. Paul VI l'employait encore, par force ; sa complexion fragile le rendait vulnérable, et un bain de foule l'eût instantanément dissous.

Depuis, la *sedia* a disparu, et avec Jean-Paul II le cérémonial a encore gagné en sobriété. Le mercredi, il descend lentement — à pied — l'allée centrale de la grande salle au plafond lumineux des audiences publiques, s'attardant aux travées du haut, où sont les moins bonnes places, cueillant le plus qu'il peut des mains qui se tendent vers lui, le pouce en bas, comme des becs avides de nourriture. Les places d'honneur des premiers rangs le retiennent moins ; les gens qui sont là ont une chance de le rencontrer ailleurs. Il est essentiellement, il nous l'a dit, et c'est une évidence, un pasteur.

En un siècle, la papauté sera passée de l'espèce

d'absentéisme protestataire qui a suivi l'invasion de ses Etats à l'exaltation mystique de sa fonction, et de l'observance sourcilleuse de l'étiquette à la décontraction pastorale. Et justement, c'est au pasteur que je voudrais poser mes premières questions sur l'Eglise. Il est très difficile de déterminer quand, sous quelle influence ou par l'effet de quelle révélation intérieure l'Eglise est sortie du bastion où elle se rongeait de fièvre obsidionale à la fin du XIXe siècle pour se rendre compte un jour que la multitude d'athées qu'elle croyait prête à l'envahir était occupée ailleurs, et qu'il n'y avait personne sous le rempart. Il est possible que la Première Guerre mondiale, en mêlant croyants et incroyants dans une même souffrance, ait radicalement modifié la mentalité des catholiques à l'égard des athées, leurs frères de misère, et amené l'Eglise à abandonner certaines positions trop rigides pour entrer dans une évolution plus psychologique encore que doctrinale. La Seconde Guerre mondiale, en opérant chez les Occidentaux un regroupement des forces morales antinazies où les chrétiens étaient fortement représentés, devait encore accélérer le processus en l'aiguillant, par une conséquence naturelle des succès de la résistance à Hitler et des espérances qu'ils avaient fait naître, dans une direction politique et sociale qui rapprochait encore les catholiques du monde en les éloignant quelque peu de leurs bases spirituelles. Vatican II devait tirer les enseignements de cette période par une « mise à jour » qui permit de constater qu'au bout du compte le christianisme était une idée neuve en Europe, pour la raison qu'il n'avait jamais été appliqué nulle part, en politique, s'entend.

Cependant, comme on ne peut jamais savoir où finira une évolution, même quand on croit savoir où elle a commencé, il est bien impossible d'entrevoir le terme de cette mue historique de l'Eglise. Certains restent enfermés dans leur donjon dogmatique et refusent de parlementer avec le monde : ce sont les « intégristes ». Beaucoup d'autres ont mis à profit la politique d' « ouverture » pour s'égailler silencieusement dans la nature, et on les revoit de moins en moins souvent aux offices. D'autres suivent, en général sans excès d'entrain, les directives de leurs épiscopats, qui n'ont pas tous la même conception de ce qu'ils appellent — tous — l'évangélisation. Parmi les agents d'évolution les plus actifs, quelques égarés se sont faits compagnons de route du marxisme, quelques-uns s'adonnent avec passion à la recherche théologique ou idéologique mais n'ont pas encore ramené de vérités certaines de leur longue exploration. Enfin il en est qui essaient de se frayer un chemin nouveau dans les sociétés modernes, un chemin escarpé, parfois dangereux : ce sont les adeptes de ce que l'on nomme les « théologies de la libération », encore que celles-ci n'aient pas de forme théologique précise. Il est un pays où toutes ces tendances du catholicisme coexistent et quelquefois s'affrontent avec véhémence, et ce pays gigantesque qui représentera peut-être à lui seul la moitié de la chrétienté de l'an 2000, c'est le Brésil. Nous en parlions un jour, lorsque Jean-Paul II nous dit :

« L'Eglise est du côté des pauvres, et elle doit y rester. »

Etre du « côté des pauvres », cela signifie-t-il, comme certains théologiens de la libération le pensent, que l'Eglise doit prendre en compte la lutte de classe ? S'il n'en est rien, et si l'Eglise rejette ce principe qui fonde le marxisme plutôt que le christianisme, comment se fera-t-elle comprendre et obéir des riches ? Et si toute médiation échoue, si la modération n'aboutit qu'à éluder la justice, dans quelles circonstances et dans quelles limites la révolte peut-elle être licite ?

Pour la première — et la dernière fois — de cet entretien, le pape va me répondre par un discours :

« Le plus simple serait de rappeler, sinon en entier du moins en partie, ce que j'ai dit au cours de mon pèlerinage au Brésil, dans ce " pays-continent ", et notamment dans le plus misérable quartier de Rio de Janeiro : la *favella* Vidigal. Cela nous permettra de serrer vos questions de plus près.

« Me demandant comment il convenait de me présenter devant les habitants de cette terre que je visitais pour la première fois, j'ai senti que je devais commencer par évoquer l'enseignement des Béatitudes [1].

« Parmi vous, leur ai-je dit, nombreux sont les pauvres. L'Eglise du Brésil veut être une Eglise des pauvres. Elle veut être témoin de la première Béatitude.

« Les pauvres de cœur sont ceux qui sont les plus ouverts à Dieu et aux " merveilles de Dieu ". Pauvres, car toujours disposés à accepter ce don d'en

---

1. On sait que les Béatitudes, selon l'évangile de Matthieu, sont les huit diptyques du Sermon sur la montagne. Le premier est le plus célèbre : « Heureux les pauvres en esprit, car le royaume des cieux est à eux. » On traduit parfois « Heureux les pauvres de cœur. » On peut dire aussi : « Les pauvres de l'esprit », qui serait alors l'Esprit saint. Cette interprétation mystique est rarissime. Chez l'évangéliste Luc, les Béatitudes sont au nombre de quatre, et la première parle des « pauvres » tout court.

haut qui provient de Dieu lui-même. Pauvres de cœur, car, conscients d'avoir tout reçu de Dieu, ils vivent dans la gratitude et pensent que " tout est grâce ". Ce sont les mêmes dont Jésus dit qu'ils sont doux et que leur cœur est pur, qu'ils ont faim et soif de justice, et pleurent, qu'ils sont artisans de paix et persécutés pour la justice. Enfin ce sont eux les miséricordieux dont parlent ces mêmes Béatitudes.

« Et il est vrai que les pauvres, les pauvres de cœur, sont les plus miséricordieux des hommes. Les cœurs ouverts à Dieu sont de ce fait ouverts à leurs frères, prêts à tout partager, prêts à recueillir la veuve et l'orphelin. Ils trouvent toujours un coin de plus dans leur logement minuscule, un morceau de pain, une part de plus à leur humble table.

« Pauvres mais généreux. Pauvres mais magnanimes.

« Je sais qu'il y en a beaucoup au Brésil, parmi vous qui m'écoutez. Et ailleurs.

« Est-ce à dire que les paroles du Christ sur les " pauvres de cœur " nous font oublier l'injustice sociale et négliger les problèmes concrets de la vie quotidienne ? Ceux-ci peuvent changer, prendre diverses formes et varier d'intensité d'un pays à l'autre, d'un continent à l'autre : au fond ils restent les mêmes.

« Les paroles du Christ ne masquent aucunement les problèmes sociaux. Bien au contraire : elles les font converger vers ce point central, l'homme, le cœur de l'homme, face à Dieu et à autrui.

« Cette Béatitude n'implique-t-elle pas un avertissement, et une accusation ? Ne signifie-t-elle pas que ceux qui ne sont pas pauvres de cœur s'excluent du royaume ? Le Christ ne dira-t-il pas un jour : " Malheur aux riches ", fermés à Dieu et au prochain ?

« " Doux et humble de cœur " lui-même, Jésus sait parler rudement aux mauvais riches.

« Dans le monde entier, l'Eglise désire être une Eglise des pauvres en faisant sien tout le contenu des Béatitudes, surtout celui de la première, qu'elle veut enseigner et mettre en œuvre à l'imitation du Christ.

« Elle veut tirer des Béatitudes tout ce qui concerne l'homme, chaque homme, le pauvre et le riche, chacun ayant à entendre de la première Béatitude ce qui s'adresse à lui...

« Aux pauvres, à ceux qui vivent dans la misère — comme ceux de la *favella* Vidigal —, elle rappelle qu'ils sont particulièrement proches de Dieu et de son royaume.

« A ceux qui vivent dans l'abondance, l'Eglise demande d'éviter la cécité spirituelle, de se défendre de toutes leurs forces contre la tentation du pouvoir de l'argent. Il faut que la Béatitude des pauvres les inquiète comme une exigence permanente et les empêche de se barricader dans la forteresse de l'égoïsme et de la suffisance repue.

« Si tu as beaucoup, souviens-toi que tu dois donner beaucoup ! Que tu dois penser comment donner, comment organiser la vie sociale et économique de façon qu'elle tende à plus d'égalité et ne creuse pas d'abîmes !

« Si tu es instruit et si tu occupes un poste en haut de la hiérarchie sociale, n'oublie pas un seul instant que plus on a de moyens, plus il faut servir. Servir les autres. Sinon tu risques de t'éloigner des Béatitudes, surtout de la première. On peut être riche et pauvre de cœur, lorsque l'on ne cesse de donner de ce que l'on a et de ce que l'on est, lorsque l'on ne cesse de servir.

« L'Eglise des pauvres, qui s'adresse à tous et à chacun, est l'Eglise universelle, l'Eglise du mystère de l'Incarnation. Ce n'est pas l'Eglise d'une classe ou d'une caste. Elle nous parle au nom de la vérité. Or, la vérité est réaliste. Elle tient compte de tout ce qui nous touche, de toute injustice, de toute tension, de toute lutte. L'Eglise des pauvres ne veut pas servir ceux qui provoquent tensions et conflits. Elle n'admet qu'un seul combat : pour la vérité, pour la justice. Là où le bien est en cause, elle est solidaire de ceux qui s'emploient à les promouvoir. Elle lutte avec " le glaive de la parole ", ne ménageant ni ses encouragements ni ses avertissements, parfois sévères, à l'exemple du Christ. Elle sait user de fermeté, en dénonçant les conséquences du mensonge et du mal. Dans cette lutte évangélique, l'Eglise des pauvres ne veut pas servir des fins politiques éphémères ni prendre part aux conflits qui ont le pouvoir pour enjeu. Elle veille avec beaucoup de soin à ne pas se laisser " manipuler ".

« Ainsi donc s'adresse-t-elle à tout homme en particulier, mais aussi aux collectivités, aux institutions, aux groupes sociaux et professionnels. Elle interpelle les systèmes politiques, elle s'intéresse aux structures sociales et économiques, à sa manière, qui est celle de l'Evangile, avertie des progrès des sciences humaines et ne déviant jamais de l'Esprit qui la guide.

« Elle parle au nom de Christ, et aussi au nom de l'homme. Elle s'exprime ainsi :

Vous qui avez le pouvoir de décider du sort du monde, faites en sorte que dans votre pays la vie de l'homme soit plus humaine et plus digne de lui ! Faites tout ce qui est en votre pouvoir pour que diminue l'abîme qui sépare le petit nombre des trop riches du nombre immense de ceux qui vivent dans la misère. Faites tout pour que cet abîme ne s'élargisse pas. Pour que se réalise peu à peu l'égalité sociale. Pour qu'à une répartition injuste des biens succède une répartition plus juste.

« *Faites-le au nom de chaque homme, votre prochain et votre compatriote. Faites-le au nom du bien commun. Et pour vous-même.*

« *N'ont de justification que les structures sociales justes, celles qui tendent sans relâche à plus de justice. Ce sont les seules qui soient ouvertes vers l'avenir. Un système social qui n'a cure de la justice sape son propre avenir.*

« *Tenez compte de votre passé, scrutez le présent, et sur ces données, édifiez l'avenir de votre communauté, de vous tous sans exception !*

« Tout ce que je viens de dire figure dans le Sermon sur la montagne, dans cette première Béatitude qui contient tout : " Heureux les pauvres de cœur, car le royaume est à eux. " »

Cette longue citation répond, à partir d'une seule phrase de l'Evangile, à plusieurs questions de « politique sociale ». Il reste celle que j'ai posée :

« Je viens de vous relire presque en entier mon allocution de la *favella* Vidigal de Rio de Janeiro, où le cardinal Araujo Sales tenait beaucoup à m'emmener. Mais ai-je répondu à votre question ? En partie, je crois. Il faut encore préciser " dans quelles circonstances et dans quelles limites la révolte peut être licite ".

« L'éthique sociale de l'Eglise vous répond. En premier lieu, elle tente de pénétrer toute la complexité historique des différentes situations sociales... et toute la complexité humaine et sociale des situations historiques. Le mot " révolte " (au sens de révolution) n'est pas typiquement évangélique. Ce qui est proprement évangélique, c'est le mot *metanoia* ou " conversion " : l'Eglise s'efforce d'agir dans ce sens, tout en ayant pleinement conscience de la double dimension intérieure et sociale de ce terme.

« L'Ecriture sainte s'élève très fortement contre l'injustice et contre toute exploitation de l'homme par l'homme, aussi bien par la bouche des prophètes de l'Ancien Testament que dans les lettres apostoliques[1]. Dans la liturgie, ces paroles sont évoquées surtout pendant le carême, qui nous invite chaque année à la conversion. Est-ce une base suffisante pour " relire " le message évangélique et la mission de l'Eglise selon la clé de la révolution ?

« Certes, en proclamant la nécessité de la conversion selon les exigences de la justice et de l'amour fraternel, en insistant sur la dimension sociale de la conversion, l'Eglise va à la rencontre de toute aspiration à plus de justice sociale. Elle prête son appui à tout ce qui *sert vraiment* la réalisation d'une plus grande justice. A cet égard, Jean XXIII a parlé de manière très significative[2].

« Cependant ce que l'on pourrait appeler (si l'on

---

1. Par exemple, dans la lettre de Jacques, II, 6 : « Et vous, vous avilissez le pauvre ! » ou V, 4-6 : « Voici le salaire des ouvriers qui ont moissonné vos champs, et dont vous les avez frustrés, et les cris des moissonneurs sont parvenus jusqu'aux oreilles du Seigneur. Vous avez vécu sur la terre dans les délices et les voluptés... », etc.
2. Dans *Pacem in terris*, 161, 163.

tient absolument à utiliser ce terme) la " révolution " de l'Evangile possède sa dimension propre, une dimension plus profonde, plus fondamentale et plus universelle que n'importe quelle forme historique de révolution socio-économique. Cette dimension apparaît à chaque instant dans le message évangélique, et de la façon la plus nette dans le Sermon sur la montagne, dans les huit Béatitudes, dans la révélation du commandement d'amour des ennemis. Aucune " clé " fournie par une quelconque révolution de l'histoire ne pourrait servir à une interprétation authentique de ce que l'on pourrait nommer la " révolution de l'Evangile ", qui est, au fond, conversion, ou *metanoia*.

« La notion des " pauvres en esprit " est sur ce point et sous un certain rapport une notion clé.

« L'Eglise des pauvres traverse les révolutions de l'histoire, et subit souvent des persécutions de leur part ; mais elle subsiste par la puissance de son Seigneur crucifié et ressuscité pour reprendre sans cesse, comme levain véritable, sa fonction de transformation de l'homme, transformation que l'Evangile ne qualifie nulle part de révolution, mais qui apporte un accroissement de la justice et de la paix dans l'histoire, pour l'extension du Royaume de Dieu.

« Sous différentes formes, l'Eglise des pauvres est présente au milieu de tous les peuples et de toutes les nations du monde. »

Le christianisme présente une particularité méconnue, probablement parce qu'elle est trop évidente : la personne est pour lui d'une importance infinie, et de même que le salut est l'œuvre d'un seul, de « cet homme qu'on appelle le Christ », de même, à la différence des systèmes qui agissent par la masse et le poids matériel, selon le christianisme un seul être qui change peut changer le monde.

II

Cet entretien sur l'Eglise ne suivra pas un ordre logique. Mais quelle conversation se plie à cet ordre-là ? Lorsque le saint-père parle de « l'Eglise des pauvres », qui est faite de personnes, et non pas d'idées, je songe aux prêtres qui sous la diversité de leurs vocations — de la vie purement contemplative des chartreux à l'engagement physique dans la misère des bidonvilles — ont ce point commun d'avoir tous été *ordonnés,* et je me demande ce qu'est encore un prêtre aujourd'hui, au milieu de la désacralisation générale. Certes, on peut soutenir que cette désacralisation a commencé en un certain sens le jour où le Christ, en prononçant les paroles de la première consécration du pain et du vin (« Prenez, et mangez-en tous, ceci est mon corps livré pour vous »), a permis à chacun d'absorber Dieu, abolissant du même coup la terreur liée à la notion de « sacré », qui tient à distance, pour ouvrir l'ère du « saint » qui au contraire attire. Mais la notion de « sainteté » paraissant en passe de se perdre aussi, que devient le prêtre ?

Il semble qu'il y ait de nos jours hésitation sur la nature du sacerdoce, comme il y a discussion sur le célibat ecclésiastique. D'où deux questions au saint-père : sur le dernier point, peut-on penser que le prêtre est un homme qui vit seul pour que les autres ne le soient pas ? Sur le premier, pourquoi faut-il être consacré pour réitérer (à la messe) la fraction du pain, et en quoi la fonction sacerdotale est-elle fondamentalement distincte de toutes les autres ?

« Permettez-moi de rattacher ma réponse à la précédente. Tandis qu'il s'agissait de " l'Eglise dans la perspective des huit Béatitudes ", il s'agit maintenant de " l'Eglise qui *naît sans cesse* de l'eucharistie ", car c'est à elle qu'il nous faut aller si nous voulons traiter de la nature du sacerdoce : celui-ci, qu'il soit ministériel ou hiérarchique, lui est étroitement lié. Les paroles " Faites ceci en mémoire de moi " ont suivi immédiatement celles de l'institution de l'eucharistie, au Cénacle[1].

« L'Eglise vit de l'eucharistie et renaît sans cesse par elle. Et elle se réalise d'une façon toute particulière grâce à elle : l'eucharistie est le zénith vers lequel tout, dans l'Eglise, s'élève et converge. En

---

1. A Jérusalem, le Cénacle où les apôtres célébrèrent la Pâque avec Jésus la veille de sa Passion est suivant la tradition la chambre haute d'une demeure de la colline de Sion dite aujourd'hui « Tombeau de David » (qui se trouverait à l'étage inférieur). L'eucharistie, ou « action de grâces », est un mystère d'une profondeur et d'une complexité qui n'ont pas fini de donner de l'ouvrage aux théologiens — et de la joie aux mystiques. On en trouve la source dans la première lettre aux Corinthiens, XI, 23-25, dans les évangiles de Matthieu, XXVI, 26-28, de Marc, XIV, 22-24, et dans ce passage de Luc, XXII, 19-20, rapportant le dernier repas ou « Cène » du Christ avec ses apôtres : « Ensuite il prit du pain et, après avoir rendu grâces, il le rompit et le leur donna en disant : " Ceci est mon corps, livré pour vous ; faites ceci en mémoire de moi. " De même il prit la coupe, à la fin du repas, et il la leur donna en disant : " Cette coupe est la nouvelle alliance en mon sang, qui est répandu pour vous. " »

m'interrogeant au sujet du sacerdoce, vous abordez cette dimension de l'Eglise-eucharistie ; c'est son aspect le plus intérieur, le plus sacral et le plus sacramentel. Ce dernier caractère, c'est surtout dans l'eucharistie que l'Eglise le puise.

« Le sacerdoce existe parce que le Christ a *laissé dans l'Eglise, dans l'eucharistie,* son sacrifice, le sacrifice de son corps et de son sang devenus pour la première fois, sous les espèces du pain et du vin, lors de la dernière Cène, nourriture et boisson pour ses disciples. En donnant aux apôtres cet aliment et cette boisson, il désignait expressément le corps et le sang de son immolation sur la croix. Il dit : " Ceci est mon corps livré pour vous ", et, selon Matthieu : " Ceci est mon sang, le sang de la nouvelle alliance qui sera versé pour vous en rémission des péchés. " Il parlait du sacrifice de la nouvelle et éternelle alliance dont il est le seul prêtre.

« Celui qui offre le sacrifice de la nouvelle et éternelle alliance est prêtre de cette nouvelle et éternelle alliance, et c'est précisément le Christ qui est un tel prêtre, comme nous le lisons dans le magnifique exposé de la lettre aux Hébreux[1]. Il est l'unique prêtre de son propre sacrifice, du sacrifice de Gethsémani et du Calvaire, offert au Père par le Fils dépouillé de soi-même et obéissant jusqu'à la mort.

« En même temps, il est le prêtre du Cénacle, " prêtre pour l'éternité suivant l'ordre de Melchisedech ", mystérieux roi de Salem (ancien nom de

1. Hébreux, VII, 23-24. On y lit notamment : « Il y eut autrefois des sacrificateurs en grand nombre, parce que sujets à la mort. Mais lui (le Christ), parce qu'il demeure éternellement, détient un sacerdoce immuable. »

Jérusalem) qui alla à la rencontre d'Abraham avec du pain et du vin[1]. La tradition exprimée dans l'ancienne prière eucharistique du " canon romain " voit dans le geste de Melchisedech l'annonce du sacrifice parfait. Au Cénacle, le Christ a fait du pain et du vin les signes sacramentaux de ce sacrifice qu'il devait offrir au Père le lendemain, avec son corps et son sang. »

Avant de poursuivre, il faut dissiper un malentendu. La notion de sacrifice est tout à fait étrangère à la mentalité contemporaine, surtout dans la mesure où elle englobe l'idée de réparation ou de rachat. Quoi ! nous dit-on, il existerait un Dieu si avide de vengeance et d'immolations qu'il en oublierait son propre précepte de pardonner septante sept fois sept fois ? S'il est tel, en quoi se distingue-t-il des dieux cruels du paganisme qui ne s'apaisaient que dans le sang, et quelle est cette « justice » qui s'abat du haut d'une éternelle perfection sur un être faible et désarmé ? Cette caricature a fini par s'imposer à d'innombrables esprits comme une vérité d'évidence, si bien que les gens d'Eglise eux-mêmes hésitent souvent aujourd'hui à employer le mot de « sacrifice », tombé de la spiritualité dans le commerce de détail. Or, il est faux que le sacrifice du Calvaire ait été exigé pour la justice, qui se fût satisfaite d'une seule des larmes du Christ sur

1. Genèse, XIV, 18-19 : « Melchisedech, roi de Salem, fit apporter du pain et du vin : il était sacrificateur du Très-Haut. Il bénit Abram, et dit : Béni soit Abram par le Dieu Très-Haut, maître du ciel et de la terre ! » Le nom du patriarche, Abram, « père élevé », est changé par Dieu un peu plus tard en Abraham, qui semble signifier « père d'une multitude ». L'Evangile appelle le paradis « le sein d'Abraham ».

Jérusalem. La moindre familiarité avec l'Evangile nous apprend que la part de la justice dans l'œuvre divine n'est rien comparée à celle de la miséricorde, autre nom de l'amour. La vérité est que le sacrifice, c'est-à-dire le don intégral de soi, est la manière d'être ordinaire de la divine Trinité.

« Ainsi donc, le Cénacle est le lieu où le Christ a fait de son propre sacrifice le sacrifice de l'Eglise. Il l'a légué à l'Eglise comme le don le plus magnifique de son amour d'époux. En associant à ce sacrifice tous ceux qui constituent l'Eglise, il les a en même temps associés à son sacerdoce et les a faits " royaume et prêtres " pour son Père. Afin que tous puissent participer au sacrifice de la rédemption, le Christ a dit à ses apôtres : " Faites ceci en mémoire de moi. " C'était leur donner le pouvoir de renouveler sacramentellement son sacrifice, en leur disant comment ils devaient le faire.

« Et en le faisant, les apôtres n'agissent pas seulement en son nom, mais par l'effet d'une singulière assimilation à celui qui seul est dispensateur, c'est-à-dire prêtre de son sacrifice : c'est ainsi qu'ils deviennent également dispensateurs et prêtres du sacrifice dans l'ordre sacramentel.

« Il est impossible d'offrir ce sacrifice sans être prêtre. Pour célébrer l'eucharistie, il ne suffit pas de reconstituer le fait historique de la Cène : ce qui est indispensable, c'est le caractère sacerdotal du célébrant. Pour acquérir ce caractère, il faut être ordonné ou consacré. Cette consécration est nécessaire pour que l'Eglise puisse *naître de l'eucharistie,* pour qu'elle puisse vivre en tant que corps du Christ célébrant le souvenir de la mort et de la Résurrection du Seigneur.

« Je répète là l'expression de la tradition apostolique et de la tradition des Pères de l'Eglise, que vous trouverez dans tous les documents du magistère de l'Eglise jusqu'à Vatican II inclus. »

Ce que le pape vient de dire du ministère des sacrements ne signifie évidemment pas qu'il oublie ou minimise les deux autres ministères du prêtre : celui de la Parole, et le ministère pastoral — qu'il exerce lui-même avec l'ardeur que l'on sait.

« Le sacerdoce est un élément constitutif de la vie et de l'accomplissement de l'Eglise. Il constitue une vocation spéciale et un service précis dans la communauté des croyants, de tous ceux qui, par le baptême, participent au mystère pascal du Christ, donc au sacrifice inséparable de son sacerdoce.

« Le sacerdoce des prêtres est " d'eux " et " pour eux ", exactement comme le dit la lettre aux Hébreux : " Pris d'entre les hommes et établi pour les hommes. "

« A propos du célibat sacerdotal, vous avez employé tout à l'heure une formule très significative : " Le prêtre est un homme qui vit seul pour que les autres ne le soient pas. " C'est vraiment une belle expression et je tiens à vous en remercier.

« Je pense que c'est une formulation particulière, mais très juste, des paroles du Christ concernant aussi bien le célibat que la profession religieuse. Le Christ parle notamment du célibat " en vue du royaume des cieux ", expression succincte qui cache une charge formidable de contenus divers. Le célibat est un mode de vie que l'homme choisit consciemment et spontanément pour *servir* les affaires du " royaume ", et surtout pour donner à ce royaume un témoignage spécifique en tant que réalité finale et cependant déjà présente dans le monde.

« Or, donner témoignage au Royaume de Dieu, en témoigner par le signe du célibat, c'est-à-dire par le signe de *l'attente,* attente de l'unique Epoux et attente de l'Amour, source de tout amour véritable, cela veut dire " demeurer seul pour que les autres ne le soient pas ", cela veut dire leur rendre proche la présence de Dieu, " celui par qui tous vivent [1] ". C'est rendre présent ce Dieu par le signe de ma vie, de mon choix, de mon existence. »

III

L'Eglise actuelle met fortement l'accent sur la politique, la justice et les institutions sociales au nom de l'Evangile, ce qui introduit la question que les chrétiens se sont souvent posée : « Y a-t-il une efficacité temporelle de l'Evangile ? » La question est grave pour la conscience chrétienne, et elle présente d'immenses difficultés. En effet, l'Evangile établit entre Dieu et l'être humain un système de relations directes, si bien qu'il se conjugue à la deuxième personne — « Tu aimeras Dieu », « Tu aimeras ton prochain comme toi-même » — et rarement à la troisième. Or, si Dieu est en droit de dire à l'un de ses enfants : « Si l'on prend ta tunique, abandonne aussi ton manteau », ou « Si l'on te-

1. Luc, XX, 38.

frappe sur la joue droite, tends aussi la joue gauche », il est évidemment difficile de rédiger un code civil sur la base de cette divine perfection morale ; je peux toujours disposer de ma joue, mais ce serait une loi bien étrange que celle qui me permettrait de disposer aussi de celle de mon voisin.

Peut-on tirer une politique et au besoin des institutions sociales de l'Evangile ?

« Ce genre de question me rappelle le dialogue du Christ et de Pilate. Jésus de Nazareth, accusé de vouloir se faire roi, répond tout d'abord négativement à son juge : " Mon royaume n'est pas de ce monde. Si mon royaume était de ce monde, mes serviteurs combattraient pour que je ne sois pas livré à ceux qui me poursuivent. Mais mon royaume n'est pas d'ici. " Pilate observe à juste titre qu'une affirmation est incluse dans cette dénégation. Il demande donc pour la deuxième fois : " Ainsi, tu es roi ? " Alors le Christ répond par l'affirmative : " Oui, je suis roi. Je suis né et venu dans le monde pour rendre témoignage à la vérité. Quiconque est de la vérité écoute ma voix. "

« Je pense que le chemin est transparent de ces paroles à celles de *Gaudium et Spes :* " L'Eglise, qui en raison de sa charge et de sa compétence ne se confond d'aucune manière avec la communauté politique et n'est liée à aucun système, est à la fois le signe et la sauvegarde du caractère transcendant de la personne humaine[1]. "

« Le champ d'application de ces deux déclara-

---

1. *Gaudium et Spes,* 76, 2. Les citations qui précèdent sont extraites de l'évangile de Jean, XVIII, 36-37.

tions, l'une du Christ face à Pilate, l'autre de l'Eglise en 1965, n'est pas tout à fait le même. Le concile constate que l'Eglise en tant que communauté n'a pas de caractère politique, n'est pas un Etat. Devant Pilate, le Christ nie que son pouvoir soit politique. Cependant, bien que les champs d'application ne se recouvrent pas, ils se touchent de près. Le pouvoir politique revient aux communautés politiques ; l'Eglise, communauté instaurée par le Christ, n'aspire pas à un tel pouvoir. Elle n'est liée à aucun système, dit le concile. En ce sens précis, la " politique " ne répond pas à sa nature, à ses principes, à sa finalité. Le " royaume " qui se réalise en elle " n'est pas d'ici ". Une Eglise qui s'identifierait à l'Etat cesserait d'être elle-même. Elle cesserait d'être Eglise. L'expérience de deux mille ans a confirmé que cette frontière spirituelle n'a jamais et nulle part été franchie. Malgré différentes formes de dépendance de l'Eglise à l'égard de l'Etat ou de l'Etat à l'égard de l'Eglise, malgré l'existence des " Etats pontificaux ", l'Eglise est toujours restée Eglise. La délimitation établie par le Christ s'est révélée plus forte que toutes les épreuves de l'histoire. »

Cette réponse est dictée au saint-père par l'image de l'Eglise qu'il porte en lui. J'entends d'ici les cris et les objections. Depuis deux ou trois siècles, le thème des compromissions de l'Eglise avec l'ordre établi, quel que soit cet ordre, est un des lieux communs les plus fréquentés de la polémique anticléricale, qui a su se faire si convaincante que beaucoup de bons chrétiens d'aujourd'hui n'en finissent plus de battre leur coulpe sur la poitrine de leur mère en la sommant de passer enfin à la contrition, et de reconnaître qu'elle s'est déshonorée avec l'Empire romain, toutes les monarchies d'Europe et la bourgeoisie du XIXe siècle. On ne prend même plus la peine de donner des exemples, tant il paraît que l'on n'a que l'embarras du choix, de Constantin à Richelieu ou de la colonisation de l'Amérique du Sud à la confusion des pouvoirs dans les anciens Etats du Saint-Siège. Ne nions pas les infirmités, mais faut-il les exagérer ? Richelieu était un homme d'Eglise, mais il n'était pas plus l'Eglise à lui seul que saint François de Sales ou saint Vincent de Paul : un roi a pu le prendre pour ministre, personne ne l'a jamais pris pour confesseur. Il est faux que l'Eglise se soit identifiée avec la bourgeoisie du XIXe siècle. Le curé allait à la ferme et au château : on ne le voyait guère chez le bourgeois, voltairien et athée, qui eût mal supporté qu'on vint parler de l'Evangile dans son commerce ou sa fabrique, fût-ce sous la forme la plus édulcorée. Est-il exact que la conversion de l'empereur Constantin ait inauguré une ère de triomphalisme et de confusion des pouvoirs désastreuse pour la pureté de l'Eglise ? En reconnaissant le christianisme[1] Constantin ne soumettait pas l'Eglise, il soumettait l'Empire à une loi supérieure à celle de l'Etat, et qui avait pour premier effet de lui interdire de se diviniser lui-même comme ses prédécesseurs avaient rarement hésité à le faire. César n'était plus Dieu : ce ne fut pas un petit événement. Loin de se confondre, le pouvoir temporel et le pouvoir spirituel se sont trouvés séparés définitive-

1. Le christianisme était le principal bénéficiaire de l'édit de Milan (313) sur la liberté religieuse.

ment en droit, même s'ils se sont associés plus d'une fois en fait. Le pape est parfaitement fondé à nous dire que « cette frontière n'a jamais été franchie » : elle est placée très haut, et en ce sens, elle est inviolable.

« Revenons à notre parallèle. La deuxième partie de la réponse à Pilate et la déclaration du concile semblent s'accorder plus étroitement : *rendre témoignage à la vérité* et *sauvegarder le caractère transcendant de la personne humaine,* c'est tout un. Car l'homme exprime et réalise la transcendance qui lui est propre par sa relation à la vérité. Cette transcendance manifeste sa " royauté ". Il s'agit ici d'une dimension universelle concernant chaque homme et par conséquent tous les hommes.

« Le Christ est roi en ce sens qu'en lui, dans son témoignage rendu à la vérité, se manifeste la " royauté " de chaque être humain, expression du caractère transcendant de la personne. C'est cela, l'héritage propre à l'Eglise.

« Votre question touche au problème de " l'Eglise et la politique ", d'où ma référence à la réponse du Christ à Pilate. Nous ne sommes cependant pas au bout de la question. Vous me demandez si l'on peut tirer une politique de l'Evangile, puisque l'Eglise contemporaine, précisément au nom de cet Evangile, met si fortement l'accent sur la politique et la justice sociale. Si la réponse du Christ à Pilate n'épuise pas cette question, sa lumière nous est indispensable dans un domaine de première importance pour le témoignage à rendre à la vérité — donc au caractère transcendant de la personne humaine. La politique est ce domaine. »

Le saint-père observe que le terme même de « politique » est pour le moins ambigu :

« Selon la tradition aristotélicienne, la politique coïncide plus ou moins avec l'éthique sociale. Pour les modernes, il s'agirait plutôt d'une technique de gouvernement, technique lourdement grevée d'utilitarisme, comme en témoigne le fameux traité de Machiavel.

« Dans le premier cas, la politique signifierait également la justice sociale. Dans le deuxième, non.

« Lorsque l'Eglise se prononce dans les affaires politiques, elle le fait conformément à sa mission d'enseignement, qui concerne par principe les questions de foi et de morale. Elle fournit chaque fois l'interprétation appropriée du droit moral explicitement contenu dans l'Evangile ou confirmé par lui.

« En ce sens l'Eglise enseigne l'éthique sociale en laissant aux personnes compétentes le soin de gouverner, en exprimant sans cesse le souci pastoral et magistral que la technique ou l'art de gouverner ne soit pas une pure technique de conservation du pouvoir, mais serve la justice sociale, c'est-à-dire le bien commun des membres de la société politique. La justice sociale et le bien commun sont des notions rapprochées, car toutes deux désignent une disposition des rapports sociaux qui préserve le caractère transcendant de la personne dans le respect de ses besoins primordiaux.

« D'où la fréquence des prises de position de l'Eglise, qui répond à un double besoin de fidélité à l'Evangile et de fidélité à l'homme. L'Eglise a le devoir de porter témoignage à la vérité, comme le Christ face à Pilate. En évoquant une fois encore ce dialogue, il nous faut préciser que l'Eglise doit avoir une conscience profonde du royaume " qui n'est pas d'ici ", pour pouvoir se prononcer d'une façon claire et décidée dans les affaires qui sont de ce monde, où l'homme ne doit pas perdre sa transcendance : mais pour la rencontrer, pour la confirmer — aussi bien que pour en rendre l'homme conscient et la lui révéler — il faut *rendre témoignage à la vérité.* »

J'avais demandé : « Peut-on tirer une politique de l'Evangile ? » Réponse du pape : la politique de l'Evangile, c'est la transcendance de l'homme. La personne humaine se constitue dans le rapport de cette transcendance avec la vérité, qui, selon le christianisme, est elle-même une personne : la personne de Jésus-Christ. L'homme qui rend témoignage à la vérité témoigne en même temps pour lui-même. Une politique « tirée de l'Evangile » aurait donc pour principe et pour fin de rendre à tout moment possible ce témoignage qui fonde la personne.

IV

Sans doute fâchés d'avoir manqué, disent-ils, tant de « tournants historiques » (le « tournant » de la Renaissance, le « tournant » de la Révolution, et pour quelques-uns le « tournant » du marxisme, entre autres sinuosités du parcours des sociétés occidentales), les chrétiens sont de plus en plus tentés de s'immerger dans l'histoire, divinité des temps modernes, au détriment de toute transcendance et de toute contemplation. Si la fonction d'adoration n'était pas remplie dans les monastères et par quelques vieilles dames dans ce qui reste de paroisses en activité, elle serait oubliée. Or, n'est-elle pas une nécessité vitale pour l'âme humaine [1] ?

« Je constate qu'après " la foi " et " les mœurs ", le thème principal de notre entretien est maintenant l'Eglise. C'est pourquoi je cherche à dégager un nouvel aspect de l'Eglise de chacune de vos questions. Ainsi avons-nous abordé tour à tour l' " Eglise des Béatitudes ", " l'Eglise de l'eucharistie " et, il y a un instant, " l'Eglise du royaume ", ou si vous préférez " l'Eglise et la politique ". Cette fois, je n'aperçois pas de formule ou plutôt d'intuition centrale. Cependant une idée me vient, qui peut orienter ma réponse. Rappelez-vous le déroulement du dernier concile : c'est pour moi un fait éloquent et significatif que le *premier* sujet mis en délibération et le *premier* document décrété aient été la *Constitution sur la liturgie.* Par contre, le *dernier* thème des délibérations et le *dernier* document voté, ce fut " l'Eglise dans le monde contemporain " — par conséquent l'Eglise dans le temps et dans l'histoire.

« Si ce souvenir s'impose à mon esprit, c'est peut-être que le développement même des travaux conciliaires peut nous fournir l'indice qui nous permettra de nous acheminer vers une réponse juste. »

---

1. Je sais que le mot « âme » a été rayé du vocabulaire de la pensée moderne, pour des raisons qui m'échappent. Pour moi, l'âme est ce qui tressaille en nous au nom de Jésus-Christ. Hors la foi et l'espérance, disons que l'âme est ce qui, dans l'homme, hésite à mourir.

Comme on fait un tour de jardin avant d'aller au bureau, le pape ne déteste pas faire le tour d'une question avant d'y entrer.

« Vos observations doivent faire réfléchir. Plus encore, elles doivent inquiéter. Elles doivent inquiéter au point de vue de *ce qui se passe dans l'homme.* Vous posez à juste titre la question : " Est-ce que la prière, la contemplation, n'est pas une nécessité vitale pour l'âme humaine ? " Son dépérissement dans l'être humain, dans la société, est angoissant non seulement pour la vitalité de l'Eglise, mais aussi, mais surtout, pour l'homme lui-même. Comment ne s'inquiéterait-on pas de l'étiolement du sens de la transcendance, de l'indifférence pour tous les défis que nous lance l'absolu, et de notre réclusion dans l'immanence ou plutôt de notre assujettissement à ce qui passe ?

« Vous rattachez tous ces phénomènes à une " immersion dans l'histoire ", " cette idole des temps modernes ".

« Pour ma part, je pense que l'histoire n'est pas opposée à la transcendance. Comprise à fond, elle serait plutôt un moyen de la manifester, ce que je crois vous avoir déjà dit. »

Mais il y a différentes façons de comprendre l'histoire. Il y a celle que l'on raconte, celle qui s'écrit sur un livre invisible que nous ne lirons qu'à la fin des temps, celle dont on peut dire avec Shakespeare parlant de la vie qu'elle est « pleine de bruit et de fureur » et qu' « elle ne signifie rien », l'histoire des historiens et l'histoire qui prétend tout récapituler en elle, y compris Dieu.

« Il faut distinguer entre l' " histoire " et l' " historicisme ", et plus encore entre l'histoire et le " matérialisme historique ". Quant à l'histoire comme telle, elle est à mon avis l'une des dimensions de la transcendance de l'homme, et elle n'implique nullement que son existence ait un caractère purement " horizontal ". Bien entendu, à condition que nous définissions correctement la relation de l'homme à l'histoire, c'est-à-dire que nous mettions à la base de l'histoire la pleine vérité sur l'homme, une vérité qui tienne compte de toutes les nécessités vitales et vivifiantes de l'âme humaine. Alors de l'histoire ainsi considérée ne résulte ni le matérialisme, ni l'athéisme — ni même l'horizontalisme. L'histoire n'est pas responsable de la réduction ni de l'aliénation de ce qui, dans l'homme, est essentiel.

« Je le dis en tenant compte du caractère spécifique du christianisme en tant que religion : le christianisme n'est pas une religion de l' " Absolu pur ", ni de l' " Absolu solitaire ". Dieu en qui nous croyons est un Dieu vivant, et aussi le *Dieu de l'histoire.* Nous ne le rencontrons pas seulement au-dessus de l'histoire, au-dessus du flux transitoire du monde et des hommes : c'est un Dieu qui est entré dans l'histoire. Un Dieu qui s'est engagé dans l'histoire de l'homme, au milieu du drame de l'humanité. Ce drame, il l'a " pris sur lui ", si l'on peut ainsi dire. C'est pour cela qu'il est devenu " scandale pour les juifs ", et " folie pour les gentils ", comme l'écrit saint Paul aux Corinthiens.

« C'est ainsi qu'en face de l' " histoire idole " dont vous parlez, le christianisme proclame et professe la présence de Dieu dans l'histoire.

« C'est aussi un Dieu qui donne à l'histoire de l'homme son sens le plus intérieur et le plus définitif. *L'histoire du salut* est la seule dimension de l'histoire de l'homme où l'avenir ne se laisse pas retenir par le passé mais l' " absorbe " en l'engageant dans la voie de l'âge à venir, en faisant de lui la matière de l'avenir. On apprend beaucoup à ce sujet en lisant les documents du dernier Concile et les textes de théologiens comme Urs von Balthazar ou Mouroux. »

En résumé, par le programme inclus dans la Genèse (« Soumettez la terre »), l'attente du Messie et l'espoir du salut des hommes, le judéo-christianisme a été le premier à donner un sens à une histoire qui dans la pensée païenne n'en avait aucun.

« Nous aurions pu donner comme titre à cette étape de notre dialogue " l'Eglise et l'Histoire ", mais cela ne me satisferait pas tout à fait. Je préférerais : " l'Eglise du commandement d'amour ", ce que je vais essayer de justifier.

« Vous avez raison de déplorer que dans certains milieux dépérisse le besoin d'adoration, de prière : de contemplation. Pour l'équilibre, il serait bon d'ajouter qu'en même temps, en d'autres lieux et milieux, nous assistons à la découverte de la prière et à une renaissance de la vie intérieure. Ce sont des processus parfois symétriques, ou qui parfois se rencontrent, ou s'ignorent réciproquement. Cependant tous les deux se développent. Peut-être même agissent-ils l'un sur l'autre en tirant en des sens opposés, comme dans le jeu de la corde.

« Le besoin de prier et d'adorer naît dans l'homme comme une réponse de la foi à la parole du Dieu vivant, comme l'expression de sa rencontre avec ce

Dieu qui s'adresse à lui, qui lui a manifesté son amour précisément en entrant dans l'histoire.

« Dans l'acte d'adoration chrétien, le point de départ est d'habitude l'abaissement, l'anéantissement de Dieu, sa " condescendance ", sa croix, l'eucharistie. La rencontre avec le Dieu d'amour dans l'immensité de l'univers ne serait pas aussi bouleversante que dans l'eucharistie, la croix — ou la crèche de Bethléem.

« C'est pourquoi votre question me semble relever surtout du bon ordre du commandement de l'amour. Car s'il est vrai que nous devons répondre par l'amour à l'Amour qui a choisi l'histoire humaine pour se révéler, et que nous le faisons en aimant et en servant nos frères, il est vrai aussi que nous ne pouvons aimer et servir par amour si nous ne nous enracinons pas dans le plus grand amour par l'adoration. Ainsi l'a établi le Christ, en unissant dans son commandement l'amour de Dieu pardessus toute chose, et l'amour de l'homme à la mesure de l'homme.

« J'ai relevé tout à l'heure que le concile avait commencé providentiellement ses travaux par la constitution consacrée à la liturgie, pour les terminer par la constitution sur l'Eglise dans le monde moderne : c'était indiquer clairement que le renouveau ne pourra se façonner correctement qu'en suivant le bon ordre du commandement de l'amour. »

V

Je me propose de revenir plus tard sur les rapports du christianisme et de cette « histoire » qui a parfois l'air d'une comédie qui finirait mal, et dont la religion judéo-chrétienne ferait plutôt une tragédie paradoxale qui finirait bien. Pour l'instant, je me fais l'effet de ce prédécesseur curieux dont Aristote disait aimablement qu' « il avait succombé sous le poids de la question qu'il avait soulevée ». Comment en sommes-nous venus de l'histoire au catéchisme, je n'en sais rien ou plutôt si, je le sais très bien. La vision globale du monde et de ses destinées suppose une doctrine, un enseignement, et cet enseignement est diffusé aujourd'hui par différentes voies : le magistère de l'Eglise (de l'encyclique à l'homélie dominicale), les écoles chrétiennes, quand il en reste, l'imprimé, les moyens audiovisuels et, à la base, par les familles chrétiennes — qui s'en remettent souvent aux catéchistes.

Or, des catéchismes, j'en ai vu de toutes les couleurs, et parlant toutes sortes de langages. Concédée à l'initiative privée, l'instruction religieuse subit des variations considérables d'un pays, d'une région ou d'une commune à l'autre. On se félicite bruyamment que les catéchismes d'aujourd'hui ne procèdent plus comme autrefois par questions et réponses, ce qui avait notamment, dit-on, l'inconvénient de faire appel à la mémoire plus qu'à l'intelligence. Peut-être était-il nécessaire en effet de changer de méthode, mais les réponses ayant disparu avec les questions, les nouveaux manuels développent surtout la perplexité du lecteur. Les sondages nous apportent régulièrement la preuve que les chrétiens sont moins sûrs de ce qu'ils croient que de ce qu'ils ne croient pas.

Je demande au saint-père s'il n'y aurait pas lieu de définir pour tous les vérités élémentaires de la foi chrétienne, sur lesquelles il n'est ni compromis ni transaction possibles :

« L'Eglise et la catéchèse est un sujet essentiel. Nous nous trouvons ici sur les traces de l'avant-dernier synode des évêques auquel j'ai participé alors que j'étais archevêque de Cracovie. J'avais derrière moi le cardinal Luciani, de Venise, qui fut Jean-Paul Ier. C'était en octobre 1977. Dans mon esprit ce synode faisait suite à celui de 1974 sur l'évangélisation. La synthèse des acquisitions du synode de 1974 se trouve dans l'exhortation de Paul VI *Evangelii nuntiandi,* celle du synode suivant dans l'exhortation *Catechesi tradendae.* Ces deux synodes et ces deux exhortations traduisent la pensée pastorale du concile, et fournissent les indications nécessaires pour son application à la vie de l'Eglise. La catéchèse est sans nul doute la dimension fondamentale de l' " autoréalisation " de l'Eglise. C'est une méthode d'évangélisation. Sa voie depuis des siècles. Les documents de la tradition en témoignent depuis les temps les plus reculés, en joignant toujours aux expériences variées des temps révolus les réflexions et les efforts de l'époque.

« En un certain sens, le document *Catechesi tradendae* contient la réponse à votre question, une réponse plus riche et plus exhaustive que celle que je pourrais vous donner en ce moment.

« L'exhortation *Evangelii nuntiandi* met en relief ce principe général que l'Eglise, en tant que communauté, est à la fois chargée de donner et de recevoir l'Evangile : " Evangélisatrice, l'Eglise commence par s'évangéliser elle-même, par une conversion et une rénovation constantes, afin d'être crédible lorsqu'elle évangélise le monde... Envoyée et évangélisée, l'Eglise elle-même envoie des évangélisateurs... " Quant à l'exhortation *Catechesi tradendae,* elle donne à cette fin ses moyens : " Personne dans l'Eglise de Jésus-Christ, dit-elle, ne devrait se sentir dispensé de recevoir la catéchèse. C'est même tout particulièrement indiqué pour ceux qui sont appelés aux tâches de pasteurs et de catéchistes : ils les rempliront d'autant mieux qu'ils sauront se mettre humblement à l'école de l'Eglise, la grande catéchiste en même temps que la grande catéchisée. " Ces principes fixent les responsabilités quant au contenu des vérités enseignées, et ouvrent en même temps la voie à toutes les initiatives. Naturellement, la responsabilité du contenu des vérités enseignées appartient en premier lieu dans l'Eglise aux pasteurs, donc aux évêques, aux conférences épiscopales, au siège apostolique. »

L'Eglise n'est pas achevée. Depuis un certain temps, elle a pris une conscience plus aiguë de la nécessité de s'évangéliser elle-même, et le sentiment de cette obligation est à l'origine d'une multitude de tentatives et d'explorations qui provoquent parfois l'admiration, parfois l'ébahissement, et dont il est trop tôt pour établir le bilan.

« S'il s'agit de " rappeler " les vérités de foi fondamentales, on ne peut qu'évoquer le Credo du peuple de Dieu publié par Paul VI pour le mil neuf centième anniversaire du martyre des apôtres Pierre et Paul. Dans ce domaine, je ne vois pas de difficultés. Plus difficile est sans doute le problème d'un catéchisme post-conciliaire de toute l'Eglise, dans la mesure où le catéchisme ne comporte pas seulement des " définitions ", mais aussi une certaine manière d'exposer les vérités de la foi et les principes de la vie chrétienne résultant d'une théologie déterminée. Or, la théologie actuelle se trouve dans une phase de recherches multiples auxquelles le concile a remarquablement contribué pour sa part. Il suffit de rappeler la célèbre allocution de Jean XXIII à l'ouverture de Vatican II. »

Dans cette allocution inaugurale, Jean XXIII invitait les Pères du concile à travailler « joyeusement et sans crainte » à la mise à jour — *aggiornamento* — du discours de l'Eglise au monde moderne. Il pensait que les vérités chrétiennes pouvaient être dites aujourd'hui autrement que jadis, idée, ou suggestion suivie d'un grand nombre d'initiatives, et de pas mal d'abus.

« Par ailleurs, avec le concile s'est ouverte l'ère œcuménique dont les problèmes ne pouvaient manquer d'influer sur la catéchèse. Enfin, grâce à Vatican II et aux synodes — surtout celui de 1974 sur l'évangélisation — l'épiscopat de l'Eglise universelle a pris une nouvelle conscience des relations de l'Evangile et de la culture, ainsi que de la multiplicité des contextes culturels dans lesquels les Eglises locales doivent évangéliser et catéchiser.

« Tout cela ne fait que plaider en faveur de l'unité de la catéchèse et d'un effort tout particulier pour réaliser cette unité ; mais cela montre assez comment cette unité ne peut être que le fruit de la pluralité.

« Cette unité est-elle possible ? Je pense que oui. Elle est même indispensable. »

A propos de ces différences de culture dont on fait si grand cas depuis quelque temps que l'on va jusqu'à parler de l' « impérialisme » ou du « colonialisme » doctrinal de l'Eglise romaine, qui imposerait sa vision du monde à des peuples élevés dans d'autres paysages intellectuels, je dis au saint-père qu'étant né dans une famille des environs de Belfort, où le chameau et le palmier sont rares, je n'en ai pas moins adopté sans hésiter l'histoire du charpentier de Nazareth, et appris avec plaisir que je serais invité un jour à lâcher mon environnement culturel pour le « sein d'Abraham ». Mais le saint-père tient à relever l'expression d' « initiative privée » que j'ai employée, je le reconnais, non sans malice, au sujet du catéchisme :

« Si cette " initiative privée " dont vous parlez devait signifier la négation ou l'élimination de la responsabilité de l'Eglise hiérarchique, il faudrait évidemment y mettre un point d'interrogation et presque un point final.

« Mais si cette " initiative privée " signifie une extension du nombre des personnes activement engagées dans la catéchèse (du fait, par exemple, de l'insuffisance ou de l'absence d'enseignement religieux dans les écoles), extension voulue et dirigée par des personnes et des autorités responsables veillant au contenu, à la qualité et aux méthodes de la catéchèse, alors cette " initiative privée " est à accueillir et à encourager.

« De tout temps et à juste titre on a considéré la famille et les parents comme les premiers catéchistes. Aujourd'hui, compte tenu de la diversité pas toujours heureuse de cet apostolat fondamental de la famille, le dévouement de volontaires, laïques pour la plupart, disposés à assumer les devoirs immenses de la catéchèse est un bon signe des temps. Nous savons ce que leur doit l'œuvre missionnaire de l'Eglise. Je rencontre moi-même avec joie ces catéchistes laïques dans mes visites aux paroisses de Rome.

« *Grande est la moisson,* dit l'Evangile. *Les ouvriers ne seront jamais trop nombreux.* »

VI

Les chrétiens ne devraient-ils pas en finir avec l'espèce de complexe d'infériorité qu'ils entretiennent avec un plaisir morose à base de panique devant ce qu'ils appellent « la mentalité de l'homme moderne », qui n'est pas toujours meilleure ni tellement plus originale que celle de l'homme des cavernes ?

Si l'apôtre Paul avait eu le même souci de se rendre acceptable à tout prix, et s'il avait accommodé son message à la mentalité des Athéniens de son temps, qui n'avaient pas plus de goût que nos contemporains pour la mystique, y aurait-il une religion chrétienne ?

« Saint Paul avait un sens aigu du message évangélique qu'il allait délivrer à différents peuples, et aussi bien aux juifs qu'aux Grecs. Il savait que la vérité qui sauve vient de Dieu et non pas du monde. La conscience de cette évidence ne l'empêchait pas, elle l'aidait plutôt à adapter ce message à ses destinataires. Sa rencontre avec les Athéniens et son discours à l'Aréopage en témoigne : Paul s'efforce de s'adapter à la mentalité de ses auditeurs. Il commence par une sorte de *captatio benevolentiae* en louant la piété des Athéniens ; après quoi, entré dans le sujet pour ainsi dire par leur porte, il parle de l'autel dressé " au dieu inconnu ", et parle de lui d'une manière conforme aux idées des stoïciens. Il cite des poètes : l'hymne de Cléanthe à Zeus, le poème d'Aratos. Ce n'est que sa dernière phrase sur la Résurrection qui ne peut être admise par ses auditeurs. »

Je crois utile de citer ici l'essentiel de ce passage des Actes des apôtres, qui débute par une petite notation humoristique sur les habitants de la ville d'Athéna, déesse de l'Intelligence :

Or, tous les Athéniens et tous les étrangers demeurant à Athènes ne passaient leur temps qu'à colporter ou à écouter des nouvelles.

Paul, debout au milieu de l'Aréopage, prit la parole et dit :

« Athéniens, je vous trouve à tous égards extrêmement religieux ; car en parcourant votre ville et en

remarquant les objets de votre dévotion[1], *j'ai même découvert un autel avec cette inscription : " Au dieu inconnu " ! Ce que vous révérez sans le connaître, c'est ce que je vous annonce.*

« Le Dieu qui a fait le monde et tout ce qui s'y trouve, étant Seigneur du ciel et de la terre, n'habite pas dans les temples faits de main d'homme, il n'est pas servi par des mains humaines, comme si celui qui donne à tous la vie, la respiration et le reste avait besoin de quoi que ce soit.

« Il a fait que tous les hommes, sortis d'un seul sang, habitent toute la terre. Ayant déterminé la durée des temps et fixé les bornes de leur demeure, il a voulu qu'ils cherchent le Seigneur comme à tâtons, bien qu'il ne soit pas loin de chacun de nous — car en lui nous avons la vie, le mouvement et l'être. C'est ce qu'ont dit aussi quelques-uns de vos poètes : " De lui nous sommes la race. "

« Ainsi donc, étant la race de Dieu, nous ne pouvons croire que la divinité soit faite d'or, d'argent ou de pierre façonnés par l'art et l'industrie de l'homme.

« Dieu, effaçant les temps d'ignorance, annonce maintenant à tous les hommes et en tous lieux qu'ils ont à se repentir.

« Car il a fixé un jour où il jugera le monde selon la justice par l'Homme qu'il a envoyé, ce dont il a donné à tous une preuve certaine en le ressuscitant des morts... »

Lorsqu'ils entendirent Paul parler de résurrection des morts, les uns se moquèrent, les autres lui dirent : « Nous t'entendrons là-dessus une autre fois. »

---

1. Il s'agit des idoles qui parsemaient la ville, et dont les Actes nous disent un peu plus haut que l'apôtre les dénombrait avec agacement.

« Certes, malgré cela, l'apôtre ne modifie pas le contenu de sa prédication, qui est précisément l'Evangile du Ressuscité ; il n'essaie pas, sur ce point central de son message, de s' " adapter à la mentalité " de ses auditeurs ; il supporte leurs railleries sans cesser d'être le témoin du mystère pascal... Pourtant, c'est bien le même Paul qui a écrit : " N'appartenant à personne je suis l'esclave de tous pour les *conquérir* tous. J'ai été juif avec les juifs, afin de gagner les juifs, sujet de la loi avec les sujets de la loi, afin de gagner ceux qui sont sous la loi ; je me suis fait un sans-loi avec les sans-loi — bien que je ne sois pas sans la loi de Dieu, étant sous la loi du Christ — afin de gagner les sans-loi [1]. »

« Depuis l'époque de Paul, le principe d'adaptation aux destinataires du message évangélique demeure la règle d'or de toute activité missionnaire. On formule souvent l'objection que, dans le passé, l'Eglise, avec sa mentalité " occidentale ", n'a pas toujours su s'adapter suffisamment à d'autres mentalités et à d'autres cultures, en Chine par exemple. Voyez l'histoire du célèbre père Ricci et des missionnaires jésuites [2]. Néanmoins, aussi bien aujourd'hui que dans le passé, cette pratique exige un solide discernement... Et plus d'une fois, dans son service missionnaire, l'Eglise a dû accepter un échec semblable à celui de Paul devant l'Aréopage. Le Christ avait prévu de tels insuccès et les avait prédits à ses disciples. Par ailleurs, il leur apprenait à se sentir

1. Corinthiens I, IX, 19-21.
2. Le père jésuite Ricci aurait voulu que les évangélisateurs de la Chine se fissent chinois avec les Chinois, à l'exemple de Paul avec les sans-loi.

des " serviteurs inutiles " et il leur demandait de se borner à constater lorsque le succès venait couronner leur mission : " Nous n'avons fait que ce que nous avions à faire[1]. "

« Je vous réponds comme si le thème de votre question était " l'Eglise et l'apostolat ". C'est bien à cela que vous pensiez ? »

C'est bien à cela. Mais j'avais commencé par déplorer le « complexe d'infériorité » des chrétiens devant « la mentalité de l'homme moderne », comme si les héritiers du christianisme, submergés de richesses spirituelles, avaient quoi que ce soit à envier aux taudis où les idéologies contemporaines logent leurs prisonniers :

« Vous comprenez cette " mentalité ", qui d'après vous donnerait des complexes à certains chrétiens, comme une sorte de synthèse intérieure que nous rencontrerions chez les hommes d'aujourd'hui, surtout dans l'orbe de certaines civilisations. Cette synthèse peut s'exprimer de bien des manières, par exemple en mettant l'accent sur le progrès et le progressisme, sur la priorité absolue conférée aux sciences et aux techniques, ou encore sur une conception de la liberté excluant la reconnaissance de quelque autorité que ce soit. Elle constituerait la base d'un " complexe de supériorité " présumé, puisqu'il y aurait " complexe d'infériorité " chez les chrétiens.

« Or je pense que le Christ nous apprend beaucoup de choses. Il nous apprend l'amour, y compris l'amour des ennemis. Il nous apprend l'humilité devant Dieu, devant les hommes et devant l'Univers,

1. Luc, XVII, 10.

mais son enseignement exclut aussi bien le complexe d'infériorité que le complexe de supériorité. Ces sortes de complexes ne s'accordent ni avec l'amour ni avec la vérité.

« Un vrai savant ne se sent pas supérieur aux autres hommes, mais serviteur de la vérité ; il est plein d'humilité dans sa recherche : s'il ne l'était pas, il ne découvrirait jamais rien. De même le grand artiste, face à l'art qu'il sert.

« L'humilité va toujours de pair avec la magnanimité, et la magnanimité avec l'humilité.

« Un complexe, quel qu'il soit, dénote un certain manque d'authenticité. »

Ces deux dernières phrases nous donnent un bon résumé de la vision chevaleresque de l'être humain qui est celle de Jean-Paul II.

« Quelle doit être l'attitude du chrétien à l'égard de son temps, donc à l'égard de la " mentalité de l'homme moderne " ou de la " mentalité contemporaine " ? *Gaudium et Spes* donne à cette question une réponse simple et détaillée. Cette constitution de Vatican II a été nommée " pastorale " pour des raisons profondes, et notamment celle-ci qu'elle nous fait savoir quelle doit être l'attitude du chrétien devant son temps. Tout en se réjouissant des véritables réussites de son époque et tout en y participant, le chrétien, sans se départir d'un sain esprit critique et sans ignorer les menaces dont cette époque est lourde, doit constamment donner " témoignage de l'espérance qui est en lui ". Je pense que cette forme de relation à son temps — quel qu'il soit, et non pas seulement le nôtre — peut être considérée comme évangélique. Comme une manière de s'identifier au temps que l'on vit.

« Oui, de " s'identifier ", car après tout c'est de notre propre contemporanéité qu'il s'agit ! Il y a là quelque chose de ce *kairos* divin que la Providence nous octroie.

« Donc, une attitude d'identification évangélique. Et sans complexe. »

Le *kairos* auquel le pape fait allusion est le « temps favorable » évoqué par saint Paul dans sa deuxième lettre aux Corinthiens (VI, 2) : « Car il dit : " Au temps favorable, je t'ai exaucé ; au jour du salut, je t'ai secouru. " Voici maintenant le temps favorable, Voici maintenant le jour du salut. »

Les deux premières lignes de cette citation sont un rappel du huitième verset du chapitre XLIX du livre d'Isaïe. De la présence constante du Christ parmi nous il résulte que tout temps est un *temps favorable* pour la grâce et l'annonce de l'Evangile.

VII

La suprême beauté du christianisme est à mes yeux l'une des causes principales de l'incompréhension et de l'hostilité du monde. Je me demande parfois si nous la comprenons nous-mêmes. L' « accoutumance au divin » nous rend souvent insensibles à l'avalanche de grâces et de lumières que l'Eglise ne se lasse pas de déverser sur nous, et que nous laissons volontiers tomber dans le vide. Par exemple, les sacrements, qui accompagnent le chrétien d'un bout à l'autre de sa vie, qui font, par le baptême, qu'il est traité comme ces enfants royaux que l'on mariait parfois avant qu'ils eussent l'âge de raison ; par la pénitence, qu'il peut à tout moment renaître de ses propres cendres ; ou qu'il peut préparer dès maintenant en lui, par l'eucharistie, la chair transfigurée de sa résurrection. Avons-nous encore une idée de la nature, de l'origine et de la portée de ces signes vivants d'une sollicitude qui ne se rebute ni ne désespère jamais ?

Le pape me fait observer que, s'il s'agit de porter remède à l'ignorance de nombreux catholiques dans ce domaine, les prêtres, les pasteurs des âmes, les évêques, des épiscopats entiers, le siège apostolique et le concile m'ont déjà répondu. Les recommandations concernant une catéchèse appropriée aux sacrements n'ont pas manqué :

« Je crois qu'au cours de ma vie de grands progrès ont été faits à cet égard. Je le dis évidemment en me fondant sur ma propre expérience, par la force des choses relative à des lieux et des situations déterminées. Je passerai donc par mon expérience personnelle, car, compte tenu de certaines limitations compréhensibles, c'est à travers elle que m'apparaît la dimension spécifique du problème, la dimension sacramentelle de la vie et de l'existence de l'Eglise, encore que votre question, comme vous l'avez posée, n'en demande pas tant !

« Donc je vous répondrai selon ce que j'ai vécu, en remontant à ma jeunesse et même à mon enfance. De tout temps, il a toujours été clair pour moi que l'Eglise est le lieu où l'on dispense et reçoit les sacrements. Dès mes premières années à l'école primaire, la préparation à la première confession et à la première communion m'a appris " que le sacrement est le signe visible de la grâce invisible, institué par notre salut ". Ainsi parlait le catéchisme. Indépendamment de cette formule mais certainement en accord avec elle, je vivais les sacrements, confession, communion, comme quelque chose de très étroitement lié au Christ, touchant l'homme dans son intime profondeur et engageant très particulièrement sa conscience. Cela pour les deux sacrements que je viens de citer. Quant au baptême, je n'en ai bien compris le sens que plus tard, grâce surtout à la liturgie du carême et de Pâques. Je me suis alors rendu compte que tout ce qui dans les temps anciens de l'Eglise relevait du catéchuménat avait été reporté après le baptême dans la vie des générations ultérieures.

« Mes premières visites de jeune évêque aux paroisses de mon diocèse ont été une expérience décisive, d'une intensité comparable aux expériences de jeunesse dont je vous ai déjà parlé[1]. Ces visites avaient lieu selon le rituel traditionnel, mais aussi suivant certaines règles d'usage propres à mon pays. C'était un événement de grande importance dans la vie des paroisses. Je me suis bientôt rendu compte que si l'objectif à atteindre est multiple, à la base il faut situer et réaliser *l'expérience commune de la dimension sacramentelle de l'Eglise*. Dans cette perspective, il ne s'agissait pas seulement d'une prise de conscience de l'Eglise en tant que dispensatrice et bénéficiaire des sacrements — prise de

1. Au début de ce dialogue. Notamment, la découverte de la philosophie de l'Etre.

conscience fortement gravée en moi depuis ma première confession et ma première communion — mais de quelque chose de plus, à savoir que l'Eglise vit à travers les sacrements la vie qui est le plus proprement la sienne, qui est en même temps celle de la communauté et celle de chacun dans cette communauté. »

Depuis un moment, j'ai l'impression de cheminer sous bois à la suite du saint-père, qui taille sa route à coups de serpe. Mais je connais mon guide. J'attends la clairière. La voici :

« Ainsi le Christ est-il tout le temps présent et tout le temps extrêmement agissant par la puissance de la croix et du mystère pascal. Et l'Eglise, grâce à cette puissance toujours agissante de son Seigneur et Epoux, devient véritablement *son corps,* corps mystique et en même temps combien réel. Les sacrements réalisent l'Eglise en tant que corps du Christ. »

Cette doctrine du « corps mystique », qui intègre celle de la « communion des saints » dont il a été question au chapitre précédent, est essentielle à la vision chrétienne de l'Eglise. Elle est évidemment difficile à résumer. Pour toute la théologie depuis saint Paul *l'Eglise est le corps du Christ,* le mot « corps » étant à prendre ici aussi bien au sens d' « organisme », puisque c'est la même vie qui y circule, que dans son sens social, puisqu'il s'agit d'une communauté ; *l'unité de cette Eglise est parfaite,* je dirai : quels que soient ses déchirements, car rien ne peut faire qu'un corps ne soit un jusque dans ses blessures ; et cette unité *est le fruit de la charité.* Les docteurs ont énormément bâti sur ces fondations. Peut-être l'esprit moderne retiendra-t-il surtout de cette doctrine du « corps mystique » qu'elle délivre l'être humain de sa solitude, qu'il cesse d'être incarcéré dans son « moi », et qu'elle abolit tous les obstacles que ce « moi » oppose d'ordinaire à la communication. La différence avec les systèmes totalitaires est que ceux-ci prétendent aboutir à la même unité en aliénant les personnes, alors que selon la doctrine chrétienne, c'est en étant pleinement elle-même par la grâce du Christ que la personne est en état de communiquer avec les autres : on ne connaît pas de meilleur moyen de communication que l'amour.

« Pendant cette nouvelle étape de ma vie (j'observe que j'étais déjà évêque, bien que ce fût avant le concile), je ne dirai pas que ma conscience de la dimension ecclésiale des sacrements est devenue prédominante, mais enfin elle a certainement complété de façon remarquable mon ancienne conviction que le sacrement était surtout " saint " et " personnellement sanctifiant ", tandis que l'Eglise n'était que le lieu où ce sacrement est donné et reçu. Ainsi préparé, je suis entré dans la période du concile, qui m'a aidé à vérifier mes expériences personnelles, à les approfondir, les confirmer et les consolider. Je parle de la sorte parce que au concile les évêques n'ont pas seulement exercé leur magistère : il a été pour eux une véritable " école du Saint-Esprit ". J'ai tâché d'exprimer cela dans une étude rédigée après l'achèvement de Vatican II [1].

« *La table de la parole de Dieu* et *la table de l'eucharistie :* cette admirable image patristique,

1. *Aux sources du renouveau,* éd. du Centurion.

rappelée et actualisée par le concile dans la constitution sur la liturgie, indique les voies essentielles de l'éternel plan du salut, mystère, dit saint Paul, caché en Dieu depuis le commencement du monde, réalisé par le sacrement ineffable du Verbe de Dieu devenu chair par l'action du Saint-Esprit dans le sein de la Vierge de Nazareth, pour s'épanouir dans l'Eglise et devenir en elle vie des âmes et croissante plénitude du Christ.

« Le Christ conduit l'Eglise par la puissance de l'Esprit saint et, simultanément, agit en elle par la puissance de la Parole et des sacrements. C'est ainsi que l'Eglise, comme nous le lisons dès le début de *Lumen gentium,* " est dans le Christ comme un sacrement, c'est-à-dire signe et instrument de l'union intime avec Dieu ". Le " Sacrement de l'Eglise " est entièrement enraciné dans le " Sacrement du Christ ". La Parole agit en elle — l'Eglise — en vue des sacrements : c'est en eux qu'elle atteint sa pleine efficacité dans l'action salvatrice du Christ lui-même.

« Votre question, apparemment, n'allait pas si loin, mais il m'a paru impossible d'y répondre sans aller jusque-là. Car en fait toutes ces dimensions de la " sacramentalité " se révèlent à notre foi dans la Parole de Dieu d'une manière conjointe et cohérente, quoique cette révélation puisse se faire graduellement, comme j'ai essayé de le montrer par l'exemple de ma propre vie.

« A la lumière de cette expérience il me semble d'une importance capitale que les chrétiens aient en premier lieu une conscience approfondie du sacrement comme signe " saint " et " personnellement sanctifiant " par la puissance du Christ. Alors tout le reste se révélera à eux d'une façon pour ainsi dire organique. Le bon chemin me semble celui de la conscience et de l'expérience. Bien que la dimension " ecclésiale " des sacrements soit essentielle, nous ne pouvons nous en tenir là. L'Eglise reçoit sans cesse la Parole et les sacrements du Christ comme l'épouse de l'époux, mais elle doit aussi *se donner sans cesse au Christ.* Il faut que cela s'affirme et se confirme dans la conscience de chaque dispensateur de la Parole et des sacrements, mais également dans la foi de chacun de ceux qui participent aux sacrements, en les recevant dans l' " Eglise ". »

VIII

Les rendez-vous du petit matin à la messe du saint-père sont les plus émouvants. En général, j'ai si peur d'être en retard que je m'accorde plus d'une heure pour un trajet de dix minutes en voiture, crainte d'être trahi par mes moyens mécaniques, si bien que j'arrive à Saint-Pierre bien avant l'aube, alors que la falaise couronnée de la basilique se dessine encore en gris sur du papier noir. Je consulte deux fois par minute la grande horloge de la façade, surmontée de la tiare et qui, sous la surveillance délicate de deux anges penchés, laisse régulièrement tomber ses gouttes de bronze sur la place. Cette église est si majestueuse qu'elle ralentit le pas de ceux qui l'approchent, et si belle qu'elle ennoblit ses visiteurs.

Ce jour-là, j'aperçus un prêtre à bicyclette qui pédalait ferme vers une destination inconnue dans un grand piaillement d'engrenages rouillés, comme un oiseau nocturne redoutant d'être surpris par le jour. Je songeai à cette immense congrégation d'humbles serviteurs de l'Eglise, pour la plupart confinés dans une telle pauvreté par la ladrerie des chrétiens que le « prêtre-ouvrier », avec son salaire minimum garanti, peut passer pour un richard auprès du vicaire de banlieue dont le minimum se tient au-dessous du minimum. Cependant, tous ceux que le bréviaire ne ralentit pas se hâtent. Vers quoi ? Il semble que le monde leur échappe. En Occident, la statistique enregistre un fléchissement constant de la pratique religieuse, et si les églises sont de moins en moins fréquentées, on peut douter que ce soit pour mieux adorer « en esprit et en vérité », selon le vœu du Christ au puits de Jacob.

Aujourd'hui que se décompose le visage de l'homme distrait de Dieu, quelle est donc la tâche la plus urgente pour les prêtres, et pour les laïcs prêts à l'engagement ? Je passai le portail de bronze du Vatican dans ces pensées. La réponse vint après la messe, avec le café à l'italienne :

« A travers aucune de vos questions je n'ai senti si proche la beauté de cette grande cause, en même temps don et devoir enclos dans la doctrine de Vatican II sur le Peuple de Dieu. C'est un chapitre merveilleux, une page magnifique due à l'effort collégial des évêques appelés à transmettre la parole de l'Esprit à l'Eglise de notre temps. Si la vérité qui domine ce chapitre est bien cette parole de l'Esprit sur le Peuple de Dieu, cette vérité ne peut se lire qu'avec la clé appropriée. Et cette clé nous est fournie par le mot " participation ".

« Le Peuple de Dieu, c'est évidemment une communauté, une immense société universelle en marche à travers l'histoire, mais si ce " peuple " est " de Dieu ", ce n'est pas à titre humain ou social ni au titre d'une dynamique ou d'une activité propres aux sociétés de cette terre des hommes... mais seulement et uniquement à cause de la " participation " : il est " de Dieu " dans la mesure et à raison de sa participation à la mission du Fils de Dieu, devenu le Christ, il est " de Dieu " dans la mesure où le Christ agit en lui et s'exprime par lui : prêtre, prophète et roi[1]. Sa participation à cette triple mission du Christ constitue l'unique fondement et le titre unique pour que ce peuple — c'est-à-dire l'Eglise — soit " de Dieu ". Si donc je devais caractériser ce dont il s'agit effectivement dans votre question, je dirais qu'il s'agit de l'Eglise en tant que participation multiforme et différenciée à la mission du Christ, prêtre, prophète et roi. Cette participation constitue l'Eglise comme peuple investi d'une mission, et dans ce peuple chacun est concerné. Chaque chrétien participe à sa manière propre, unique et irremplaçable à la mission que l'Eglise a reçue du Christ. Chacun d'eux a sa vocation personnelle, et aux différentes vocations correspondent des dons différents, ainsi que saint Paul le dit des dons et des charismes dans sa lettre aux Corinthiens. La multiplicité des dons et des vocations peut être comparée

1. Mieux vaut éviter toute méprise. La royauté n'a pas ici de rapport avec l'exercice d'un pouvoir souverain ; elle ne se décerne pas à qui vainc et domine la terre, mais le péché.

à celle des organes dans un corps. L'Eglise peuple de Dieu est un corps, le corps du Christ. Cette analogie provient également de saint Paul, écrivant aux mêmes Corinthiens. Voici le passage :

... *Car comme le corps est un et a plusieurs membres, et comme tous les membres d'un corps ne forment qu'un seul corps, ainsi en est-il du Christ. Nous avons tous été baptisés dans un seul Esprit pour former un seul corps, soit juifs, soit Grecs, esclaves ou libres, et nous avons tous été abreuvés du même Esprit.* [...] *L'œil ne peut pas dire à la main : Je n'ai pas besoin de toi, ni la tête dire aux pieds : Je n'ai pas besoin de vous. Mais bien plutôt, les organes du corps qui paraissent les plus faibles eux aussi sont nécessaires.* [...]*Et si l'un d'eux souffre, tous souffrent avec lui, et si l'un est à l'honneur, tous se réjouissent.*

« Le corps vit par l'Esprit et la grâce d'adoption, qui dans le Christ nous fait fils de Dieu. Et il vit en remplissant la mission confiée par le Christ grâce à la multiplication des dons et des vocations qui se complètent mutuellement et sont tous l'un à l'autre nécessaires.

« Vatican II, ce concile " ecclésiologique ", a dit beaucoup sur la vocation propre des prêtres (bien que cela ait peut-être été moins remarqué) et sur la vocation propre des laïcs.

« Je pense que le devoir le plus urgent pour les uns et les autres — et ceci vaut également pour les ordres religieux et les personnes vivant selon les conseils évangéliques — est de *se retrouver* pleinement dans cette vision conciliaire de l'Eglise, en tant que Peuple et Corps, et de s'y identifier le plus profondément possible.

« On pourrait appeler Vatican II le concile de l'identité des chrétiens : de chacun, et de tous. »

IX

Depuis quelque temps, l'idée s'est fait jour chez les chrétiens que leurs divisions n'étaient peut-être pas irrémédiables, et que, s'il y avait encore aujourd'hui ce que l'on peut bel et bien appeler des « guerres de religion », elles ne se livreraient plus entre eux, mais se trouveraient au contraire le plus souvent dans le même camp, celui de la défense de l'homme contre les idéologies racistes, matérialistes et totalitaires. Resteront-ils longtemps encore au pied de la même croix, agrippés chacun à un bout du manteau du Christ, comme les soldats au Calvaire, ou bien le sentiment du danger qui les menace en commun, eux et leur foi, sera-t-il assez fort pour les unir, en attendant que l'amour le fasse ? Certains jours, cette tendance à l'unité qui existe dans toutes les Eglises paraît faire des progrès décisifs, et une réconciliation active — je veux dire qui ne soit pas simplement le résultat d'une indifférence doctrinale poliment partagée — semble proche, une grande espérance se lève. Mais parfois aussi l'œcuménisme ne semble plus qu'une idée généreuse, un peu comme l'espéranto que tout le monde approuve et que personne ne parle. Certes, les difficultés ne sont pas à sous-estimer. Il est clair par exemple que tout ce qui rapproche l'Eglise catholique des protestants l'éloigne des orthodoxes, et inversement. Cependant, elle s'est engagée sur ce chemin, et elle ne reviendra pas en arrière. Quelles sont donc, pour elle, les conditions d'un œcuménisme bien compris ?

« En réponse à votre précédente question, je vous ai dit que Vatican II pouvait être appelé le concile de *l'identité* des chrétiens, compte tenu de leurs différentes vocations et des dons qui correspondent à celles-ci en chacun et en tous. La question que vous me posez maintenant incite à élargir le sens de cette identité au-delà du cercle de la communauté catholique, pour lui donner une dimension œcuménique. Le concile a dressé constat de cette vérité que les chrétiens ne peuvent avoir leur pleine identité qu'en union avec l'Eglise : cette union ayant été brisée au cours des siècles, ils ne peuvent recouvrer leur identité chrétienne que par un sincère et vif élan vers l'unité. Il ne peut en être autrement face à l'unité du Christ, encore que saint Paul, devant les divisions qui s'ébauchaient déjà de son temps — donc dès la première génération chrétienne ! — ait été amené à demander : " Le Christ est-il divisé [1] ? " Cette question n'a pas cessé d'être actuelle, elle revient d'âge en âge comme le fruit de nos faiblesses, qui vont avec la condition humaine. Cependant, à toutes ces générations de chrétiens divisés au cours des siècles, l'indivisible unité du Christ n'a cessé de lancer le " défi de l'unité ". L'évangile de Jean ne se

1. Corinthiens I, I, 11-13 : « J'ai appris par les gens de Chloé qu'il y a des dissensions parmi vous. L'un dit : " Moi, je suis de Paul ! " L'autre : " Moi, d'Apollos ! " ou : " Moi de Pierre et moi du Christ ! " Le Christ est-il divisé ? »

lasse pas de rappeler ces paroles du Christ : " Père, faites qu'ils soient un[1] ! "

« Ce défi et cette prière du Christ retentissent tout particulièrement dans la conscience des chrétiens de notre génération, ou plutôt des générations contemporaines, car les initiatives œcuméniques ne sont pas d'aujourd'hui. Jean XXIII a été l'homme qui a fait de l'appel du Christ à l'unité le programme de l'Eglise, tout d'abord par la création du Secrétariat pour l'unité des chrétiens, puis par le concile.

« Vous me demandez quelles sont les conditions d'un œcuménisme bien compris ? La réponse se trouve dans le décret de Vatican II sur la restauration de l'unité des chrétiens. Ce qui avait été une inspiration particulière du pape Jean est devenu par le concile une mûre parole de l'Esprit que l'Eglise attendait, et qu'elle a accueillie avec joie. »

Ce décret est évidemment trop long pour être rapporté ici. Après avoir déclaré que la division des chrétiens « s'oppose ouvertement à la volonté du Christ, qu'elle est un scandale pour le monde et qu'elle fait obstacle à la plus sainte des causes, qui est l'évangélisation », il fixe les principes et les règles catholiques de l'œcuménisme dans l'agréable langage de la bonne volonté. Pour ma part, j'en ai surtout retenu certaine invitation à outrepasser les « limites visibles de l'Eglise catholique », trop souvent considérée jadis comme une frontière imprenable au-delà de laquelle commençait aussitôt l'empire des ténèbres extérieures.

« Cela ne signifie pas que le chemin de l'œcumé-

---

1. Jean, XVII, 21.

nisme soit libre d'obstacles. Le décret du concile dit expressément ce que vous venez de relever vous-même, à savoir que " ce qui nous rapproche des protestants nous éloigne des orthodoxes ". Nous nous en rendons compte, nous catholiques, aussi bien que nos frères orthodoxes et protestants. Mais le langage de l'Esprit se révèle le plus fort. Il ne cesse d'inciter la conscience à entreprendre progressivement différentes démarches : non seulement se rencontrer dans la prière pour l'unité, mais témoigner partout où cela est possible de l'unité et dans l'unité, et surmonter les obstacles, aussi bien ceux qui subsistent dans une mentalité marquée par des siècles de divisions et de séparations, que les plus importants, qui proviennent de la doctrine et de la théologie. Tout cela est en marche. La prise de conscience que ce qui nous unit est malgré tout plus fort que ce qui nous divise et plus profond que ce qui nous sépare nous oblige précisément à chercher plus en profondeur : cela signifie un grand effort de connaissance et d'investigation, cela signifie un dialogue théologique, cela signifie prière et contemplation. »

Ma question exprimait incidemment une certaine crainte, qui vient tout naturellement à l'esprit, que le désir d'aboutir à tout prix n'amenât les partenaires de l'œcuménisme à l'un de ces compromis que l'on appelle dans les congrès politiques une « motion de synthèse », où toutes les tendances fusionnent dans l'indifférence :

« Il ne s'agit nullement d'aller vers un " compromis ", mais d'une rencontre dans la vérité, préparée par la bonne volonté, préparée par l'amour. L'union des chrétiens ne peut être, finalement, qu'un don mûr de l'Esprit saint, accepté par l'intelligence, le cœur et la volonté, et traduit en actes d'année en année. Il y a là des siècles et des siècles à rattraper.

« Ainsi donc, " l'Eglise sur le chemin de l'unité des chrétiens " est une réalité nouvelle et difficile, mais chargée de promesses. En suivant ce chemin, elle déchiffre correctement les signes du temps ; en suivant ce chemin, elle doit se poser de grandes exigences, se maintenir dans l'humilité et la charité, s'inspirer de l'audace évangélique et j'ajouterai même : s'armer d'une espérance héroïque. Car " rien n'est impossible à Dieu ". L'œcuménisme n'est pas seulement " une idée généreuse " comme vous dites. C'est une grande épreuve de foi, d'espérance, de charité. Une marche vers " ce qui est possible à Dieu ", et qui semble parfois impossible aux hommes. »

Dans cet esprit, Jean-Paul II disait aux juifs, aux musulmans et aux chrétiens non catholiques du Portugal :

« Quelle que soit notre religion, le témoignage de la foi en Dieu nous unit. Tous, nous sommes appelés à proclamer les valeurs religieuses dans un monde qui nie Dieu. Notre témoignage, notre exemple peuvent aider ceux qui le cherchent... Témoigner de sa foi est contribuer au bien du prochain, au bien commun de l'humanité. Juifs, chrétiens, musulmans, Abraham, notre ancêtre commun, nous demande à tous de suivre la voie de la miséricorde et de l'amour. »

X

Un pape est toujours impressionnant. J'en aurai vu ou entrevu cinq. Pie XI était un combattant de la foi pris entre deux guerres mondiales et solidement armé pour faire front à tous les dangers. Il avait publié deux encycliques tonnantes contre des totalitarismes qu'il appelait par leur nom, et ne balançait pas devant la condamnation en bonne et due forme. Dans les antichambres lisses du Vatican, blanc et ramassé, avec un regard perçant auquel une sorte de lorgnon ajoutait des miroitements brefs, on eût dit une boule d'énergie dans un billard de marbre. Son successeur Pie XII était une sorte de Melchisédech romain. Au balcon de Castel Gandolfo, bénissant la foule, c'était une mosaïque de Ravenne détachée de la muraille. Sous son pontificat, la papauté avait atteint un degré de prestige qui excluait presque l'engagement dans les affaires de la terre. Avec Jean XXIII, on passa brusquement du hiératisme émacié à la rondeur cordiale. Il devint tout de suite le « bon pape Jean » dans le sentiment populaire charmé de voir que l'Eglise, après un séjour prolongé au niveau des symboles, consentait à s'incarner de nouveau avec un embonpoint convaincant. Ce fut le pape du concile, de l'*aggiornamento* et de la paix. Bien que son règne eût été court, il a laissé un souvenir profond. Paul VI lui succéda sans grand débat : depuis ses modestes débuts dans les bureaux de la Secrétairerie d'Etat, tout le monde savait qu'il était le meilleur. C'était un intellectuel raffiné, mais puissant en doctrine ; l'ampleur de son intellect contrastait avec la fragilité de son attache avec la terre. On lui confia le gouvernail au moment où éclatait l'une des plus rudes tempêtes qui eussent jamais secoué la barque de Pierre, et il pilota comme on pilote en pareil cas, en louvoyant pour ne pas chavirer, mais sans jamais perdre de vue l'étoile directrice qu'il était probablement seul à apercevoir de temps en temps entre les nuages. Chacun de ces papes a eu sa mission claire, distincte et nécessaire, que ce soit pour la résistance de la foi à l'oppression idéologique, l'exaltation du sacerdoce, l'ouverture au monde ou la navigation dans les écueils. Il n'est pas jusqu'au passage météorique de Jean-Paul Ier qui n'ait été manifestement indispensable pour amener le Sacré Collège à rompre avec la tradition des papes italiens, comme par un effet salutaire de ce don peu sollicité du Saint-Esprit qui s'appelle la crainte de Dieu. On peut dire que d'une certaine manière Jean-Paul Ier nous a donné Jean-Paul II, à nos yeux, dès le premier jour, pape de l'unité. De l'unité retrouvée, ou en voie de l'être, après une période où l'on a senti l'architecture visible de l'Eglise vaciller sous d'obscures poussées internes, aggravées par le puissant ouragan d'une mutation historique n'épargnant dans le monde libre aucune institution ni aucun système de valeurs. Je pense sincèrement que nous étions menacés d'avoir bientôt autant d'Eglises que de continents, de pays — ou de paroisses intellectuelles. L'affluence des peuples rassemblés par Jean-Paul II a consolidé l'édifice, et son unité se régénère en sous-œuvre.

Aussi, lorsque je demande à Jean-Paul II « quelle est sa prière pour l'Eglise d'aujourd'hui », je sais déjà la réponse :

« Certes, je prie sans cesse pour l'Eglise, je prie pour ses différents sujets de préoccupation, j'ai toujours prié à ses intentions et aujourd'hui plus encore, dans la perspective de mon service au siège romain de Pierre.

« Cependant, tout ce que moi-même pourrais dire, ou ce que n'importe lequel d'entre nous pourrait exprimer à sa manière dans une prière pour l'Eglise — sous la dictée de l'humaine succession des affaires de ce monde, besoins, craintes et aspirations — ne trouvera jamais sa dimension définitive que dans la prière même du Christ lui-même, telle que saint Jean la rapporte dans son évangile immédiatement avant son récit de la Passion.

« En premier lieu, c'est une prière pour les disciples : " Père saint, garde en Ton nom ceux que Tu m'as donnés, afin qu'ils soient un comme nous... Je ne Te prie pas de les ôter du monde, mais de les préserver du Mal... Consacre-les dans la vérité. "

« Plus avant, le Christ passe de la prière pour les disciples à la prière pour l'Eglise à venir :

Je ne prie pas pour eux seulement, mais aussi pour ceux qui, grâce à leur parole, croiront en moi. Que tous soient un ! Comme Toi, Père, Tu es en moi et moi en Toi, qu'eux aussi soient un en nous, afin que le monde croie que Tu m'as envoyé. Je leur ai donné la gloire que Tu m'as donnée, pour qu'ils soient un comme nous sommes un — moi en eux, et Toi en moi — pour qu'ils soient parfaitement un, que le monde sache que Tu m'as envoyé, que Tu les as aimés comme Tu m'as aimé. Père, ceux que Tu m'as donnés, je veux que là où je suis, ils soient aussi avec moi, afin qu'ils contemplent ma gloire, car Tu m'as aimé avant la création du monde. Père juste, le monde ne T'a pas connu, mais moi je T'ai connu, et ceux-ci ont reconnu que Tu m'as envoyé. Je leur ai révélé Ton nom et le leur révélerai, pour que l'amour dont Tu m'as aimé soit en eux, et moi en eux[1].

« Poignante prière ! Elle atteint l'ultime profondeur du mystère de l'Eglise, qui réside dans cette unité que le Fils forme avec le Père dans l'Esprit saint. Ainsi, lisons-nous dans *Lumen gentium,* toute l'Eglise apparaît-elle " comme un peuple uni de l'unité du Père, du Fils et du Saint-Esprit ". C'est la profondeur de la connaissance et la profondeur de l'abandon : la profondeur de l'amour. De cette profondeur naissent la mission et le témoignage, d'elle tire lumière et force la vie nouvelle des hommes dans le monde, au milieu du monde — d'elle monte la gloire future.

« Nos prières quotidiennes pour l'Eglise ne vont pas si profond. Nul d'entre nous ne saurait prier ainsi de soi-même, bien que nous sachions qu'en fin de compte nous n'exprimons jamais dans nos prières que ce que le Christ a exprimé dans la sienne. Sa prière reste la dimension de toutes les nôtres, le terreau d'où toutes surgissent et portent des fruits. Nous l'approchons de plus près, nous touchons le plus sûrement ce terreau lorsque nous célébrons ou participons à la sainte messe : c'est peut-être pourquoi la prière sacerdotale du Christ constitue dans l'évangile de Jean comme une introduction à la Passion et à la Résurrection de Pâques. Prier pour

---

1. Jean, XVII, 11, 15, 17, 20-26.

l'Eglise, c'est ranimer constamment, en soi, la conscience du mystère pascal. »

XI

Les nouvelles nuées qui s'amassent sur le monde, les menaces de toute sorte qui pèsent sur la personne humaine et qui visent à la contraindre ou à la désagréger font pressentir que les chrétiens auront bientôt à témoigner :

« Cette heure du témoignage se rapproche des chrétiens sans cesse. De tous et de chacun. C'est pourquoi la parole " Veillez " se répète si souvent dans l'Evangile ; c'est par la vigilance que l'Eglise est elle-même, l'Eglise du Christ qui non seulement " est venu ", mais " doit venir ". L'heure du témoignage approche pour tout homme à tout moment comme elle est survenue pour Pierre dans la cour du grand prêtre. »

L'épisode est célèbre. Pierre, qui avait suivi Jésus entraîné par les gardes chez le grand prêtre, se chauffe au brasero de la porterie lorsqu'il est reconnu et dénoncé trois fois. Trois fois il nie connaître ce Jésus dont on lui parle. Au troisième reniement le coq chante, comme Jésus l'avait prédit. Alors, dit l'Evangile, Pierre se souvint « et pleura amèrement ». On peut dire qu'à ce moment l'Eglise est morte. Elle ressuscitera elle aussi le troisième jour avec la question du Christ à ce même apôtre :

« Pierre, m'aimes-tu ? »

« Nous avons à témoigner de bien des manières et en bien des circonstances. L'appel du Christ à la vigilance est constant, et si les circonstances où le témoignage est requis ne sont pas claires pour nous, elles peuvent l'être pour tels de nos frères ou telles de nos sœurs dans le secret de leur intelligence et de leur cœur.

« Oui, l'Eglise est une Eglise de vigilance et de témoignage, tout à la fois pour tout chrétien et toute communauté. Car on peut, l'on doit même voir la vérité de l'Eglise dans toutes ses dimensions communautaires. Dès le début, la communauté de Jérusalem eut à témoigner, puis toutes les autres au cours des siècles dans le cadre du grand Empire romain. Lorsque vint le décret de Constantin, le temps de l'épreuve ne fut pas pour autant révolu. L'heure du témoignage a sonné un jour ou l'autre en divers lieux du monde durant toute l'histoire de l'Eglise. Le baptême du sang s'est répété, ici ou là, à différentes époques. Par exemple, je pense en ce moment à l'Eglise de certains pays d'Asie où la moisson des martyrs ne semble pas moins abondante qu'au temps de l'Empire romain. Si nous regardons aujourd'hui la carte de la terre, nous pouvons indiquer sans difficulté où et comment est venue l'heure du témoignage pour telle ou telle Eglise.

« Mais l'appel au témoignage ne prend pas toujours la même forme. Il ne retentit pas toujours, pas exclusivement dans la persécution sanglante ou non sanglante de l'Eglise, de la religion, des croyants. Il y a sur la terre d'autres situations où témoigner ne consiste pas tant à défendre l'Eglise elle-même, sa mission, ses institutions, ses croyants qu'à *s'opposer* à l'injustice sociale, économique, politique, et à défendre la vie et la morale dans la législation.

« Si l'Eglise manquait à ce devoir d'opposition là où celle-ci est nécessaire, elle ne serait pas fidèle à sa mission prophétique et pastorale, elle n'interpréterait pas comme il doit l'être l'appel du Christ à la vigilance... Et cet appel ne nous mettra-t-il pas en garde d'une façon toute particulière contre les excès d'une liberté sans frein, et cette boulimie de biens matériels qui réduit les rapports sociaux à l'échange et à la consommation ?

« Je partage donc votre conviction que l'heure du témoignage approche pour les chrétiens. Je pense que l'on peut dire cela en tout temps. Nous devons en être conscients. Nous devons être conscients des temps et des lieux, non seulement pour comprendre et savoir, mais surtout pour veiller en commun. Pour être avec ceux qui souffrent passion et qui, de différentes façons, acceptent le défi et prennent des responsabilités... Au milieu de toutes ces épreuves nous devons sans cesse veiller à l'essentiel : rester une *Eglise qui aime !* »

Cependant, si le témoignage de sa foi peut être exigé de tout chrétien à tout instant de sa propre vie ou de celle de sa communauté, si l'Eglise tout au long de son histoire n'a pas été dispensée de témoigner un seul jour, n'est-il pas paradoxal qu'aujourd'hui tant de chrétiens, et non des plus tièdes, et non des moins convaincus, puisque certains sont même chargés en principe de convaincre les autres, s'interdisent de proclamer leur foi de crainte d'être taxés de prosélytisme ?

« Je vous répondrai brièvement. L'Eglise de notre temps doit être consciente — et elle est consciente — que sa mission irremplaçable, son devoir fondamental à l'égard de l'humanité et du monde est et demeure toujours et partout l'évangélisation. " Malheur à moi si je n'annonce pas l'Evangile ! " a dit un jour l'apôtre Paul. L'Eglise de toute époque doit se répéter les mêmes paroles, craindre le même " malheur ". Je crois que l'Eglise de notre temps l'a tout spécialement compris et exprimé sous le pontificat de Paul VI. Le concile Vatican II ne fut rien d'autre qu'une *magna charta*, une grande charte de disponibilité, pour l'annonce de l'Evangile au monde actuel. Par la suite, l'enseignement du concile a été encore traduit dans la langue de l'évangélisation concrète par le synode des évêques de 1974, puis par l'exhortation *Evangelii nuntiandi*[1].

« Telle est donc ma réponse à la question que vous suggèrent certains propos courants sur le prosélytisme, et cette réponse, c'est l'Eglise de l'évangélisation.

« Mais annoncer l'Evangile, ce n'est pas seulement proclamer que Jésus est le Christ, c'est aussi façonner sans cesse l'histoire de l'homme en puisant dans les richesses insondables de Celui " qui s'est fait pauvre pour nous, afin de nous enrichir par sa pauvreté[2] ". Evangéliser, c'est travailler en union avec le Christ, c'est travailler sans relâche à enrichir l'homme du Christ et dans le Christ. »

---

1. Où l'on peut lire ces lignes significatives : « L'homme d'aujourd'hui ne veut pas de maîtres, mais des témoins, et s'il accepte des maîtres, c'est parce qu'ils sont des témoins. »
2. Corinthiens II, VIII, 9.

LE MONDE

I

Ce siècle est l'un des plus meurtriers de l'histoire. Il patauge dans le sang depuis sa naissance, et il n'a pas achevé sa course. On trouve peu de consolation à penser que dans les temps anciens les tueries étaient aussi nombreuses et ne faisaient moins de morts que parce qu'il y avait moins de monde sur la terre. Ce genre de constat ne réconforte que la statistique.

Aujourd'hui, il n'est pas une seule région au monde qui ne recèle son foyer de guerre, de troubles, de tensions ou d'activités terroristes. Au conflit idéologique entre l'Est et l'Ouest s'ajoute l'antagonisme profond du Nord et du Sud, fait d'inégalité économique, de rancune postcoloniale et d'incompréhension mutuelle. Les relations entre les peuples reposent sur la volonté de puissance et l'intérêt, ce qui n'est pas nouveau ; ce qui l'est, c'est que le monde détient pour la première fois le moyen de se supprimer lui-même et de céder à cet attrait du néant auquel la religion seule peut l'empêcher de succomber. Or, la religion semble douter d'elle-même, la science également, et les idéologies dégradées se sont réduites elles-mêmes à leur plus simple expression policière. La crainte d'un conflit universel monte peu à peu : l'homme s'est enfermé dans l'histoire, et ne la domine pas. Il a cru à l'humanisme, à la science, au progrès, ou à toutes sortes d'idoles métaphysiques tombées les unes après les autres en poussière ; maintenant il ne croit plus à rien, et n'attend aucune lumière ou compassion d'un quelconque « ailleurs » spirituel. Cependant, du milieu de sa nausée, il ressent encore, parfois, une espèce d'aspiration douloureuse à un « autre chose » qu'il est incapable de nommer, et qu'il va souvent demander à diverses techniques ou mystiques plus ou moins suicidaires.

D'où ma première question à Jean-Paul II sur le monde : Le moment n'est-il pas venu de parler de Dieu aux hommes en clair, sans vains détours psychosociologiques, ou sans recourir à ces atténuations doctrinales qui ne sauvent une partie de la morale qu'en détruisant la fête chrétienne ?

« Saint Paul a répondu il y a bien longtemps en écrivant à Timothée : " Je t'adjure devant Dieu et devant le Christ Jésus qui doit juger les vivants et les morts, au nom de son avènement et de son règne : proclame la parole, insiste à temps et à contretemps[1]... "

« Ces mots de Paul : " Insiste à temps et à contretemps ", signifient qu'il faut toujours et partout parler de Dieu, lui porter témoignage, face aux hommes et face au monde — non seulement parce que telle est la mission et la vocation du disciple,

1. Timothée II, IV, 1-2.

mais parce que tel est le besoin le plus profond de l'homme et du monde : le monde et surtout l'homme dans le monde n'ont pas de sens hors de Dieu.

« En usant d'une terminologie encore plus objective, celle de la philosophie de l'être, on pourrait dire que le monde et l'homme existent dans la mesure où " est " Celui qui Est, selon la parole du livre de l'Exode[1]. C'est une vérité de tout temps, d'une actualité permanente, mais qui prend parfois une acuité singulière. Est-ce le cas de notre époque ?

« Je voudrais que nous gardions ici toutes les proportions nécessaires, et le sens de la relativité indispensable à toute constatation sur l'état de la conscience humaine. Je suppose que votre opinion : " L'homme a cru à l'humanisme, à la science et à toutes sortes d'idoles métaphysiques ", concerne certains milieux du monde contemporain. Si tous les hommes étaient concernés, il faudrait alors dire qu'ils le sont en tout cas très différemment. Il se pourrait que ceux qui ont le plus perdu la foi dans ces idéaux soient justement ceux qui l'avaient confessée le plus ardemment ; c'est en eux qu'elle semble défaillir le plus.

« Je comprends que cette foi " laïque ", selon vous, entendait éliminer la foi religieuse. Elle devait amener l'homme à croire au monde sans restriction, et à penser que son existence dans ce monde — avec tout ce que celui-ci pouvait lui offrir — constituait sa seule, totale et définitive destinée. Que tout le sens de sa vie était inclus dans cette unique dimension. Pour parler le langage de l'existence, plutôt que celui de la connaissance, il s'agissait de faire en

---

1. Voir « Les Mœurs », page 125.

sorte que l'homme s'abandonne et se fie totalement au monde, pour y réaliser ses idéaux d'humanisme, de science, de progrès.

« D'après vous, cette foi séculière, " laïciste " ou programmée comme telle, est en train de s'effondrer chez nos contemporains : il y aurait donc un besoin tout particulier, peut-être même ce que l'on pourrait appeler une chance et une excellente occasion de parler de Dieu, de témoigner de Dieu, d'une façon simple et claire, " sans vains détours ".

« Selon saint Paul et sa lettre à Timothée, ce besoin ne cesse jamais. La vérité doit être proclamée " à temps et à contretemps ". Et, si cela est aujourd'hui nécessaire plus que jamais, c'est moins parce que l'homme aurait perdu sa foi dans le Progrès, la Science, l'Humanisme, que parce qu'il y a nécessité de l'aider, précisément, *à ne pas perdre* cette foi en l'humanisme, la science, le progrès (que j'écris cette fois tout exprès sans majuscules, encore que celles-ci pourraient être employées sans inconvénient pour mon propos). Avec ou sans majuscules, l'humanisme, la science et le progrès nous parlent de l'homme, lui portent témoignage, rendent manifeste sa transcendance par rapport au monde. En eux, par eux, l'homme peut se réaliser " comme la seule créature de la terre que Dieu ait voulue pour elle-même ". Ainsi parle *Gaudium et Spes*. Et c'est pourquoi le livre de la Genèse désigne l'homme comme " image et ressemblance de Dieu ", ainsi que nous l'avons vu.

« Par conséquent, si la situation de l'homme dans le monde moderne — et surtout dans certains cercles de civilisation — est telle que s'écroule sa foi, disons sa foi laïque dans l'humanisme, la science, le progrès, il y a bien sûrement lieu d'annoncer à cet homme le Dieu de Jésus-Christ, Dieu de l'alliance, Dieu de l'Evangile, tout simplement pour qu'il retrouve par là le sens fondamental et définitif de son humanité, c'est-à-dire le sens proprement dit de l'humanisme, de la science, du progrès, qu'il ne doute pas, et qu'il ne cesse d'y voir sa tâche et sa vocation terrestres.

« Et d'autant plus s'il est vrai, comme vous le dites, qu' " au milieu de sa nausée, l'homme ressent plus que jamais une aspiration douloureuse à un 'autre chose' qu'il ne peut nommer " et qu'il va chercher là où il n'est pas.

« Dans la même lettre, après avoir exhorté Timothée à proclamer la parole " à temps et à contretemps ", saint Paul écrit : " Il viendra un temps où les hommes ne supporteront pas la saine doctrine mais, l'oreille leur démangeant, ils se donneront une foule de maîtres au gré de leurs désirs et se détourneront de la vérité pour se tourner vers les fables[1]. "

« Paul écrivait cela dès les premiers temps. Vingt siècles plus tard, on retrouve le même phénomène. Dans un autre contexte culturel, mais le même. »

Cependant « l'humanisme, la science, le progrès » ne sont que les différents articles du credo de la Raison érigée en divinité par les Français de la Révolution qui lui élevèrent une statue place de la Concorde, à Paris, en 1793. Il est vrai que le culte de la « déesse Raison » dura peu et n'est passé à aucun point de vue au rang des fêtes nationales, comme

1. Timothée II, IV, 3.

l'espéraient ses fondateurs. Il n'en est pas moins significatif, et c'est à lui — entre autres — que je pensais en parlant au saint-père d' « idoles métaphysiques » : la Raison aura été adorée quelque temps par des incrédules qui croyaient finalement à beaucoup de choses, et que le malheureux état du monde a amenés à constater que la raison ne suffit pas toujours à construire une sagesse. Mais, et c'est ma question au pape, d'où vient que les hommes, créatures raisonnables, fassent preuve d'une telle inaptitude à régler raisonnablement leur vie, leurs rapports et leurs actes ?

« Oui, pourquoi l'homme, cet être raisonnable, agit-il de façon déraisonnable ? Question de fond, passionnante, et passionnant problème d'éthique et d'anthropologie existentielle. Question immémoriale aussi ! Je pense qu'elle occupe une bonne partie de la littérature universelle. Et elle ne cesse de ronger l'homme jour après jour, car à chaque pas il se heurte à cette contradiction intime, c'est sur elle et par elle qu'il bute et tombe sans cesse.

« Elle est éloquente, la convergence entre les vers d'Ovide : " Je vois le meilleur, et pourtant c'est au pire que je vais ", et le déchirement de saint Paul : " Nous savons que la loi est spirituelle ; mais moi, je suis un être de chair vendu au péché. Je ne comprends pas ce que je fais ; car je ne fais pas ce que je veux, mais ce que je hais [...] J'ai la volonté, mais non le pouvoir d'accomplir le bien... Je ne fais pas le bien que j'aime, et je fais le mal que je hais [...] Or si je fais ce que je ne veux pas ce n'est pas moi qui le fais, mais le péché qui m'habite. Je constate en moi cette loi : quand je veux faire le bien, le mal s'impose à moi, car si dans mon être l'homme intérieur aime la loi de Dieu, une autre loi dans mes membres lutte contre la loi de ma raison et m'enchaîne au péché. Malheureux que je suis[1] ! "

« Il s'agit donc d'un problème vieux comme le monde et d'ordre universel. Pour amener la réponse de la foi chrétienne, je commencerai par vous citer un passage de *Gaudium et Spes,* concis et synthétique. C'est le chapitre consacré à la dignité de la personne, et qui s'ouvre sur ces mots : " Croyants et incroyants sont généralement d'accord sur ce point : tout sur terre doit être ordonné à l'homme comme à son centre et à son sommet.

« Mais qu'est-ce que l'homme ? Sur lui-même, il a proposé et il propose encore des opinions multiples, diverses et parfois opposées. Souvent, ou bien il s'exalte lui-même comme une norme absolue, ou bien il se rabaisse jusqu'au désespoir. D'où ses doutes et ses angoisses. » Après avoir rappelé l'enseignement de l'Ecriture selon lequel l'homme créé à l'image de Dieu est capable de connaître et d'aimer son Créateur, et a reçu pouvoir sur toutes les créatures terrestres, pour les dominer en glorifiant Dieu, la même constitution conciliaire pose ce redoutable diagnostic : " Cependant l'homme, établi par Dieu dans un état de justice dès le commencement de l'histoire, séduit par le Malin, a abusé de sa liberté pour se dresser contre Dieu et parvenir sans lui à sa fin. Ayant connu Dieu, les hommes ne lui ont pas rendu gloire, mais leur cœur inintelligent s'est enténébré, et ils ont servi la créature de préférence au Créateur : ce que la Révélation divine nous découvre, notre expérience le confirme ", et il

1. Romains, VII, 14-15 ; 18-24.

est vrai que le témoignage de l'expérience humaine et la voix de la Révélation se rejoignent ici de façon admirable, comme en témoigne la convergence entre les paroles d'Ovide et celles de saint Paul que je viens de citer.

« Que dit donc l'expérience, confirmée, interprétée et élucidée par la Révélation et la foi chrétienne ? Ceci, que l'on trouve dans le même texte du concile[1] : " L'homme, s'il regarde au-dedans de son cœur, se découvre enclin aussi au mal, envahi par une foule de maux qui ne peuvent provenir de son Créateur, qui est bon. Refusant souvent de reconnaître Dieu comme son principe, l'homme, par là même, a brisé l'ordre qui l'orientait vers sa fin dernière ; du même coup, il a rompu toute harmonie, que ce soit par rapport à lui-même ou par rapport aux autres hommes et à toute la création. *Voilà pourquoi l'homme en lui-même est divisé.* "

« C'est bien cela. Ces paroles sont d'une éloquence singulière : l'homme est déchiré.

« Notez qu'il ne s'agit pas seulement de la contradiction dialectique entre la " nature raisonnable " et l' " action déraisonnable ", mais de l'état lui-même dans lequel l'homme se trouve, de sa situation intérieure, confirmée et amplifiée par l'expérience extérieure, l'expérience du monde : il est divisé entre ce qu'il fait sans le vouloir, et ce qu'il ne fait pas, tout en le voulant. Ce qui est en lui est moins une contradiction qu'une disproportion.

« Notre texte conciliaire poursuit : " C'est pourquoi toute vie humaine, individuelle ou collective, se manifeste comme une lutte dramatique entre le bien

1. *Gaudium et Spes,* 12, 13.

et le mal, entre la lumière et les ténèbres. " Il conviendrait d'ajouter ici que cette lutte entre le bien et le mal confère à la vie humaine le caractère d'une *épreuve.* Elle est une épreuve morale, d'où sa beauté spécifique. Dans une certaine mesure, l'épreuve donne un sens à notre existence : en elle nous percevons l'appel du Christ à réaliser le Royaume de Dieu sur cette terre. »

Ce qui vient de nous être rappelé par le concile et par le pape, c'est la doctrine du péché originel sur laquelle certain enseignement religieux d'aujourd'hui glisse avec des prudences de serpent. Pourtant cette condition pécheresse se reconduit depuis le commencement du monde, d'âge en âge, de génération en génération et d'un homme à l'autre : il est la cause de cette déchirure que chacun peut constater en soi et qui le laisse divisé « entre le bien qu'il aime et le mal qu'il fait », règle à laquelle n'échappent que les esprits assez enfoncés dans l'erreur pour se croire parfaits, comme le pharisien de la parabole, ou pour s'imaginer que nul ne saurait être meilleur, comme le Jean-Jacques Rousseau des *Confessions* convoquant ses semblables au tribunal du Jugement dernier et les mettant au défi de produire un seul dossier plus honorable que le sien. Ce genre d'aberration mis à part, la loi commune est bien celle du déchirement, cruel comme une blessure que par la foi le Christ seul peut guérir.

Mais il est venu dans le monde, « et le monde ne l'a pas reçu ».

Il a dit : « Je suis la voie, la vérité, la vie. » Or le monde ignore cette voie, nie la vérité et détruit la vie. Que peut-il espérer ?

« Pour commencer, une petite remarque. Les paroles du Christ que vous venez de citer ont donné lieu à différentes interprétations. De l'histoire des commentaires de ce texte, il résulte que les Pères grecs et avec eux saint Ambroise et saint Léon voyaient en Jésus la *voie* et la *vérité* menant à la *vie* éternelle. Pour Clément d'Alexandrie, Augustin et la plupart des Pères latins, Jésus-*voie* conduit à l'éternelle vérité et à la vie éternelle. Thomas d'Aquin et les commentateurs du Moyen Age entendaient que le Christ est *voie* en tant qu'homme, *vérité* et *vie* en tant que Dieu. C'est aussi la pensée de certains modernes, comme Lagrange. D'autres précisent : Le Christ est voie, *c'est-à-dire* vérité et vie. La notion de *voie,* essentielle ici, signifie que le Christ seul est médiateur du salut, norme et modèle dans le sens moral et *accès* au Père. Il est voie en tant que révélation du Père aux hommes, donc en tant que vérité incarnée : par la connaissance de cette vérité, l'homme parvient à la *vie,* soit également au Christ. Le Christ est donc *voie* et en même temps terme de cette voie ; c'est à lui qu'elle conduit.

« Or, vous dites : " Le monde ignore cette voie, nie la vérité et détruit la vie. " Et vous avez ajouté : " Que peut-il espérer ? "

« Cette question a déjà reçu sa réponse. Tout d'abord lorsque Jésus, au quarantième jour de sa vie, fut porté dans le temple de Jérusalem pour le rite de la purification, le vieillard Siméon le salua de ces mots : " Cet enfant est destiné à amener la chute et le relèvement d'un grand nombre en Israël ; il doit être un signe en butte à la contradiction[1]. " Cependant, ces paroles de Siméon ne font qu'annoncer la réponse. La réponse essentielle à votre question se trouve également dans l'Evangile : c'est la Croix.

« Dans la Croix s'accomplissent entièrement les paroles de Siméon.

« Elle est, à travers toute l'histoire humaine, le signe révélateur de cette contradiction avec le monde qui accompagne le Christ depuis le commencement.

« " Le monde ignore cette voie, nie la vérité et détruit la vie ", avez-vous dit. L'assertion est juste, mais en partie seulement. Car c'est un fait que, en même temps, le Christ, par la Croix, est resté dans le monde et y demeure toujours. Il y demeure à jamais. *Stat crux dum volvitur orbis :* le monde roule, la Croix demeure. Ce n'est pas tout. Car si la Croix fixe la répulsion du monde pour " la voie, la vérité, la vie ", il n'en reste pas moins que dans cette même Croix, en elle et en elle seulement, ce même monde est toujours accepté par Dieu comme le lieu du règne, de la vérité et de la vie dont le Christ est la voie. A l'intérieur du monde qui le refuse, le Christ bâtit son royaume qui dépasse le monde.

« Ainsi votre question sur ce que le monde peut espérer trouve sa réponse. Celle-là est à tirer de la Parole révélée, dans les profondeurs de l'économie divine. C'est évidemment la réponse de la foi. Elle ne vient pas du monde, mais du cœur de l'Evangile. »

1. Luc, II, 34.

II

Derrière nous un monde s'enfonce qui n'est autre que l'univers contemplatif du Moyen Age, dont les puissantes ondes religieuses, puis culturelles, se sont prolongées jusqu'à nous en nous apportant à la fois le sens de l'intelligibilité du monde, le sens moral, l'intuition d'une harmonie universelle et l'espoir d'une destinée éternelle de l'être humain.

Tous ces biens spirituels nous venaient de Dieu, dont la présence au centre des pensées de l'homme agit comme un irremplaçable principe d'unité et de communion.

Ce sont les restes de ce monde rassemblé autour de la cathédrale qui sont en train de disparaître, et qu'il est vain d'essayer d'arracher à la nuit de l'histoire.

Devant nous, un autre monde, un monde nouveau, fondé non plus sur la contemplation de Dieu mais sur un pur système de relations dialectiques, apparaît peu à peu, encore dépourvu de structures saisissables et comme à l'état gazeux. Dans l'intervalle où nous sommes aujourd'hui, nous avons perdu les points d'appui intellectuels et moraux du monde passé, et le monde qui se forme ne nous offre encore aucune prise ; nous marchons littéralement sur les eaux, ce qui ne demande qu'une chose, qui, précisément, commence à nous faire défaut : la foi.

Je demande au saint-père si cette vue des choses est juste, ou fausse :

« Votre image de départ est belle et vraie — mais elle est, disons, " localisée ". Je veux dire qu'elle a sa place dans la pensée de tout homme occidental, d'un Européen, d'un Français. Elle est très suggestive... En vous écoutant, je me représentais la beauté de la cathédrale médiévale, autour de laquelle se formait la vie humaine : " l'univers contemplatif au Moyen Age... le sens de l'intelligibilité du monde, le sens moral, l'intuition d'une destinée éternelle de l'être humain ", etc. C'est vrai, nous portons en nous cette image, nous avons grandi avec elle et elle dure, elle continue à vivre en nous d'une certaine façon...

« Pourtant, ce n'est qu'une image partielle, étrangère à un Américain du Nord ou du Sud, et combien davantage à un Africain, à un Oriental, à un homme du continent asiatique.

« Lorsque le concile dut s'attaquer au sujet : " L'Eglise dans le monde de ce temps ", il fallut bien admettre que ce " monde humain " est fait de nombreux mondes différents, qui tout en étant proches, sont sous bien des rapports fort éloignés les uns des autres. Ce qui n'a pas empêché le concile de définir la " situation de l'homme dans le monde moderne " de façon cohérente et convaincante.

« Quel est ce monde vers lequel nous allons ?

« Je crois que depuis le concile la " situation de l'homme dans le monde de ce temps " a encore changé, bien que les modifications qu'elle ait subies se placent dans le cadre d'une même époque.

« La nature de ce monde vers lequel nous nous acheminons — et que vous percevez comme " dépourvu de structures " et encore " à l'état gazeux " — relève de cet avenir que nous affrontons comme une inconnue.

« Nous avons des raisons de redouter cet avenir. Nous avons des raisons de craindre que le visage qu'il nous dévoilera ne soit plus terrible que tout ce que nous connaissons du passé.

« Vous dites que nous marchons sur les eaux, comme Pierre à qui le Christ avait ordonné de quitter sa barque pour venir à lui en marchant sur les vagues[1]. Mais, si la foi est indispensable pour marcher sur les eaux, nous devons chercher sans cesse telle forme de foi qui soit à la mesure d'un monde qui se renouvelle sans cesse, et non pas seulement à la mesure d'un passé que nous avons quitté sans retour. Il nous serait, du reste, difficile de nous identifier avec ce monde d'autrefois que par ailleurs nous admirons ; nous aurions du mal à vivre dans un monde d' " avant Copernic ", d' " avant Einstein "... et même d' " avant Kant ".

« Je pense que le concile a rempli sa tâche en montrant un visage de la foi chrétienne à la mesure du monde d'aujourd'hui. Et du monde de demain.

« Mais parmi les textes conciliaires, il en est un aussi qui n'est pas à oublier : " L'Eglise considère également qu'au fond de tous les changements existent bien des choses qui ne changent pas, puis-

1. Matthieu, XIV, 28-31 : « Pierre lui dit : " Seigneur, si c'est toi, ordonne que j'aille vers toi sur les eaux. " Jésus lui dit : " Viens ! " Alors Pierre sortit de la barque et marcha sur les eaux pour aller vers lui. Mais voyant que le vent était fort, il eut peur ; et comme il commençait à s'enfoncer il cria : " Seigneur, sauve-moi ! " Aussitôt, Jésus étendit la main, le saisit et lui dit : " Homme de peu de foi, pourquoi as-tu douté ? " »

qu'elles ont leur fondement ultime dans le Christ, le même hier, aujourd'hui et à jamais[1]. " »

On aura retenu la phrase sur ce monde à venir qui pourrait bien présenter « un visage plus terrible que tout ce que nous avons connu dans le passé » ; et nous lui voyons en effet dès maintenant quelques traits crispés par la violence ou blêmis par une espèce de « complot de la mort » qui fait de nous des hommes sans pitié pour les enfants à naître, enclins à l'euthanasie prématurée ou prêtant une oreille charmée à tous les plaidoyers en faveur du suicide, conformément à la parole de l'Ecriture : « Ils se sont fait de la mort une amie... » Sur tout cela plane une menace atomique dont le pouvoir destructeur est évalué à 4,5 tonnes d'explosif classique par habitant de la planète. A vue humaine, ce monde, que la raison ne suffit pas à raisonner, va plutôt à sa perte que vers des accomplissements glorieux.

A-t-il une dernière chance d'échapper à la logique de mort à laquelle il s'enchaîne peu à peu ?

« Le monde où nous vivons est profondément marqué par le péché et par la mort.

« Votre tableau souligne l'extrême tension actuelle des puissances du péché et de la mort, et les graves menaces accumulées sur un monde qui, en dépit de toutes les conquêtes du génie humain, réunit tout ce qu'il faut pour en venir à sa propre destruction. Ce monde-là risque de devenir un monde inhumain, notre siècle nous a fourni de multiples raisons de le craindre.

1. *Gaudium et Spes*, 10.

« Mais, en même temps, c'est un monde racheté ; un monde où s'est manifesté un amour plus puissant que le péché et la mort. Cet amour y est toujours présent et ne cesse d'y agir.

« Cet amour est l' *ultime réalité.*

« Non seulement il nous dévoile la perspective d'une plénitude de vie et de bien comme fin dernière et signification de l'existence de l'homme en Dieu, mais encore dans le monde, dans *ce* monde cet amour ne cesse de transformer les cœurs et les actes des hommes — des hommes vivants, des hommes pécheurs.

« Notre monde est dans le temps. Il ne cesse de tendre à sa fin. Mais tant qu'il existera, cet amour qui est aussi miséricorde travaillera inlassablement à rendre ce monde humain toujours plus humain.

« Il m'arrive souvent de vous répondre en me référant au concile. La tournure " rendre ce monde plus humain " se répète à plusieurs reprises et sous de nombreuses formes analogues dans la constitution *Gaudium et Spes,* dite " pastorale ". Pour autant que je connaisse l'histoire de Vatican II, c'est Jean XXIII qui a eu l'idée de compléter le magistère du concile, précisément par la constitution sur l'Eglise dans le monde de ce temps.

« J'ai participé plus tard aux travaux destinés à préparer cette constitution : je pense que dans maint passage, elle reflète la situation de notre monde, qui, comme jamais peut-être jusqu'à ce jour, apparaît à la fois puissant et faible, capable du meilleur et du pire, et qui voit s'ouvrir devant lui le chemin de la liberté ou de la servitude, du progrès ou de la régression, de la fraternité ou de la haine. Ces paroles se trouvent dans *Gaudium et Spes*. Avec celles-ci : " L'homme prend conscience que de lui dépend la bonne orientation des forces qu'il a mises en mouvement, et qui peuvent le servir ou l'écraser. "

« Ainsi parle le concile. S'il en est autrement, si l'homme ne se rend pas compte, s'il ne prend pas suffisamment conscience de ce que l'on vient de dire, à savoir que la bonne orientation des forces qu'il a mises en mouvement dépend *encore* de lui, alors le devoir de l'Eglise est sûrement de le lui rappeler. De ne jamais se relâcher de ses efforts pour rendre ce monde " plus humain ". Et pour rapprocher de nous le règne de la justice, de la vérité, de la liberté et de l'amour, cela appartient et a toujours appartenu à l'essence même de l'évangélisation. Telles sont aussi les vues de la constitution pastorale de Vatican II dont le projet est né dans le cœur et la pensée du pape Jean dans les derniers mois de sa vie. »

L'intelligence et le pessimisme forment un ménage disgracieux, mais solide. Le discernement amène, en général, avec lui, plus de larmes que de joies. Ce n'est pas le cas chez le pape. La lucidité de ses jugements est bien établie, et pourtant son « optimisme » frappe tous ceux qui le rencontrent (ce qui reste du mien repose sur sa seule présence à la tête de l'Eglise). Pourquoi ? A vrai dire, il a déjà indirectement répondu dans les alinéas qui précèdent : son esprit prend à tout moment en compte la totalité de l'histoire — et non pas seulement le fragment d'époque que nous sommes en train de vivre — depuis l'acte créateur de Dieu jusqu'à l'accomplissement final de l'humaine destinée, de la

Genèse à la nouvelle Jérusalem où il sera enfin répondu par l'amour à l'amour. Il ne lit pas l'histoire par épisodes, ce qui incline invariablement aux constats de faillite ; il la prend dans son ensemble, fins dernières comprises, telle que la Révélation nous invite à la lire, et il en recule l'horizon jusqu'au soleil de l'ultime vérité qui éclaire pour lui jusqu'aux passages les plus sombres du lent et douloureux cheminement de l'humanité de ce monde où elle meurt à l'autre, où elle vivra.

Je sais, mais je pose tout de même ma question. Lisant ce qu'il va dire, on sera peut-être tenté de croire qu'il répond « à côté ». Il n'en est rien. Sa réponse est celle de l'humilité, et elle lui est dictée par sa confiance absolue dans la parole du Christ. Son « optimisme » est une variante fraternelle de son acte de foi :

« Depuis longtemps, j'aime à méditer ces mots du Christ à l'apôtre Pierre : " Confirme tes frères. " Luc, seul, les rapporte. Nous ne les trouvons ni chez Matthieu ni chez Marc, qui se bornent à annoncer le reniement de Pierre et à raconter ce reniement lui-même, relaté par les Quatre Evangélistes. Nous lisons chez Luc ces paroles du Christ prononcées, semble-t-il, dans la nuit de Gethsémani ou peut-être sur le chemin du mont des Oliviers : " Simon, Simon, voici que Satan vous a réclamés pour vous cribler comme le froment. Toi donc, quand tu seras converti, affermis tes frères [1]. "

« J'ai souvent pensé à ces paroles, et davantage encore à tout leur contexte.

« Le Christ dit : " Affermis " à un homme qui ne

1. Luc, XXII, 32.

s'est nullement montré fort, bien qu'il fût persuadé qu'il ne décevrait jamais son Maître. Il lui dit : " Affermis ", et tout de suite après il oppose à sa belle assurance l'annonce de la déception qu'il va lui causer ; car à Pierre qui dit : " Seigneur, je suis prêt à aller avec toi et en prison et à la mort ", le Christ répond : " Pierre, je te le dis, le coq ne chantera pas aujourd'hui que tu ne m'aies renié trois fois. "

« Ainsi donc, en disant : " Affermis tes frères ", le Christ ne fondait pas cette consigne sur les qualités particulières de Pierre. Humainement parlant, Pierre n'était pas spécialement apte à " affermir " les autres, malgré tout son enthousiasme et sa bonne volonté. Après la Résurrection, lorsque le Christ lui demande à trois reprises : " M'aimes-tu plus que ceux-ci ? ", il n'hésite pas à répondre, en dépit de la nuit tragique dans la cour du grand prêtre : " Seigneur, tu sais que je t'aime. " Je pense qu'il avait en lui la caution voulue pour le dire.

« Notez qu'il ne dit pas : " Je t'aime plus que ceux-ci ", mais simplement : " je t'aime. ". Et il ne s'appuyait pas sur sa propre conviction, mais sur ce que le Christ savait de lui : " Seigneur, *tu sais* que je t'aime. "

« En cette dernière nuit, sur le chemin du mont des Oliviers, le Seigneur lui avait dit : " J'ai prié pour toi, pour que ta foi ne défaille pas. "

« Eh bien, elle n'a pas défailli. Non, elle n'a pas défailli, malgré le triple reniement. Ni à Jérusalem, ni à Antioche, ni à Rome, ni jamais jusqu'à sa mort, sur la colline du Vatican, au temps de Néron.

« Pierre savait que si sa foi " ne défaillait pas ", s'il pouvait " affermir ses frères ", c'est parce que le Maître priait pour lui, dans une intercession... qui dure encore... De plus, à l'heure du danger, alors qu'il était emprisonné par Hérode et déjà condamné à mort, toute l'Eglise priait pour lui, comme le rapportent les Actes des apôtres. Elle priait, comme si elle devinait les intentions du Christ...

« Pourquoi vous dis-je tout cela ? Parce que je ne saurais répondre autrement à votre question, qui me gêne un peu...

« Il est bon que les Evangiles racontent l'histoire intérieure de Simon-Pierre, l'histoire de la faiblesse humaine où se révèle la puissance du Christ.

« Et combien de témoignages de cette même vérité chez l'apôtre Paul, témoignages écrits, si l'on peut, ainsi dire, avec le sang vif de son cœur ! »

III

Si le pape ne voyageait pas, on le taxerait d'indifférence à l'égard du monde et des affaires humaines, on lui reprocherait de vivre en monarque dans son palais et d'ignorer son temps. Comme il voyage, on lui reproche de voyager, de quitter Rome trop souvent, de négliger par là même le gouvernement de l'Eglise pour aller cultiver dans les cinq continents une popularité qui ne saurait être que de mauvais aloi ; car les mêmes qui ne parlent que de « peuples » et de « masses » méprisent les foules, quand ce n'est pas la haine qui les rassemble ; les mêmes qui adjurent l'Eglise d'aller au monde la blâment quand elle y va ; les mêmes qui se préoccupent tant de se faire entendre des « hommes de ce temps » s'irritent quand « les hommes de ce temps » se réunissent pour écouter le pape. Il y aurait beaucoup à dire sur la mentalité de ces nouveaux pharisiens qui ne s'intéressent au peuple que sous la forme abstraite qu'il prend dans le discours idéologique, et qui n'ont pas assez de quolibets pour railler l' « ignorance » et la « naïveté » des cœurs simples qui accourent au passage de Jean-Paul II ; je les soupçonne de se soucier moins de remplir les églises que de les vider de leurs derniers fidèles, à leurs yeux mal instruits, pour rester entre connaisseurs et dégustateurs de la pure doctrine, qu'ils sont seuls à connaître.

Mais ce n'est pas mon propos d'analyser l'état d'esprit élitiste et gnostique de ces étranges évangélisateurs qui parlent grec au monde moderne, sous prétexte que le latin n'est plus compris, et qui n'ont qu'à prononcer le mot « fête » pour que tout le monde comprenne que l'on va s'ennuyer à mourir. Je préfère savoir du pape lui-même pourquoi il met tant de hâte à parcourir le monde, comme s'il lui restait peu de temps pour rassembler le troupeau des bonnes volontés avant l'orage, comme si quelque « état d'urgence » était proclamé. On lui prête ce mot : « Il faut voyager pour vivre, et vivre pour voyager. » Je lui demande s'il l'a bien prononcé :

« Je ne m'en souviens pas, et j'ai peine à le croire, mais enfin, ce n'est pas exclu.

« Quant à mes voyages — accomplis dans le cadre de mon service apostolique —, voici ce qu'il en est.

« Tout d'abord, ce n'est pas moi qui ai ouvert ce chapitre. Il l'a été par mes deux grands prédécesseurs, les papes de Vatican II, et surtout Paul VI. Mais, déjà Jean XXIII avait laissé entendre que le pape ne doit pas seulement être visité par l'Eglise, mais qu'il doit lui-même la visiter. Malgré ses quatre-vingts ans, il a fait le premier pas en ce sens en allant au sanctuaire de Notre-Dame-de-Lorette, avant l'ouverture du concile. Quant à Paul VI, les voyages ont été au programme de tout son pontificat : je me rappelle encore avec quel enthousiasme les pères du concile ont appris son projet de pèlerinage en Terre sainte, à la fin de la deuxième session de l'assemblée. Il ne pouvait mieux commencer.

« Ainsi donc ai-je trouvé déjà ouvert ce chapitre de l'histoire du ministère pontifical. J'ai été bientôt convaincu qu'il fallait lui donner une suite. Comment un pape relativement jeune et jouissant en général d'une bonne santé [1], n'aurait-il pas assumé à son tour ce service d'Eglise, et suivi l'exemple donné par un pape octogénaire et un Paul VI déjà très âgé et de santé délicate ?

« La première fois, j'ai dû me décider très vite à cause du congrès des épiscopats d'Amérique latine à Puebla, où la présence du pape était escomptée. Dès le mois de janvier 1979, je me suis rendu au Mexique. Ensuite, j'ai visité ma patrie à l'occasion de ce neuvième centenaire de la mort de saint Stanislas, que j'avais préparé de longue date en tant qu'archevêque de Cracovie. Ont suivi d'autres visites que je ne cite pas, elles sont connues. Si Dieu le

---

1. Cet « en général » peut passer aujourd'hui pour une allusion teintée d'humour au séjour à l'hôpital Gemelli. On verra dans le dernier chapitre de ce livre comment la vigueur de son organisme a permis à Jean-Paul II de guérir trois fois en une dizaine de jours de deux opérations et d'une agression virale.

permet, je me rendrai à la plupart des invitations que j'ai reçues.

« Cela dit dans une certaine mesure pour me justifier. Voici maintenant la raison profonde de ces voyages.

« Il me faut remonter à mon expérience épiscopale de plus de vingt ans. Durant cette période, j'attachais une importance toute spéciale à la visite des paroisses. Ces visites, à mes yeux essentiellement pastorales, étaient destinées à aider les communautés à faire plus à fond l'expérience de l'unité chrétienne et à se retrouver, grâce à la présence de l'évêque, dans la pleine dimension de l'Eglise, non seulement locale, mais universelle. Je l'ai souligné maintes fois dans les allocutions qu'il m'a été donné de prononcer. Pour les pasteurs, ces visites étaient également l'occasion et le moyen de rassembler plus étroitement leurs paroisses, ce qui est l'une des fonctions fondamentales de tout pasteur d'âmes : rassembler sa communauté. A la messe, la troisième prière eucharistique le proclame en termes très beaux : Que Dieu rassemble son peuple de l'Est à l'Ouest, par le Christ, dans la puissance de l'Esprit saint. Donc, en tant que pasteur d'âmes, le prêtre doit rassembler le peuple de Dieu au nom du Christ. D'autant plus l'évêque. Ici, notre premier modèle, ce sont les apôtres et, surtout, saint Paul.

« Lorsque j'ai eu, en 1976, l'occasion de prêcher la retraite pascale au Vatican à l'invitation de Paul VI, j'ai parlé des visites de la paroisse comme d'une " forme singulière de pèlerinage au sanctuaire du peuple de Dieu ". J'ai retrouvé, pleinement confirmée, cette pensée dans la constitution *Lumen gentium*.

« Au cours de la retraite de la chapelle Sainte-Mathilde, au Vatican, j'ai tracé l'image de l'évêque en visite pastorale dans une paroisse. Celle-ci n'est pas seulement une cellule administrative de son diocèse, c'est une communauté du peuple de Dieu participant à la triple fonction du Christ, dont nous avons déjà parlé, et portant en elle, avec toutes les faiblesses humaines, tous les péchés, toutes les carences, les attributs de la " royauté " qu'Il lui a conférés. Il faut *ressentir* cette royauté, cette dignité, qui se manifestent chez les jeunes recevant le sacrement de confirmation, chez les époux qui renouvellent en présence de l'évêque l'engagement sacramentel de la bénédiction conjugale, chez les malades et les personnes âgées qui reçoivent leur pasteur chez elles ou dans les hôpitaux et se recueillent avec lui dans la prière. Cette dignité, cet aspect royal vient du Christ, qui a conféré " la royauté et le sacerdoce[1] " à tout le peuple de Dieu. Cela est sensible dans ces rencontres où l'ambiance solennelle est cependant empreinte de chaleur humaine.

« Plus la vie des hommes, des familles, des communautés et du monde devient difficile, plus il est nécessaire qu'ils prennent conscience de la présence du Bon Pasteur " qui donne sa vie pour ses brebis ". L'évêque visitant les communautés paroissiales est un authentique pèlerin qui, à chacune de ses visites, se rend dans un autre sanctuaire du Bon Pasteur.

« Le peuple de Dieu est ce sanctuaire, le peuple qui participe au sacerdoce royal du Christ. Et chaque homme est ce sanctuaire, dont le mystère ne

1. Apocalypse, I, 6.

s'éclaire et ne se dévoile dans toute sa plénitude que " dans le mystère du Verbe incarné ".

« Voilà une première réponse à votre question. »

Le monde est sa paroisse. Le peuple de Dieu, ou tout fragment du peuple de Dieu, est un sanctuaire du Christ. Et tout être humain, aussi, *est un sanctuaire.* Aussi Jean-Paul II appelle-t-il ses déplacements des *pèlerinages ;* aussi baise-t-il la terre des pays où il vient d'entrer ; aussi, n'y aurait-il plus au monde qu'un berger perdu dans la cordillère des Andes qu'il irait encore le chercher, car cet homme à ses yeux serait l'Eglise, cet homme aurait reçu l'investiture du Christ, cet homme serait sacré. Cette vision de l'humanité n'est pas celle des idéologies régnantes, pour lesquelles l'homme est fort éloigné d'être un tabernacle. Mais un pape qui va dans le monde avec ces pensées, osera-t-on encore parler à son propos de « vedettariat » ?

« Si après Paul VI j'ai trouvé pour ainsi dire ce chapitre des voyages grand ouvert, j'ai continué de l'écrire en m'appuyant sur mes conceptions personnelles, formées durant l'étape précédente de ma vie. Et ces conceptions du service épiscopal mises en pratique à Cracovie valaient aussi bien à Rome pour le ministère pontifical. Le développement des moyens de communication créait des conditions particulièrement favorables pour les appliquer, et le besoin auquel elles répondent s'était fait de plus en plus explicite. Il me semble même que la vie de l'Eglise postconciliaire a changé ce besoin en impératif, ayant valeur de commandement et d'obligation de conscience.

« Je sens très profondément la multiplicité des

Eglises dans l'Eglise une, multiplicité non seulement quantitative mais qualitative résultant de nombre de facteurs et de circonstances. N'est-ce pas la tâche du successeur de Pierre de faire en sorte que cette Eglise, dans sa multiplicité, s'assemble autour du Christ dans son unité visible ? Je remercie la Providence de m'avoir ouvert tant de voies vers les sanctuaires du peuple de Dieu ; conscient de mon indignité et de ma faiblesse, je la prie de me donner la force de remplir ce service comme il convient.

« J'ajouterai ces paroles de l'apôtre dans sa lettre aux Romains : " Dieu que je sers de tout mon esprit, Dieu m'est témoin que je ne cesse de faire mention de vous en demandant constamment dans mes prières d'avoir enfin, s'Il le veut, une occasion favorable d'aller vers vous. Car j'ai un vif désir de vous voir, afin de vous communiquer quelque don spirituel propre à vous affermir et pour nous réconforter mutuellement par notre foi commune, la vôtre et la mienne[1]. "

« Si je devais souligner quelques mots de cette lettre, je citerais " le désir de vous voir [...] pour nous réconforter mutuellement par notre foi commune ". Je pense qu'à vrai dire ces paroles expliquent tout et répondent à votre question.

« Vous me ferez peut-être observer que je n'ai rien dit de l'état d'urgence dont vous avez parlé, manière de donner à entendre que la " cote d'alerte " serait atteinte. A mon avis, mieux vaudrait parler de " situation pressante ". Ce serait plus proche de saint Paul et de l'Evangile. »

---

1. Romains, I, 9-12.

Entrepris dans cet esprit, tous les voyages du pape sont évidemment importants. Quelques-uns cependant ont été remarqués plus que d'autres, comme ceux du Brésil, de Pologne, de France, d'Afrique, et d'Angleterre. Du Brésil, car, nous l'avons déjà dit, tous les problèmes de l'Eglise de demain se posent dès aujourd'hui dans cet immense pays qui constituera peut-être à lui seul, dans trente ou quarante ans, la moitié du peuple chrétien ; de Pologne, car beaucoup pensent que le christianisme nous reviendra, un jour, de l'Est, et tous étaient curieux de voir l'enthousiasme d'un pays où les joies se font rares et qui, depuis l'élection de Jean-Paul II compte en somme 800 millions d'habitants ; d'Afrique où la foi chrétienne retrouve une nouvelle jeunesse ; d'Angleterre, pour les raisons que je dirai plus loin ; enfin de France, car la France se lit à livre ouvert, les Français ayant l'habitude de s'exprimer en clair et de légiférer soigneusement sur tout, y compris sur l'absurde, si bien qu'il est peut-être plus facile en France qu'ailleurs de se faire une idée de l'état des esprits. Je demande au saint-père s'il partage ce point de vue. Il va me faire une réponse de caractère général :

« Je viens de lire un article où l'auteur, des années après, s'efforce d'établir le bilan du concile. L'une de ses expressions m'a frappé. Pour lui, par Vatican II, l'Eglise est devenue bien plus qu'auparavant " une Eglise du monde entier ". Je pense que cette formule se rattache moins à la constitution pastorale consacrée à l'Eglise dans le monde de ce temps, qu'à la constitution dogmatique *Lumen gentium,* et surtout au chapitre relatif au peuple de Dieu :

« *Tous les hommes sont appelés à former le nou-*

veau peuple de Dieu. Par conséquent, sans cesser d'être un et unique, ce peuple doit s'étendre au monde entier et à tous les siècles, afin que s'accomplisse le dessein de Dieu qui, au commencement, créa la nature humaine une *et qui voulut ensuite rassembler en un seul corps ses enfants dispersés. A cette fin, Dieu envoya son Fils, qu'il constitua héritier de toutes choses pour être maître, roi et prêtre de l'univers, chef du peuple nouveau et universel des fils de Dieu. C'est aussi à cette fin que Dieu envoya l'Esprit de Son Fils seigneur et vivificateur, qui est pour toute l'Eglise et pour chacun des croyants principe de réunion et d'unité dans l'enseignement des apôtres, la relation mutuelle, la fraction du pain et la prière. Ainsi, l'unique peuple de Dieu est présent à tous les peuples de la terre, adoptant dans toutes les nations les citoyens de son royaume qui n'est pas de la terre, mais du ciel.*

« Je viens de vous citer *Lumen gentium.* Développant sa pensée sur le caractère universel de l'Eglise, le concile évoque ensuite, non seulement la communauté catholique, mais tous ceux " qui ont l'honneur de porter le beau nom de chrétiens ", et ceux-là mêmes qui, n'ayant pas encore reçu l'Evangile, sont cependant de diverses façons " ordonnés au peuple de Dieu ". La première encyclique de Paul VI va dans le même sens. L'Eglise y apparaît comme une communauté de foi et de salut, cherchant au nom de cette foi le dialogue du salut avec tous les hommes.

« Au fond, vous avez moins posé une question qu'exprimé une opinion sur mes voyages, avec quelques mots de commentaire qui me paraissent assez justes.

« Encore une fois, ces pèlerinages aux sanctuaires

du peuple de Dieu que j'accomplis l'un après l'autre ont chacun son importance propre, pour les raisons précises mentionnées dans *Lumen gentium* et dans la première encyclique de Paul VI ; chacun sert d'une certaine façon et dans une certaine mesure à réaliser le concile ; chacun exprime la foi en l'Eglise, devenue grâce à Vatican II particulièrement ouverte et prête au dialogue. Elle a acquis la conscience d'être l'Eglise du monde entier. Cette expression n'a sûrement rien de triomphaliste ; elle ne fait que souligner le rôle de servante qui est celui de l'Eglise, car partout et toujours elle sert la volonté de sauver du Père, du Fils, et de l'Esprit saint. Partout, donc évidemment aussi là où ne peut passer l'itinéraire du pape. »

Cet itinéraire a déjà conduit Jean-Paul II dans toutes les parties du monde. En Pologne, le bonheur de tout un peuple se lisait sur les visages, ce qui a été parfaitement traduit par les correspondants de presse, et un peu moins bien par la télévision dont les caméras sont restées la plupart du temps malencontreusement coincées dans la direction d'un angle de podium désert ou d'un horizon dépeuplé.

Si l'accueil de la Pologne n'a surpris personne, on n'en dira pas autant de celui de l'Angleterre. Les circonstances paraissaient défavorables, en raison de la guerre des Falkland qui pouvait donner à la visite du pape une signification qu'elle n'avait pas. D'aucuns, bien avant que n'éclate le conflit anglo-argentin, prédisaient un échec, la réserve un tant soit peu gourmée que l'on attribue au caractère britannique se prêtant mal aux démonstrations collectives en dehors des terrains de rugby, et certains sectaires ayant fait savoir leur intention de gâcher le séjour de celui qu'ils dépeignaient comme une sorte d'Antéchrist issu des flancs impurs de la Babylone des bords du Tibre. En outre certains points de désaccord subsistant entre théologiens catholiques et anglicans, à côté de remarquables résultats d'ensemble, venaient d'être rendus publics, ce qui ne facilitait rien. De tous côtés, on déconseilla ce voyage, et c'est un fait que Jean-Paul II parut hésiter jusqu'à la dernière minute. Ce n'était qu'une apparence. En réalité, il n'hésite pas, il laisse mûrir son jugement comme un fruit, qu'il ne cueille jamais trop tôt. L'heure venue selon lui, il fit connaître en même temps sa décision de partir et son intention de se rendre ensuite en Argentine, ce qui faisait tomber l'argument tiré de l'état de guerre. Il ne voulait pas que se perdît cette première invitation parvenue d'Angleterre à Rome, après une rupture de plusieurs siècles ; s'il l'avait éludée, ou différée, on n'eût d'ailleurs pas manqué de l'accuser de ne pratiquer qu'un œcuménisme de façade. Donc il partit pour ne pas laisser échapper une chance historique de rapprochement entre les Eglises, et pour plaider en faveur d'un règlement du conflit des Falkland qui n'aggravât pas la coupure entre les démocraties occidentales et l'Amérique latine (il devait tenir le même langage un peu plus tard au président Reagan). Et tous les raisonnements pessimistes furent réfutés pour l'événement. Les dénonciateurs de l'Antéchrist ne firent entendre qu'un faible bourdonnement réprobateur, la réserve britannique fondit en un clin d'œil et l'on ne vit bientôt plus sur le parcours du cortège officiel qu'un seul personnage d'un flegme et d'une sobriété de gestes typiquement anglais : le pape, qui, pour ne pas empiéter sur les attributions religieuses de ses hôtes, ne bénissait plus que du bout des doigts. Son célèbre « charisme » (dans le sens de ce « don de communication » aussi difficile à définir qu'à exercer) avait opéré.

A son retour, il me dit qu'il ne s'attendait pas à trouver cette chaleur napolitaine le long de la Tamise. Beaucoup de choses lui avaient paru admirables, notamment le talent des organisateurs qui, à Cardiff et à Edimbourg, avaient réussi à contenir l'exubérance de ses jeunes auditeurs sans comprimer en rien leur spontanéité. La théière anglaise avait bouilli sans déborder. A la suite de ce voyage on peut faire cette constatation, assez paradoxale en vérité, que si l'Eglise catholique a moins de difficultés doctrinales avec les orthodoxes qu'avec les anglicans, c'est cependant avec les anglicans que l'entente semble la plus proche.

Que ce soit en Angleterre ou ailleurs, les voyages de Jean-Paul II ont des effets surprenants. En France, par exemple, son passage a révélé l'existence dans ce pays d'une vaste nappe de christianisme souterrain, à l'état si j'ose dire d'énergie fossile, comme le pétrole dans la pierre ponce : chacun de ses discours a fait jaillir du christianisme « à l'état brut », pour employer le langage des pétroliers, là où l'on croyait couramment qu'il n'y avait rien. Or, toute la pensée pastorale repose depuis plus de quarante ans sur l'idée que la France, pour ne rien dire du monde, est déchristianisée en profondeur, et que la seule chose à faire est de lui réinjecter du christianisme à petites doses, avec un gros excipient politico-social. Le voyage du pape a prouvé qu'au contraire les Français restaient chrétiens, même quand ils ne savent plus grand-chose de leur religion et que, lors même qu'ils adhèrent à des partis marxistes, c'est encore du christianisme que la plupart d'entre eux vont y chercher.

Tout cela n'implique-t-il pas un changement de stratégie de la part de l'Eglise ?

« Nous sommes en train de parler du monde, et pour chacun d'entre nous, il est un fragment de ce monde humain qui est proprement le sien. Pour vous, bien sûr, c'est la France ; alors, je vous écoute, ayant sur elle, pour ma part, moins à dire que vous !

« Pourtant, bien que la France ne soit pas cette part de monde qui est la mienne comme elle est la vôtre, la géographie et surtout les liens de l'histoire et de la culture me l'ont toujours rendue proche. Il en était déjà ainsi lorsque le centre de " mon " univers était à Cracovie, et il en va de même maintenant qu'il se situe à Rome.

« Lorsque mon pèlerinage en France est venu à l'ordre du jour, je suis parti pour ce pays que je connaissais déjà avec le désir de lui parler comme intimement, de personne à personne.

« Mon plus long séjour en France date des vacances universitaires de 1947, en juillet et août. C'est alors que j'ai lu avec un extrême intérêt le livre de Godin : *France, pays de mission ?* et que j'ai visité la paroisse de banlieue du père Michonneau. J'ai lu également les études du père Boulard, et j'ai eu des contacts épisodiques avec la Mission de France. A Marseille, j'ai eu une courte rencontre avec la communauté du père Loew[1]. J'ai pris part à une Semaine sociale[2].

« Bien entendu, je suis allé à Lourdes et j'ai visité vos cathédrales, dont la splendeur gothique est un des sommets de l'art.

« Durant ce séjour bref, mais intense, j'ai été impressionné par le témoignage des prêtres français, convaincus de la déchristianisation de vastes couches sociales françaises, non seulement dans les milieux ouvriers, mais même dans le milieu rural. De ces visites et rencontres, j'ai rapporté de l'estime pour les initiatives pastorales qu'il m'a été donné d'étudier, et une certaine admiration pour ces prêtres qui vont avec une totale détermination à la recherche d'un monde déchristianisé, travaillant parfois en usine pour être plus près de la classe ouvrière que l'Eglise a laissée s'éloigner.

« A Paris, on a pu se rendre compte qu'il me restait quelque chose des rencontres d'autrefois. Certes, trente années avaient passé, et j'ai fait de nouvelles expériences. Au gré des jours et des occasions, j'ai pu voir quelles avaient été les suites de ce que j'avais observé en 1947. Dans ma mémoire persiste une sorte d'association d'idées avec le berger de l'Evangile qui abandonne quatre-vingt-dix-neuf brebis pour aller chercher la centième, perdue...

« Si vous avez raison, il faut approfondir jusqu'au

---

1. Le père Jacques Loew, converti du protestantisme et dominicain, a été le premier « prêtre-ouvrier » français. Docker à Marseille, il est le fondateur de la Mission ouvrière Pierre-et-Paul, des Ecoles de la foi, et l'auteur de nombreux ouvrages, comme lui-même lumineux, forts et doux.

2. Les Semaines sociales sont une importante initiative d'action catholique, d'origine lyonnaise. Elles ont lieu chaque année.

bout la parabole du bon pasteur, parti à la recherche de la brebis perdue. La parabole nous dit que, l'ayant trouvée, le berger l'a prise sur ses épaules et l'a ramenée auprès des quatre-vingt-dix-neuf brebis qui constituaient avec elle l'ensemble du troupeau. Ainsi donc, ce qui compte, ce n'est pas seulement de retrouver la brebis perdue, mais de garder l'intégrité du bercail.

« C'est peut-être dans cette direction que nous trouverons un indice de la " stratégie " dont vous parliez. »

Sous l'inspiration de l'Evangile, le saint-père se met à parler en paraboles. Entraîné par l'exemple, j'ai bien envie de dire qu'aujourd'hui les bergers me paraissent souvent moins disposés à ramener la brebis égarée sur leurs épaules qu'à lâcher le troupeau pour aller se perdre avec elle. Mais je ne le dis pas.

Nous vivons une époque où l'abstraction joue un rôle considérable, ce que la peinture exprime à sa façon, et l'idéologie à la sienne. Or, il est clair que les idéologies ont largement fait la preuve de leur incapacité, non seulement à répondre aux aspirations profondes de l'homme, mais encore à résoudre ses problèmes matériels. Le libéralisme, fondé sur l'instinct créateur, l'initiative individuelle, le besoin de posséder (ou de dominer) favorise la production de richesses mais manque couramment de justice ; à l'opposé, le collectivisme, dans son désir de corriger les inégalités qu'il appelle des injustices avant de rétablir et parfois d'aggraver celles-ci dans un autre ordre social, opprime la liberté. Les humains seront-ils donc éternellement contraints de choisir ou de subir l'une ou l'autre de ces deux iniquités, dont l'une blesse leur sens moral, tandis que l'autre réduit leur personne au silence ? Un jour Jean-Paul II, à Castel Gandolfo, m'avait fait un véritable cours de philosophie sur l' « aliénation » selon les successeurs de Marx, théorie excessivement offensive qui a déjà fait pas mal de prisonniers chez les chrétiens eux-mêmes, et sur les cas de conscience qui se posent aujourd'hui aux sociétés occidentales.

Je me rappelle lui avoir demandé si l'on pouvait trouver ou tracer un chemin nouveau entre les erreurs dont le monde fourmille et meurt. Mais on vint le chercher pour une audience, et il me laissa seul avec ma question. Je la pose encore une fois : Existe-t-il une *troisième voie ?*

« Dans la première partie de votre question vous m'avez parlé des *idéologies,* dans la deuxième des *systèmes politiques* fondés sur ces idéologies [1]. Votre opinion sur les unes et les autres est critique. Le problème soulevé est tel qu'il faudrait un livre pour l'aborder dans son ampleur. Evidemment, il n'est pas sans réponse dans l'enseignement de l'Eglise, en particulier dans son éthique sociale ; c'est pour elle un très ancien sujet de préoccupation.

« En proposant leurs programmes, les idéologies se fondent sur une certaine conception du monde, qui oriente leurs solutions socio-économiques et socio-pratiques.

« Au milieu d'elles, l'Eglise ne cesse de proclamer la vocation de l'homme, à la fois temporelle et

1. Le mot est pris ici dans son acception courante de construction consciente d'idées, et non dans le sens qu'on lui donne parfois d'ensemble de valeurs reçues, admises ou subies sans examen par telle ou telle civilisation ou classe sociale.

éternelle, et s'efforce de traiter d'économie et de politique en fonction de cette vocation. Sa voix peut paraître faible, comparée aux moyens d'expression dont disposent les régimes et les idéologies qu'ils représentent.

« Cependant, nul n'ignore que l'Evangile pose aux hommes de sérieuses exigences, aussi bien au niveau social qu'au niveau personnel. En rappelant ces exigences, l'Eglise agit au milieu d'hommes soumis à la pression de ces idéologies, au milieu d'hommes assujettis à des régimes déterminés. Oui, ces systèmes créent dans la vie des hommes de ce temps des tensions, et des antagonismes à travers lesquels on peut discerner l'immense menace qui pèse aujourd'hui sur toute l'humanité, puisqu'ils s'appuient sur des programmes militaires et des moyens de destruction réciproque pouvant aboutir à l'auto-extermination de l'homme sur cette terre. Ce n'est pas sur ce chemin que l'on trouvera la vérité. L'abîme entre les pays riches, situés au sommet du développement technique et économique, et les pays où l'on meurt de faim ne cesse de se creuser.

« En lisant et en méditant l'Evangile, on est bien obligé de constater que la voie de la vérité est là. C'est là que se trouve la réponse à ces aspirations profondes que vous avez évoquées. Nous y trouvons tous les principes de morale qui, mis en pratique, doivent libérer la vie des personnes et des sociétés des différentes formes de l'injustice, celles qui relèvent de l'exploitation économique, et celles qui violent la juste liberté de la personne.

« Cela signifie-t-il que l'Evangile et le christianisme constituent *la troisième voie ?* Je ne le pense pas. La troisième voie devrait être de même sorte que les deux autres. Ce n'est pas le cas. L'Evangile n'est pas une idéologie. Ne lui correspond aucun système politique, social ou économique limité par nature au temporel. L'Evangile est une autre voie. Fondé sur la vérité de l'homme comme tel, l'Evangile est en litige permanent avec les idéologies qui se veulent à tout prix plus fortes et plus déterminantes que lui. A l'aide de leurs moyens riches, elles réussissent dans une large mesure. L'Evangile est la parole du Christ passant par des moyens pauvres, qui ne l'empêchent pas d'être un " chemin ", là même où sa voix semble ne pouvoir se faire entendre. L'Evangile est une voie à laquelle aucune des voies humaines n'est étrangère.

« Lorsque les larges voies tracées par les idéologies se révèlent des impasses et n'offrent aucune issue, la voie de l'Evangile reste ouverte ; destinée aux hommes, elle attend les hommes. Tous ceux qui se convertissent du fond de leur cœur la trouvent.

« Quant à l'Eglise, gardienne de l'Evangile, elle se veut la servante de l'homme. C'est pourquoi elle s'interroge sur ce que l'on peut conserver, pour le bien de l'homme, de ces voies où les idéologies, les systèmes et les régimes l'ont conduit. Ce que l'on peut sauver de tout cela pour le véritable bien, voilà ce que l'Eglise ne cesse de demander à la suprême Sagesse et à la Providence. Car elle écrit sa vérité sur les lignes courbes et embrouillées de l'histoire, ces lignes enchevêtrées sur lesquelles l'homme peu à peu retrouve cette vérité, non sans les tensions et les expériences les plus dures et les plus douloureuses. »

Ici, une question incidente. Parmi les régimes en vigueur dans le monde présent, les uns semblent nés du développement naturel des forces mises en œuvre depuis quelques siècles par le génie humain, forces plus ou moins contrôlées par la raison et disciplinées par la loi ; les autres sont le produit d'une certaine conception préalable du monde et de l'histoire. Il est devenu banal de désigner les premiers sous le nom de « régimes capitalistes », et les seconds sous celui de « régimes socialistes ». Or, peut-on définir les sociétés occidentales par le mot « capitalisme » sans donner à l'économie la valeur d'un principe absolument premier, et sans entrer par là même dans la logique marxiste, d'où il n'est pas d'exemple que personne ait jamais réussi à sortir, contrairement à ce qu'imaginent les bonnes âmes qui croient pouvoir l'associer à leurs croyances personnelles ?

De ma question, le saint-père retiendra surtout l'allusion à la priorité de fait accordée à l'économie par le matérialisme commun aux sociétés contemporaines, quelle que soit leur idéologie de référence, ce qui l'amène à s'interroger une fois encore sur la personne, ses droits et ses rapports avec l'univers matériel :

« Dans votre question, je vois plutôt un diagnostic sur l'état de notre civilisation, surtout de notre civilisation occidentale. Il semble parfois qu'il faudrait remonter de plus de deux siècles en arrière et recommencer à bâtir cette civilisation pour pouvoir atteindre le contenu réel du code des droits de la personne, et pour y insérer correctement les droits des communautés humaines : en microdimension, les droits de la famille ; en macrodimension, les droits de la nation. Je simplifie ! Et d'ailleurs l'histoire ne permet pas ce genre de récupération ou de " repentir ", comme disent les peintres. Elle ne se développe pas à reculons. L'un de vos écrivains l'a dit : l'histoire ne repasse pas les plats.

« Cependant, si je m'exprime ainsi, c'est que le renversement de l'ordre fondamental du rapport de l'homme à la matière et de la personne à la chose remonte au moins aussi loin ! Dans cette étape de l'histoire, l'homme a fait un effort gigantesque pour dominer le monde, mais, en même temps, il s'est constitué en " épiphénomène " des relations matérielles et des lois économiques, objet de matérialisme historique. Loin de se subordonner le monde des choses, il s'y laisse assujettir : il le fait même d'une façon programmée et " scientifique ".

« La véritable libération de l'homme exige de profondes transformations dans les façons de penser, d'évaluer, d'agir que les civilisations issues du fond matérialiste imposent à l'humanité. En attendant, l'interprétation et la réalisation des droits de l'homme se heurtent aux obstacles fondamentaux et préalables de type libéral et individualiste, ou au contraire de type anti-individualiste et, strictement parlant, totalitaire. Etant entendu, en outre, que les systèmes assignent aux mots des sens différents. »

Chateaubriand disait déjà : « De tout temps, la mission des papes a été de maintenir ou de venger les droits de l'homme. » En très peu de temps, Jean-Paul II est devenu aux yeux de l'opinion le « pape des droits de l'homme », et il est vrai qu'il n'a jamais cessé de les rappeler, non seulement de Rome, mais dans tous les pays qui lui ont ouvert leurs portes et jusque devant les gouvernements qui ne sont pas sans reproche à ce sujet — aussi les peuples attendent-ils de lui qu'il dise en toute occasion le droit et la justice —, car ils n'ont jamais eu autant besoin d'être définis. Mais ces droits que l'on proclame, que l'on ratifie, que l'on invoque et que l'on viole, j'aimerais bien savoir d'où ils viennent, et quelle est leur contrepartie :

« Nul n'ignore que la Déclaration internationale des droits de l'homme est née au lendemain de la Seconde Guerre mondiale. On dirait que l'homme doit passer par les plus douloureuses expériences pour trouver enfin ces principes et ces vérités apparemment évidentes qui constituent le code d'une conscience saine, ou du droit naturel, pour employer un langage que l'on n'écoute pas volontiers aujourd'hui. La plus tragique expérience de notre siècle, avec les cruautés d'une guerre dite " totale ", l'extermination de dizaines de millions de personnes, les affreuses expérimentations des camps de la mort, les génocides programmés, l'explosion de la première bombe atomique..., cette terrible expérience aura en quelque manière frayé le chemin à la codification des droits de l'homme... On aura compris, précisément à la suite de cette tragédie, que, au centre des dangers qui nous menacent, il y a d'abord... l'homme lui-même. On aura compris aussi qu'à la base du renouveau des nations et de toute la famille humaine, il faut situer l'homme dans toute sa vérité et dans toute sa dignité. L'effort pour réparer le mal, pour rétablir la paix entre les nations, les continents, les systèmes doit se fonder sur les droits objectifs qui reviennent à l'homme — pour cette seule raison qu'il est homme.

« On ne saurait nier que, dans la trame de notre histoire contemporaine, combien difficile, la proclamation de la Déclaration a été un événement important, et comme un indice de la voie retrouvée.

« La Déclaration n'a certes pas tout résolu, elle n'a pas terrassé le mal multiforme des individus, des communautés, des nations, des continents, mais on ne peut contester qu'elle est devenue la source de quelque lumière, un point de référence et de recours, un certain témoignage de la juste priorité de l'homme et de la morale au milieu d'un monde matérialiste.

« Gardienne de l'Evangile, l'Eglise veut servir l'homme, elle l'a prouvé souvent. Aussi a-t-elle salué avec estime la proclamation de la charte, ainsi que la fondation de l'Organisation des Nations unies, qui a pris cette charte comme document de base et pierre angulaire. Il serait difficile de ne pas remarquer les points de convergence explicites entre cette grande initiative et l'enseignement de Vatican II, surtout *Gaudium et Spes,* et d'autres textes comme *Pacem in terris* et *Populorum progressis.*

« Cela dit, ni l'adoption de la Déclaration ni les efforts de l'ONU et des organisations qui en relèvent, comme la FAO ou l'Unesco, n'ont pu empêcher que le monde ne s'emplisse de dangers, que les tensions n'augmentent et que les droits de l'homme ne soient bafoués de différentes façons en différents domaines.

« Il faut ajouter enfin — puisque vous avez parlé de " contreparties " —, que l'Evangile, qui est certainement une grande source des droits de l'homme, implique en même temps les exigences que l'homme doit s'imposer à lui-même et qui doivent sans cesse lui être représentées pour que ne vacille pas l'équilibre moral de son existence. Il suffit de rappeler des versets comme celui-ci : " Tout ce que vous voulez que les autres fassent pour vous, faites-le vous-mêmes pour eux ", ou encore : " Ce que vous n'avez pas fait pour l'un de ces petits, à moi non plus vous ne l'avez pas fait [1]. " Combien d'autres versets analogues ! Ainsi donc, à la base de tous les droits de l'homme il faut voir un ordre éthique objectif, incluant, pour chaque homme, le droit et le devoir d'exiger de lui-même sa juste mesure d'humanité. »

La formule est très belle ; reste que dans bien des cas les hommes paraissent plutôt disposés à se faire bonne mesure d'inhumanité, sans exclure cette région du monde où sont nées les religions de la Bible et où l'on ne paraît pas se douter que le secret de toute paix véritable est caché dans ces paroles de l'Evangile : « Et moi je vous dis : Aimez vos ennemis. »

« Nous avons déjà, je crois, souligné l'extrême importance de ces paroles du Christ, je ne me rappelle plus à quel moment de ces entretiens.

« De toute façon, pour le monde qui est le nôtre et que nous appelons " notre monde ", pour ce monde où nous vivons et où vivront les générations futures, il est d'une importance capitale que soit surmonté le postulat de la lutte contre l'homme, à quelque niveau idéologique que ce soit, comme nécessité et principe, le règlement des problèmes entre personnes et entre nations. Je parle de la lutte menée contre l'homme avec l'intention de l'anéantir ou de

1. Matthieu, VII, 12, et XXV, 45.

le soumettre pour établir le trône d'une nouvelle puissance et d'un nouveau pouvoir.

« J'ai répété cela à plusieurs reprises, notamment à Saint-Denis, pendant mon séjour à Paris. Je rechercherai ce discours. Bien entendu, il ne s'agit nullement de passer au quiétisme[1] ! La lutte est souvent une nécessité morale, un devoir. Elle manifeste la force du caractère, elle peut faire éclore un héroïsme authentique. " La vie de l'homme sur cette terre est un combat ", dit le livre de Job — l'homme a tous les jours à affronter le mal et à lutter pour le bien. Le vrai bien moral n'est pas facile, il faut le conquérir sans cesse, en soi-même, dans les autres, dans la vie sociale et internationale. " Combats de bon combat ", écrit saint Paul à Timothée.

« Il y a un grand espace d'événements et d'actions où la lutte s'unit avec la justice, et la vérité avec l'amour.

« Cependant, il existe un immense danger que dans cet espace de lutte et sous différentes formes ne pénètrent la haine, l'hostilité, l'aliénation, le mépris de l'homme, le désir de destruction, tout ce qui foule aux pieds la dignité de l'homme sous prétexte qu'il n'est pas du bon côté de la barricade.

« Lorsque le Christ dit : " Aimez vos ennemis ", il semble exiger au moins ceci : ne permettez pas que la haine, quel que soit son masque et à quelque degré que ce soit, devienne une force motrice et soit promue principe et principal impératif des programmes.

---

1. Doctrine du théologien espagnol Molinos, assez répandue au XVIIe siècle, notamment en France avec Mme Guyon, et préconisant une sorte de passivité contemplative un tant soit peu démissionnaire.

« C'est d'une importance absolument centrale pour notre monde aujourd'hui — comme hier et demain. »

Avant le voyage en France — où la référence au discours de Saint-Denis nous ramène — on disait à l'Est que le pape serait sans doute très bien accueilli, « excepté par les ouvriers, les jeunes et l'Unesco ».

Or, à Saint-Denis, la communion a été immédiate avec le public ouvrier, montrant que, si, comme on le répète souvent, « l'Eglise a perdu la classe ouvrière », cette perte n'était pas irréparable, à supposer qu'elle soit certaine ; à l'Unesco, l'intervention de Jean-Paul II a vivement impressionné l'assistance, qui n'était pas faite que de catholiques pratiquants ; enfin, au Parc des Princes, l'enthousiasme de la jeunesse a fait exploser le programme de la soirée. A ces auditoires entre lesquels on voit peu de points communs, Jean-Paul II a tenu exactement le même langage directement inspiré du Livre où sa pensée prend sa source ; avec les adaptations nécessaires, mais sans la moindre variante démagogique, sans la plus légère concession. Si le message chrétien, qui passe si mal quand il est barbouillé de sociologie ou repeint à la mode abstraite passe si bien quand il est pur, n'est-ce pas le signe que ce que le monde attend désespérément, ce n'est pas autre chose que l'Evangile ?

« Puisque vous parlez de Saint-Denis, j'ai retrouvé l'homélie à laquelle je faisais allusion hier. Voici le passage que je voulais citer :

« " Le monde du travail humain doit être construit sur la force morale, ce doit être un monde d'amour, et non de haine. Un monde de création et non de destruction. Dans le travail humain sont profondément inscrits les droits de l'homme, de la famille, de la nation, de l'humanité. Du respect de ces droits dépend l'avenir du monde.

« " Est-ce à dire que le problème fondamental du monde du travail n'est pas la justice et la lutte pour la justice sociale ? Au contraire : cela veut dire que la réalité du travail humain ne peut être séparée de cette justice et de ce combat généreux... Cependant cette faim de justice, cette ardeur à combattre pour la vérité et pour l'ordre moral dans le monde ne sont pas, ne peuvent pas être la haine, ni une source de haine dans le monde. Elles ne peuvent se changer en un programme de lutte contre l'homme, uniquement pour cette raison qu'il se trouve pour ainsi dire " de l'autre côté ". Cette lutte ne peut être transformée en un programme de destruction de l'adversaire, elle ne peut créer des mécanismes sociaux et politiques centrés sur des égoïsmes collectifs de plus en plus violents, puissants, meurtriers, prêts à détruire sans scrupule des nations entières, des groupes sociaux plus faibles du point de vue économique et culturel, en les privant de leur indépendance, de leur souveraineté nationale et en exploitant leurs ressources... " »

Avant de répondre à ma question, le saint-père va me rappeler à la modération. Il n'a aucun goût pour les compliments. Il en fait peu, et n'aime pas en recevoir. Il m'a déjà reproché à plusieurs reprises de le présenter sous un jour beaucoup trop favorable, et de faire de lui « un héros de roman » je dirais plutôt : un héros roman. Cela ne lui plairait pas davantage :

« Il y a plus d'observations que de questions dans vos propos. C'est naturel quand il s'agit de la France, qui est votre domaine, votre " part de monde " : vous êtes chez vous, je vous écoute. Avec intérêt et parfois avec une certaine confusion, en m'efforçant de distinguer dans ce que vous dites de moi ce qui me paraît juste de ce qui est excessif et que je ne peux pas plus penser qu'approuver. Si, par toutes ces rencontres de Saint-Denis, de l'Unesco, du Parc des Princes, un certain bien a pu se faire, alors j'en rends tout simplement grâce à Dieu, dispensateur de tout don, à l'Esprit saint, qui agit non seulement dans le cœur de celui qui parle, mais aussi, et au même degré, dans le cœur de ceux qui l'écoutent. Ce qui ne veut pas dire que l'on soit pour autant quitte de tout effort de communication !

« En tout cas, il est clair que ces trois rencontres ont eu lieu dans trois milieux distincts dont chacun représentait une dimension différente et spécifique du monde d'aujourd'hui. Et, chaque fois, j'ai été jusqu'à un certain point surpris par les réactions de l'auditoire et ce que des techniciens de la radio appelleraient la qualité de la réception. A l'Unesco, par exemple, j'ai été étonné par la manière dont l'assemblée répondait à certaines pensées ou constatations clés que mes expériences m'ont amené à juger essentielles : j'ai senti qu'il existe en ce monde un vaste accord — pas toujours conscient —, un large *consensus* non seulement sur certaines valeurs, mais aussi sur certaines menaces. Mes auditeurs représentaient des pays du monde entier, de tous les continents. J'ai cru sentir que c'étaient les représentants des nations jeunes et des nouveaux Etats qui réagissaient le plus chaleureusement à mon exposé sur le sens de la culture et les conditions de son essor. Cela m'a beaucoup donné à penser. De même, le fait fondamental lui-même, à savoir le climat de cette rencontre autour des problèmes de la culture. Cela aussi me paraît symptomatique : la culture implique toujours une certaine protestation de l'homme contre sa réduction à l'état de chose ou d'objet. Elle signifie... la marche vers un monde où l'homme puisse réaliser son humanité dans la transcendance qui lui est propre, et qui l'appelle à la vérité, au bien, à la beauté.

« En ce qui concerne le Parc des Princes, nous en avons déjà parlé deux fois. A votre question : " ... si ce que le monde attend désespérément n'est pas l'Evangile ", je réponds cent fois oui. Et plus forte est la négation, plus forte et plus délibérée l'opposition, plus cette attente est grande. »

Les principes suivant lesquels, s'ils étaient plus humains, les humains devraient se conduire, Jean-Paul II les a énoncés et réitérés tout au long de ce livre, le reste, c'est l'événement, et l'événement a le grave défaut de passer plus vite encore que les livres ; un mois après la guerre des Falkland, on n'en parlait plus, nulle part, même aux Falkland. Les journaux avalent l'actualité comme le boa avale le lapin : elle leur emplit tout d'abord la bouche à leur disloquer les mâchoires, puis elle disparaît peu à peu sans laisser de traces dans de lointaines profondeurs. Il est toutefois une certaine actualité qui ne s'efface jamais complètement ou qui reparaît de temps en temps sous la même forme généralement hideuse, et c'est l'actualité du péché contre l'humanité. Par exemple, l'antisémitisme et son jumeau le racisme. Après tant de souffrances, est-ce vraiment fini ? Qu'est-ce que l'Eglise, aujourd'hui, peut nous dire de ce cauchemar insistant ?

« A Auschwitz, le 7 juin 1979, au cours de la messe concélébrée sur le terrain du camp, j'ai invité l'assistance à s'arrêter avec moi devant l'inscription qui évoque le souvenir d'un peuple dont les fils et les filles avaient été voués à une extermination totale. Les fils et les filles d'un peuple dont l'origine remonte à Abraham, " père de notre foi ", selon Paul de Tarse.

« Ce peuple qui avait reçu de Yahvé le commandement : " Tu ne tueras pas ", ce peuple a été tué.

« Faut-il encore citer saint Paul ? " Quant à l'élection, les enfants d'Israël sont aimés à cause de leurs pères, car Dieu ne revient pas sur Ses dons et sur Son appel[1]... " " ... les Israélites, à qui appartiennent l'adoption et la gloire, les alliances et la loi, le culte, les promesses et aussi les patriaches, et de qui selon la chair est issu le Christ, lequel est au-dessus de toutes choses, Dieu béni éternellement[2] ! « La reconnaissance de l'élection des juifs par saint Paul n'empêche pas celui-ci de s'adresser en ces termes aux chrétiens : " Vous tous en effet, baptisés dans le Christ, vous avez revêtu le Christ. Il n'y a plus ni juif, ni Grec, ni esclave, ni homme libre, car tous vous ne faites qu'un dans le Christ Jésus. Et si vous êtes au Christ vous êtes donc les descendants d'Abraham, héritiers selon la promesse[3]. "

1. Romains, XI, 28-29.
2. Romains, IX, 4-5.
3. Galates, III, 27.

« La déclaration *Nostra aetate* condamne énergiquement l'antisémitisme et les actes de haine qui s'ensuivent : " L'Eglise, qui réprouve toutes les persécutions contre tous les hommes quels qu'ils soient, ne pouvant oublier le patrimoine qu'elle a en commun avec les juifs et, poussée non par des motifs politiques, mais par la charité religieuse de l'Evangile, déplore les actes de haine, les persécutions et toutes les manifestations d'antisémitisme qui, quels que soient leur époque et leurs auteurs, ont été dirigés contre les juifs. "

« Cela pour l'antisémitisme.

« Quant au racisme, voici ce que nous lisons plus loin : " L'Eglise réprouve donc, en tant que contraire à l'esprit du Christ, toute discrimination ou vexation infligée aux hommes en raison de leur race, de la couleur de leur peau, de leur classe ou de leur religion. En conséquence, le concile, suivant les usages des apôtres Pierre et Paul, adjure ardemment les fidèles du Christ de ' se bien conduire au milieu des nations ', et pour autant qu'il dépend d'eux de vivre en paix avec tous les hommes, de manière à être vraiment les fils du Père qui est dans les cieux. "

« C'est la voix du concile. Ce " péché " dont vous parlez est-il en train de s'éloigner ou de recommencer ? Il faudrait revenir à l'une de mes réponses précédentes sur l'amour des ennemis. Il n'y a pas d'autre voie pour en finir radicalement avec les attitudes qui vous inquiètent à juste titre. Il n'y a pas d'autre voie que le commandement d'amour du prochain. »

IV

Ce dernier entretien sur le « monde » a lieu à Castel Gandolfo, dans la bibliothèque des appartements privés, par une fin d'après-midi d'été. La pièce, bâtie comme en promontoire au-dessus du lac d'Albano, reçoit la lumière de trois côtés. A ma droite, le couchant promenait son invisible torche sous les pins, et au fond d'un grand vide bleuté, d'infimes embarcations rayaient le lac. Le saint-père les regarda quelques secondes avec un rien de nostalgie. Le dernier exercice physique qu'il lui soit encore permis de pratiquer est le plongeon dans la fameuse piscine du parc où tout le monde, d'ailleurs, se baigne avant ou après lui, des suisses du corps de garde au préfet du palais. Le soir venait sans bruit en éteignant les collines, et toute la conversation sera une longue leçon de sérénité, de tempérance, d'amour du prochain. Je sais que ce que je dis là ne plaira pas au saint-père. Il est un sujet sur lequel je ne m'entends pas avec lui, et c'est lui-même : il me trouve trop « papaliste » (d'aucuns diront « papicole »). Il ne semble absolument pas se douter de ce qu'il représente pour les chrétiens qui ont tremblé pour leur Eglise menacée dans son unité doctrinale, dépeuplée par une débandade silencieuse de fidèles ne sachant plus ce qu'ils devaient croire ou ne pas croire et qui, désorientés au point de ne plus pouvoir répondre à la question majeure de leur foi, à la question fondatrice du Christ : « et vous, qui dites-vous que je suis ? », ont cherché leur salut dans la fuite. Et cet homme est venu, solidement constitué dans une foi certaine, et qui a parlé aux chrétiens un langage inspiré par une sorte de vision solaire de l'Eglise qui a réchauffé bien des cœurs. Il a commencé à ranimer le tissu chrétien cellule après cellule, il a tissé autour du monde un réseau de bonnes volontés qui fait de lui, tout désarmé qu'il est, une puissance égale aux plus grandes, que l'histoire aura enveloppées dans sa nuit quand l'Eglise brillera encore par-delà les rivages du temps.

Le sait-il ? En tout cas il n'aime pas que l'on en parle, et quand je lui dis que le sujet ne figure pas à l'ordre du jour il soupire : « Heureusement. » Cependant, il ne peut pas ignorer qu'il est venu à point nommé pour lancer ce retentissant « N'ayez pas peur ! » qui est allé tout droit au fond des consciences, dans un siècle qui retrouve aux abords de l'an 2000 des terreurs comparables à celles de l'an mille, moins la crainte religieuse, plus l'appréhension d'une apocalypse volontaire ou accidentelle. Cette exhortation de Jean-Paul II à l'aube de son pontificat a été prise par beaucoup comme un encouragement à la résistance morale et au témoignage, par quelques-uns, à vrai dire assez rares, comme une façon paternelle de rassurer les esprits inquiets. Lui-même l'avait fait suivre de son interprétation correcte : « N'ayez pas peur d'ouvrir vos frontières, d'ouvrir au Christ les portes de votre vie. » En toute hypothèse nulle parole ne pouvait mieux convenir à notre temps. Car ce siècle a peur, et ses peurs innombrables le portent à tous les excès. Il a peur de la guerre, peur justifiée dans un univers dialectique ne connaissant plus d'autres lois que celles de l'affrontement des contraires, mais peur qui engendre, en Occident du moins, de ces mouvements dits « pacifistes » qui aggravent les risques de conflit en donnant aux diverses haines en activité de bonnes raisons de persévérer dans leurs entreprises : sur ce point Jean-Paul II me rappellera que le discours de l'Eglise sur la paix n'est pas du tout celui du pacifisme, l'Eglise ne séparant pas la paix du respect des droits de l'homme et du droit des peuples. Il est une autre sorte de peur, plus répandue qu'on ne l'imagine : la peur des réalités, qui fait basculer beaucoup de jeunes dans la drogue — si bien que l'on pourra bientôt inverser la célèbre formule de Karl Marx et dire que l'opium est devenu la religion du peuple — et qui conduit les adultes à s'abriter du réel au moyen d'écrans de cinéma ou de télévision qui font passer le monde extérieur à l'état de fiction, de songe, ou de cauchemar qu'un bouton allume ou éteint. La peur du monde moderne déchaîne le fanatisme, comme si le fanatique tentait de se réfugier dans son passé, à la manière de l'enfant dont la psychanalyse nous dit qu'il cherche à réintégrer le sein de sa mère. Les Etats ont peur les uns des autres, et ce n'est pas sans motif, mais ils ont peur aussi de leurs propres citoyens ou sujets qu'ils maintiennent enfermés ou assoupis, crainte que la personne ne se réveille que pour dire « non » au système ; car la personne au fond de son oubliette n'a pas tout à fait perdu le souvenir des promesses d'éternité qu'elle a reçues autrefois, et qui devraient, en principe, la rendre à jamais réfractaire aux contrefaçons d'absolu.

Les grandes peurs du siècle sont connues. Peur de l'avenir, dont on ne cultive plus guère les mirages, peur du présent, enflammé de violence, et même peur du passé dans la mesure où l'on ne redoute justement rien tant que de paraître dépassé, peur toute nouvelle de la science, qui en dépit de tous ses bienfaits commence à inquiéter plus qu'elle ne rassure. Mais à côté des grandes peurs, il en est de petites qui ne font pas moins de mal, comme la crainte de manquer le dernier « tournant de l'histoire », appréhension lancinante de nombre de pilotes qui le voient venir de loin, et le manquent tout de même. Je cite au saint-père la peur d'être ridicule aux yeux du rationalisme contemporain, qui pousse certains chrétiens, qui sont parfois des religieux, à renier plus ou moins habilement leurs croyances traditionnelles, comme ces jeunes parvenus qui ont honte de leur vieille mère devant leurs nouveaux amis de club ; la peur de l'engagement, je veux dire de l'engagement définitif, que ce soit dans le sacerdoce, où des novateurs préconisent l'ordination à bail renouvelable de gré à gré, ou dans le mariage, dont les aléas ont inspiré à d'obligeants ecclésiastiques la formule du « mariage à l'essai » où le « promis » n'est pas tenu de tenir et où la « promise » ne promet rien ; à quoi s'ajoute la peur de ne pas paraître assez à gauche, dont Péguy disait que l'on ne saura jamais « combien de lâchetés elle aura fait commettre aux chrétiens ». Mais le saint-père, on le sait, rejette ces divisions entre gauche et droite, traditionalisme et progressisme, qui lui paraissent à éviter à tout prix ; pour lui la foi est à vivre avec simplicité, et « suivre l'Evangile ne consiste pas à choisir entre ce qui avance et ce qui retarde, mais à servir la vérité ». De toutes les peurs subsidiaires que je viens d'énumérer, la crainte de l'engagement est celle qui retient le plus son attention :

« Elle vient, elle aussi, comme plusieurs des désordres que vous avez évoqués, d'une perte du sens de la vie. On ne perçoit plus celle-ci dans son ensemble, comme un tout impliquant un choix et une direction ; on la vit par tranches successives, sans voir plus loin que la fin d'une période et le début de la suivante — quand on les aperçoit ! Or il faut s'engager totalement. La vie religieuse et la vie matrimoniale sont deux modalités d'un tel engagement absolu. Malheureusement, on manque aujourd'hui d'une vision claire de la finalité de l'existence humaine. C'est une véritable maladie, une faiblesse, peut-être même un péché contre l'esprit. On ne vit pas de la même façon devant Dieu, et devant le néant. »

Il vit devant Dieu, sans l'ombre d'un doute, et je ne vois pas ce qui pourrait le distraire de sa faction. A toutes les peurs que j'ai alignées devant lui, il a donné la réponse de la foi : ces hommes qui bâtissent et détruisent le monde en même temps, Dieu veut qu'ils soient tous sauvés et qu'ils parviennent tous à la connaissance de la vérité. Qu'ils le sachent ou qu'ils l'ignorent, tous écrivent l'histoire du salut, qui est l'âme de leur commune destinée. « N'ayez pas peur », dit-il. Mais lui-même ? N'a-t-il jamais peur ? N'est-il rien qu'il redoute ?

« Depuis le commencement de ce dialogue, on discerne aisément à travers mes réponses quels sont mes sujets de crainte. Nous vivons entre la peur et l'espérance. L'Evangile est une espérance pour ce monde, où se réalise déjà le royaume de Dieu. Il faut craindre et espérer. Et ne pas craindre d'espérer. »

On a pu le constater plus d'une fois, chez Jean-

Paul II, la confiance en Dieu engendre une confiance en l'homme à laquelle la vertu d'espérance vient apporter quand il le faut, et si j'ose dire, les secours de la religion. La vigueur de son esprit, au lieu de ne lui découvrir dans ce monde que des sujets d'amertume et de consternation, le porte au contraire à rechercher ce qu'il peut encore subsister de bon dans le mauvais, et de moins mauvais dans le pire.

Cette rare disposition d'esprit ne le rend en rien sujet aux illusions. Elle ne lui dissimule rien des réalités les plus dures — avec lesquelles il a d'ailleurs fait connaissance de bonne heure dans sa courte vie de famille. Mais toutes ses pensées trouvent leurs conclusions et se résolvent dans le Christ, dont la lumière traverse ses lumières.

Cependant, tandis qu'il parle en pacifique d'un monde qui ne l'est pas, je songe à ces guerres qui ne veulent pas finir, à cette violence qui l'aura frappé lui-même, au mensonge partout comme une ivraie proliférante qui menace d'étouffer la vérité, à cette humanité enfin pathétique, odieuse et douloureuse, qui pour le croyant lui a été confiée. Et aussi à la parole du Christ invitant Pierre à « paître ses agneaux » pour l'heure en divers lieux de la terre assiégés par les loups. Et, comme la prière est la seule arme dont se serve ce pape, je lui pose une ultime question qui en résume beaucoup d'autres, et qui recevra la réponse la plus brève de ce dialogue. Je lui demande quelle est sa prière pour le monde, et il me répond :

« J'en appelle à la Miséricorde. Oui, j'en appelle à la Miséricorde. »

L'ATTENTAT

I

Elle est polonaise, vit presque toute l'année à Rome, et porte sur les êtres et les choses un regard aigu et candide qui lui révèle ce que beaucoup d'autres ne voient pas. A moins qu'elle ne soit retenue par ses devoirs d'Etat, et il faut vraiment que leur prise soit énergique, elle ne manque jamais une audience.

J'étais près d'elle, dans le « coin des Polonais », le jour où, quatre mois après l'attentat du 13 mai 1981, Jean-Paul II réapparaissait pour la première fois sur la place Saint-Pierre, debout dans le même petit véhicule blanc, pour reprendre exactement, à travers la foule, l'itinéraire naguère interrompu. Ainsi l'aviateur accidenté recommence-t-il à voler le plus tôt possible pour desserrer l'emprise d'un mauvais souvenir.

Dans notre « coin des Polonais », il me semble que nous tremblions tous deux, et ce n'était pas la crainte, mais une sorte d'angoisse rétrospective à la pensée du crime qui s'était accompli là, au milieu de cette fête de famille pleine de douceur et de soleil, et qui m'avait fait écrire le lendemain des choses presque désespérées sur ce monde où Caïn se promène toujours avec ce signe au front qui le rend invulnérable.

Donc elle est là le 13 mai à 5 heures de l'après-midi et, comme le général qui raconte une bataille à ses invités en manœuvrant sur la nappe les tasses et les petites cuillers, elle dispose sur sa table de travail les livres et tous les objets qui lui tombent sous la main pour figurer le décor, la basilique, la colonnade, les barrières qui divisent la place en enclos comme des pâturages séparés par des sentiers :

« Ici, c'est le fauteuil, le trône du saint-père, face à l'allée centrale. A gauche de la façade, sous la grande horloge, l'*arco delle campane,* l'arc des cloches : c'est par là que le pape sort du Vatican.

« Ce jour-là, par exception, la foule n'était pas très nombreuse, les Polonais non plus, et j'en ai profité pour m'approcher de la barrière, le long du chemin.

« Quand le pape est arrivé dans sa jeep blanche, vous savez, celle que nous avons vue tout à l'heure et qu'on appelle ici le *papamobile,* son visage était tout à fait détendu, un peu rose et souriant, ses yeux étaient clairs comme des yeux d'enfant et j'ai pensé : Comme il semble jeune ! Comme il est beau ! Il ne regardait pas de mon côté mais au loin, vers le fond de la place. Il est passé, il a fait le tour de l'obélisque par cette allée, une fois, puis une seconde fois. Comme je ne pouvais plus le voir, je me suis assise. A côté de moi une dame de Cracovie que je ne connaissais pas me parlait tout le temps et je ne l'écoutais pas, je suivais le passage du saint-père aux applaudissements de la foule et je l'apercevais de temps en temps dans la perspective d'une allée.

« Alors, voici ce qui s'est passé. Ici, c'est la colonnade, avec une ambulance de la Croix-Rouge qui est là en permanence pour les gens pris de malaise dans la chaleur ou pour quelque autre cause ; là sont les colonnes qui sont en avant de la Porte de bronze. »

C'est la porte centrale du Vatican, avec en haut des marches son suisse à pertuisane qui est probablement, après le pape, l'homme le plus photographié du monde.

« La dame de Cracovie parlait toujours. Tout était calme. Au bruit des applaudissements, la jeep blanche devait être entre la Porte de bronze et l'ambulance. »

L'assassin, après s'être fait indiquer le meilleur endroit pour voir le pape, avait atteint la barrière :

« Et soudain j'ai entendu les détonations. Les coups de feu. Et comme dans le couvent où j'habite il y a toujours des coups de sonnette stridents pour appeler l'un ou l'autre des hôtes ou des religieuses au téléphone ou au parloir, chacun ayant son code — moi c'est " trois, deux, un " — j'ai pris l'habitude de compter dans mon subconscient, et là j'ai compté les coups de feu comme des coups de sonnette : un, deux, trois, quatre. Cinq ! J'ai entendu cinq coups, je ne sais pas pourquoi, il n'y a pas eu de cinq. Et à ce moment tous les pigeons de la place se sont envolés. J'avais déjà compris qu'il s'agissait d'un attentat, car je craignais tout le temps qu'il n'arrive quelque chose, et pourtant j'ai pensé, tout en sachant ce qu'il en était : Mais qui donc ose tirer sur les pigeons en présence du pape ? Car je ne voulais pas admettre la réalité, je ne voulais pas entendre mes propres pensées. Alors j'ai demandé à la dame de Cracovie, comme avec l'espoir qu'elle me donnerait une autre explication que celle à laquelle je voulais échapper : " Qu'est-ce que c'est ? " Elle m'a répondu : " Quoi ? " Elle parlait tant qu'elle n'avait rien remarqué. Et tout à coup sur cette foule qui un instant auparavant applaudissait et manifestait sa joie la stupeur s'est abattue.

« Combien y avait-il de personnes, je ne sais pas. Vingt mille peut-être. Et après l'envol des pigeons l'on n'a plus rien entendu qu'un soupir immense, et comme une sorte de gémissement de la foule.

« Puis est venu le tumulte, des vigiles couraient, les gens se massaient de l'autre côté de la place. J'ai cherché à voir ce qui se passait et j'ai aperçu la jeep blanche qui rebroussait chemin. Je déteste depuis cette auto. Elle revenait très vite et j'ai vu le pape, soutenu par don Stanislas, comme vous avez pu le voir sur les photographies. Son visage était tout à fait blanc, et j'ai pensé qu'il était mort. Il était ainsi, dans cette attitude inerte qui est celle des descentes de croix, où tout le corps est abandonné dans les bras qui le portent. Il était paisible, avec quelque chose qui ressemblait à un sourire, mais je me disais que souvent les morts sourient ainsi.

« Alors j'ai dû m'asseoir et, moi qui pleure facilement, je ne pleurais pas. Il me semblait que toute la place Saint-Pierre s'enfonçait lentement avec nous, que tout tombait dans le vide, le parvis, la foule, toutes les statues qui surmontent la colonnade et dont les mouvements baroques me semblaient être ceux de l'effroi et de la réprobation. Depuis, je les aime. La douleur que j'ai au côté dans les grandes émotions s'est réveillée et m'a fait très mal. Autour de moi tout le monde était blême, et dans l'allée les vigiles commotionnés n'avaient plus de sang au visage. L'un d'eux près de moi avait une figure de craie sous ses cheveux noirs, et je me suis demandé s'il allait s'évanouir. Non. Il pleurait.

Il y eut des cris et des sanglots. Tout un peuple se sentait atteint par ce crime dans ses sentiments les plus nobles, qui le font particulièrement accueillant et attentif à ceux qui se confient à son hospitalité.

« Maintenant, imaginez la place. Le fauteuil, enfin le trône du saint-père était là. Non, ici. Mes compatriotes, peut-être quelque deux ou trois cents, avaient apporté de Pologne une image de Notre-Dame de Chestochowa, qui chez nous est toujours là quand il se passe quelque chose. Donc ils avaient avec eux cette copie, pas très belle d'ailleurs, et ils l'ont posée par terre contre le fauteuil. Un coup de vent est venu qui l'a renversée, et tout le monde a pu voir qu'il était écrit au dos : " Notre-Dame protège le saint-père du Mal. " Alors les Polonais ont calé le tableau sur le fauteuil, à la place du saint-père, et aussitôt les gens se sont approchés, et ont commencé à prier.

« Personne ne savait rien. Je ne pourrais dire combien de temps a passé jusqu'à ce qu'un prêtre vienne enfin annoncer que le saint-père était seulement blessé, qu'aucun organe vital n'avait été touché, et c'était vrai ; mais il n'a pas dit que le blessé était agonisant pour avoir perdu plus de trois litres de sang, ce qui est mortel. Alors les Polonais qui s'étaient levés pour écouter se sont remis à genoux avec les évêques et toute la foule, magnifique, et nul n'a quitté la place jusqu'à ce que tombe le soir et que les nouvelles soient meilleures. »

II

S'il est difficile de pénétrer sur la place Saint-Pierre les jours d'audience, il est tout aussi malaisé d'en sortir, et l'assassin fut pris. On sut bientôt qu'il était turc, extrémiste de droite, qu'il avait déjà tué quelqu'un dans son pays, et qu'il n'avait renoncé à tuer la reine d'Angleterre que pour s'être souvenu à temps des prescriptions du Coran à l'égard des femmes. Il lui fallait absolument assassiner quelqu'un pour des motifs connus de lui seul, et ses explications volontairement ou involontairement confuses au tribunal n'ont éclairé personne. Si la police a su quelque chose de ses motifs réels, elle l'a gardé pour elle. Ses communiqués ont été laconiques, l'enquête fut des plus véloces et le procès des plus brefs. L'accusé semblait attendre l'intervention d'un *deus ex machina* tout-puissant et mystérieux, qui ne se manifesta pas. Après avoir reconstitué l'itinéraire étrangement compliqué qui l'avait amené à Rome, entendu ses réclamations (il voulait que son procès ait lieu au Vatican, où ne se juge pas cette sorte d'affaire) et les déclarations de quelques témoins qui ne pouvaient rien apprendre à personne, ses juges l'envoyèrent en prison et il y disparut avec son secret, s'il en avait un, ce que je ne crois guère. Je pense qu'il s'agissait de l'un de ces terroristes constitués en petits groupes intoxiqués de dialectique macabre, et qui tourbillonnent çà et là en Europe depuis le XIXe siècle, dans le vide laissé par les vieilles structures englouties puis par le lent effondrement de la morale dans les démocraties ; mais il y a d'autres hypothèses...

La victime ni son entourage n'ayant été appelés à témoigner, le tribunal ne jugeant pas utile de délivrer de vaines citations, on a dit et écrit beaucoup de choses exactes ou inexactes sur les circonstances mêmes de l'attentat. Par exemple, il est faux que le saint-père ait demandé « Pourquoi ? » ou « Pourquoi moi ? » durant son transfert à l'hôpital. Question oiseuse. Le bien attire le mal, et quand la pure fidélité d'Abel atteint un certain degré d'éclat, son frère s'arme dans l'ombre.

Mais il fallait fixer l'histoire, qui s'intéresse parfois aux faits, et nul ne les connaît mieux que le secrétaire particulier du pape. Il était dans la jeep. Il n'a quitté son maître — j'emploie le mot au sens de l'Ecriture — ni jour ni nuit, jusqu'à ce que celui-ci soit parfaitement guéri et qu'il devienne nécessaire de l'envoyer lui-même en convalescence, tant il perdait ses forces tandis que son malade recouvrait les siennes.

Don Stanislas, ou *Monsignore Stanislao,* comme on dit à Rome, est un homme taciturne. La confiance, qu'il ne gaspille pas, lui donne un enjouement qu'il laisse volontiers glisser gentiment jusqu'à l'humour, mais pas plus loin. Il a fallu l'intervention du pape pour qu'il consentît à rompre le vœu de silence qu'il semble avoir ajouté à sa discrétion naturelle. Voici son récit, tel que j'en ai gardé le souvenir. L'émotion est à chercher entre les mots : elle y est.

« Le 13 mai, le saint-père avait déjeuné avec le Pr Lejeune, son épouse et un autre invité. L'audience a commencé ponctuellement à 17 heures dans la plus grande tranquillité. Rien ne faisait pressentir ce qui allait arriver. Alors que le saint-père faisait pour la deuxième fois le tour de la place et approchait de la Porte de bronze, le Turc Mehemet Ali Agca a tiré sur lui, le blessant au ventre, au coude droit et à l'index de la main gauche. Selon moi, deux balles ont été tirées, bien qu'il y ait sur ce point des opinions différentes. L'une a touché l'index avant de traverser l'abdomen. J'étais assis comme d'habitude derrière le saint-père, et la balle, malgré sa force, est tombée entre nous dans l'auto, à mes pieds. L'autre blessait le coude droit, brûlait la peau et allait blesser d'autres personnes.

« Qu'ai-je pensé ? Personne ne croyait qu'une telle chose fût possible, et, bouleversé, je n'ai pas compris tout de suite. Etait-ce une explosion sous la voiture ? Le bruit avait été assourdissant. Notre sœur de l'appartement, qui regardait la place du haut du palais, l'a entendu. Tous les pigeons se sont envolés. Naturellement, j'ai bientôt réalisé que quelqu'un avait tiré. Mais qui ? Et j'ai vu que le saint-père était touché. Il vacillait, mais on ne voyait sur lui ni sang ni blessure.

« Alors je lui ai demandé : " Où ? "

« Il m'a répondu : " Au ventre. " J'ai encore demandé : " Est-ce douloureux ? " Il a répondu : " Oui. "

« Debout derrière le saint-père, je le soutenais pour qu'il ne tombe pas. Il était à demi assis, penché sur moi dans l'auto, et c'est ainsi que nous avons rejoint l'ambulance, devant le centre sanitaire.

« Au moment de... l'accident, il y avait un médecin dans l'ambulance. La décision de partir a été prise immédiatement pour éviter la confusion, et peut-être une nouvelle tentative. Je n'avais pas d'autre pensée que celle-ci : l'hôpital, et ce devait être l'hôpital Gemelli. Pour deux raisons : la polyclinique était préparée pour une telle éventualité, et, dans une conversation après son élection, le saint-père avait dit que s'il lui fallait un jour recevoir des soins, il devait être hospitalisé comme tout le monde, et que l'hôpital pouvait être Gemelli. »

Donc, la clinique était prête à recevoir le pape à tout moment, et la décision fut prise aussitôt d'y aller. Personne ne savait jusqu'à quel point la vie du saint-père était en danger, ni même quelles étaient ses blessures.

Il y eut deux transferts, dans une première ambulance qui n'était pas équipée pour la réanimation, puis dans une autre pourvue des appareils nécessaires et qui le conduisit à l'hôpital.

« Le saint-père ne nous regardait pas. Les yeux fermés, il souffrait beaucoup et répétait de courtes prières exclamatives. Si je me souviens bien, c'était surtout : " Marie, ma mère ! Marie, ma mère ! "

« Le Dr Buzzonetti, un infirmier, frère Camille, étaient avec moi dans l'ambulance. Elle roulait très vite, sans aucun accompagnement de police. Sa sirène elle-même s'est détraquée après quelques centaines de mètres. Le trajet qui en temps ordinaire demande au moins une demi-heure a pris huit minutes, et dans la circulation romaine !

« Je ne savais pas si le saint-père était encore pleinement conscient. Il souffrait intensément et de temps en temps répétait une oraison. Il est faux qu'il ait dit : " Pourquoi moi ? " ou formulé quelque reproche. Rien de tel. Il n'a eu aucune parole de désespoir ou de ressentiment, mais seulement celles d'une profonde prière venue d'une grande souffrance.

« Plus tard, le saint-père m'a dit qu'il était resté conscient jusqu'à l'hôpital, que là seulement il avait perdu connaissance, et qu'il avait été tout le temps convaincu que ses blessures n'étaient pas mortelles. »

A l'hôpital, c'est la confusion. C'est une chose de se préparer à recevoir un pape, et une autre de le voir arriver exsangue et inconscient. Les services avaient eu le temps de s'organiser, mais il y eut malgré tout un instant d'affolement. Les médecins étaient prêts, tous accoururent, mais l'émotion avait fait un peu perdre la tête à tout le monde. On transporta le saint-père au dixième étage où était sa chambre, conformément au plan d'accueil, avant de le redescendre à la salle d'opération quelques minutes plus tard. Don Stanislas y entra avec lui. L'opération devait durer cinq heures et vingt minutes. Pendant les préparatifs, le Dr Buzzonetti avait dit que l'état du blessé était très grave. La tension avait terriblement baissé, et le pouls était presque insaisissable. Tous redoutaient le pire.

« Alors il fallait donner l'extrême-onction. J'ai administré le sacrement dans la salle, juste avant l'intervention. Mais le saint-père n'était plus conscient.

« L'espoir est revenu graduellement pendant l'opération. Au début, c'était l'angoisse. Puis il s'est révélé peu à peu qu'aucun organe vital n'était touché, et qu'il restait une possibilité de vie. »

Dans les conditions les plus difficiles, puisque l'on n'avait pu préparer le malade comme on le fait habituellement, il fallut épurer l'abdomen, couper cinquante-cinq centimètres d'intestin, coudre le colon en plusieurs endroits et compenser l'hémorragie : le saint-père avait perdu les trois quarts de son sang. Le groupe sanguin était connu, la transfusion prête en permanence. A quoi s'ajoute la mise en place d'un système de dérivation, qui sauve les malades en leur laissant un fort pénible souvenir.

« L'opération a été pratiquée par le Pr Crucitti, assisté du Pr Corrado Manni, réanimateur, du cardiologue Manzoni, de l'interne Breda et d'un médecin du Vatican. Le Pr Castiglione, chef de la clinique, est arrivé de Milan à la fin de l'opération. »

La nouvelle avait en quelques minutes fait le tour du monde. Tout de suite, des visiteurs se sont présentés, des cardinaux, les archevêques Martinez et Silvestrini, de la Secrétairerie d'Etat, des hommes politiques, comme le président Pertini, le Premier ministre Forlani, M. Craxi, M. Berlinguer, d'autres encore, de toutes les tendances de l'opinion, ou presque.

Après l'opération, le saint-père fut transporté dans la salle de réanimation, et jusqu'au 18 mai il est resté sous la surveillance ininterrompue des médecins, en particulier du Pr Manni et des chirurgiens.

Tous espéraient, mais ne se prononçaient pas. Tout pouvait encore arriver.

Il est extraordinaire que la balle n'ait détruit dans sa course aucun organe essentiel. Une balle de neuf millimètres est un projectile d'une brutalité inouïe. Pour qu'elle n'ait pas causé des ravages irréparables dans cette partie très complexe du corps, il a fallu qu'elle suive à travers l'organisme un trajet improbable.

« Elle est passée à quelques millimètres de l'aorte centrale. Si elle l'avait atteinte, c'était la mort instantanée. Elle n'a pas touché l'épine dorsale ni aucun point vital. Disons, entre nous, miraculeusement. Le reste est dû au transport immédiat à l'hôpital et à la présence de médecins qui ont merveilleusement opéré, je répète : merveilleusement. L'intervention a été parfaite, aucune complication n'a suivi. Beaucoup d'antibiotiques ont été administrés chaque jour dans la crainte d'une infection. Pendant les deux premiers jours, les souffrances ont été très grandes, principalement à cause des drains. Mais d'heure en heure les réactions s'amélioraient.

« Pendant la nuit qui a suivi l'opération, le président de la République Pertini est venu. Le saint-père, qui était réveillé, l'a remercié de sa visite, mais le lendemain il ne s'en souvenait plus. Le président Pertini est venu trois fois. Le 17 mai, il s'est offert à porter à la Suisse, où il devait se rendre, les vœux du saint-père.

« Dans tout l'hôpital régnait une atmosphère familiale. Les médecins et les infirmières s'empressaient autour du saint-père, tâchaient de lui parler ou d'assister à sa messe. Il les accueillait avec sa simplicité coutumière et leur disait sa gratitude.

« J'étais toujours là. Je ne sortais qu'exceptionnellement de l'hôpital, comme le père Magee. Avec les sœurs polonaises et notre collaborateur Angelo, nous n'avons pas quitté le saint-père pendant trois mois.

« Dès le premier jour, le saint-père a communié. Le jour suivant, déjà, il concélébrait avec nous de son lit.

« Nous avions toujours peur d'une complication, surtout à cause d'une forte fièvre persistante, et qui ne venait pas de l'intervention. Presque tout de suite nous avons pensé à une consultation internationale de médecins, non pour contrôler, mais pour cautionner les médecins de Gemelli qui avaient tout fait avec dévouement, savoir et piété filiale. Dans notre esprit, cette consultation devait également fixer les soins à venir.

« Après l'opération du mercredi le saint-père était déjà capable, le dimanche, de parler pour l'Angélus (il n'en a jamais manqué un). »

On se rappelle cette première allocution de quelques minutes, prononcée d'une voix faible, méconnaissable pour tous ceux qui avaient encore dans l'oreille ses sonorités profondes. Les paroles furent de pardon et de confiance dans la Providence. La victime appelait son assassin son « frère ». Encore sous le coup de la frayeur, j'écrivis alors, comme je le pensais, que j'aurais préféré, à tout prendre, que ce frère trouvât un autre moyen d'entrer dans la famille.

« Il y avait foule à la clinique pour prendre des nouvelles du saint-père. Les lettres affluaient. Nous avons reçu 15 000 télégrammes.

« Le lundi 18 mai à 13 heures 30, le pape a été transporté au dixième étage, desservi par les sœurs de Maria Bambina. Le départ de la salle de réanimation ne s'est pas fait sans émotion, et je vois encore les larmes dans les yeux du Pr Manni.

« Le même jour sont arrivés, invités par le Secrétaire d'Etat, les premiers spécialistes, venus des Etats-Unis, de Münster, de Cracovie, de Barcelone, de France. Devant eux, il a fait ses premiers pas. »

Ici, un détail étonnant :

« Le saint-père n'a jamais omis le bréviaire.

« Je me rappelle que le lendemain de l'attentat, à peine revenu à lui, sa première demande a été : " Avons-nous dit complies ? "

« Mais il était déjà midi et par conséquent trop tard. Pendant sa première et sa deuxième maladie, quand son état de faiblesse ne lui permettait pas de dire le bréviaire lui-même, on le récitait devant lui à haute voix pour qu'il pût le suivre par la pensée. Dès qu'il l'a pu, il l'a dit en alternance avec l'un de nous.

« Il recevait chaque jour la visite du cardinal Confalonieri, doyen du Sacré Collège, du cardinal-vicaire Poletti, du substitut Martinez Somalo. Le cardinal Casaroli venait deux fois par jour, et souvent l'archevêque Silvestrini. Ils suivaient attentivement le cours de la maladie et gardaient le contact avec les médecins.

« Le 17 mai a été le jour d'une souffrance supplémentaire : le vote de l'Italie sur l'avortement, dont les adversaires ont été battus. Cette légalisation du meurtre, contre laquelle il avait tant lutté, a été un coup ajouté à ses blessures.

« Le 20 mai, la fièvre a baissé. Le saint-père, jusque-là nourri par perfusion, a pris son premier repas, un potage avec un œuf. Le soir, ensemble, nous avons récité le *Te Deum*.

« Le saint-père voyait dans tout cela un signe du ciel, et nous, médecins compris, un miracle. Tout semblait mené par une main invisible. On ne parlait pas de miracle, mais tout le monde y pensait. Ainsi, le doigt mutilé revenait de lui-même à la santé. Pendant l'opération, on ne s'en est pas occupé. On pensait l'amputer. Une simple attelle et les médicaments destinés à l'état général lui ont suffi pour guérir. Pourtant la deuxième articulation était brisée. Maintenant, il est tout à fait rétabli.

« Nous disions la messe chaque soir, puis les litanies de la Sainte Vierge. Le saint-père chantait avec les sœurs. Le plus grand désir du personnel était d'être là.

« Le 23 mai, les médecins ont signé un communiqué annonçant que la vie du malade n'était plus en danger. »

Mais la fièvre était revenue. Et une autre peine est venue se joindre aux autres : le cardinal Wyszynski était mourant. A 12 heures 25, le 25 mai, dernière communication téléphonique avec le primat de Pologne, qui demanda sa bénédiction au saint-père. Cclui ci répondait en bénissant « sa bouche et ses mains », comme pour approuver et ratifier tout ce que le cardinal avait dit et fait pendant sa vie.

« L'état général était meilleur, mais pas encore satisfaisant. Fièvre et tension.

« Le 27 mai, après l'enregistrement d'une allocution aux pèlerins de Silésie, le saint-père s'est senti très fatigué. Son état restait précaire. Il y avait " quelque chose ". Les difficultés respiratoires, l'essoufflement, les douleurs au cœur dénotaient un nouveau mal. En fait, nous savons maintenant que c'était le commencement de cette maladie à virus qui allait bientôt se déclarer violemment.

« Le cardinal Wyszynski est mort le 28 mai. On différa d'en donner la nouvelle au saint-père jusqu'à la messe du soir. Il en fut affecté, en s'efforçant de ne pas le laisser paraître. La messe fut dite pour le primat. »

Le dimanche, il s'associa aux funérailles du cardinal Wyszynski en suivant la radio, puis en disant sa propre messe en même temps que celle de Pologne.

Pendant son séjour à l'hôpital, il n'avait pas cessé de s'occuper des affaires de l'Eglise, d'en parler avec ses collaborateurs, de prendre des décisions, de donner sa signature.

« Puis une amélioration se produisit, et le 3 juin les médecins consentirent à laisser le saint-père retourner au Vatican pour ce que l'on croyait être une période de convalescence. »

Il était bien, mais souffrait évidemment encore de ses plaies, de son doigt, de son coude — et de l'incisive brisée pendant l'anesthésie, au grand désespoir du praticien.

Il avait hâté son retour au Vatican pour deux raisons principales : présider la solennité du 7 juin, liée à l'anniversaire du concile d'Ephèse et du premier concile de Constantinople, cérémonie de grande ampleur à laquelle devaient assister des délégations de toutes les conférences épiscopales du monde ; consacrer le monde à la Vierge Marie, ce qui avait été fait en son absence à Sainte-Marie-Majeure. Il dut se borner à lire un message du haut de la loggia de Saint-Pierre.

Il était très pâle, ses forces ne revenaient pas, la fièvre reprit dès le 10 juin sous sa forme capricante, montant soudain jusqu'à 39,5 °C et retombant brusquement sans que l'on puisse en déceler la cause. Tous les examens étaient négatifs, et cette fièvre bizarre jeta tout le monde dans une nouvelle angoisse, pire peut-être que la précédente, tandis que le malade s'épuisait peu à peu. Un cauchemar, dit don Stanislas. Le visage était gris et décharné, le nez aminci, dans leurs cernes presque noirs, les yeux devenus d'un vert insolite ne regardaient personne et n'exprimaient plus que l'absence. Autour de lui ce fut, de nouveau, la crainte.

Aucun des appareils perfectionnés que l'on avait fait venir pour sonder à fond l'organisme ne fournissait d'indication sur l'origine de cette fièvre qui ne cédait pas aux antibiotiques. On en revint à la perfusion.

Le 12 juin, l'entourage demandait une consultation élargie, à laquelle allait prendre part, notamment, un spécialiste des virus. Il s'agissait de s'assurer que cette fièvre rebelle n'était pas due à quelque détail négligé au cours de l'intervention chirurgicale.

Le 20 juin, il fallut retourner à l'hôpital pour de nouvelles analyses, qui au début ne furent pas plus révélatrices que les précédentes. C'était à s'arracher les cheveux. Comment soigner une maladie qui ne dit pas son nom ?

C'est alors que le Pr Sanna a décelé et isolé le cytomégalovirus, cause de tout le mal. Il faudrait pour en venir à bout, six semaines, dit-il, pendant lesquelles l'état du malade resterait précaire et sujet à de brusques assauts de fièvre. Ce fut justement ce jour-là que l'on put constater une certaine amélioration ; mais par la suite un point de pleurésie vint compliquer encore les choses.

Pas plus durant ce séjour que pendant l'autre le saint-père n'a omis le bréviaire ni aucune de ses prières habituelles, le rosaire, le chemin de croix du vendredi, dont on lui lisait les méditations au pied de son lit.

A 7 heures, qui est l'heure où le personnel de jour venait relever le personnel de nuit, la journée commençait par un Notre Père dit en commun, parfois un cantique, et une bénédiction. Entre le 15 et le 16 juillet, ce fut enfin l'embellie, la fièvre quittait le patient, et, selon toute apparence, le virus aussi.

Alors on se préoccupa de la seconde opération, qui devait délivrer le malade du système de dérivation dont j'ai parlé. Les médecins étaient d'avis de la retarder le plus possible, mais le saint-père, extrêmement gêné à tous égards, voulait au contraire qu'elle eût lieu le plus tôt possible, et en tout cas ne souhaitait pas rentrer au Vatican pour revenir une troisième fois à la clinique. Finalement, c'est lui qui fixa la date de l'intervention au 5 août, fête de Notre-Dame-des-Neiges. Il avait hâte de reprendre son activité ordinaire, qu'il se reprochait presque d'avoir été contraint de ralentir.

L'opération, pour être moins aléatoire que la première, n'en présentait pas moins les risques qui sont ceux de toute intervention chirurgicale. Elle dura une heure et réussit très bien. Le 14 août, le saint-père rentrait au Vatican et pouvait célébrer le lendemain la fête de l'Assomption avec les cinquante mille pèlerins rassemblés sur la place Saint-

Pierre, qui n'avait jamais vu autant de monde un 15 août, date en général si bien chômée qu'il ne reste plus un Romain dans Rome. A 17 heures 30, le saint-père se rendait en hélicoptère à Castel Gandolfo.

« Le reste, c'est le retour à la santé. » Sur ces mots s'achève le récit de don Stanislas.

III

J'ai refait le chemin qui mène de Saint-Pierre à l'hôpital Gemelli à travers les quartiers neufs d'une Rome qui ne laissera pas de ruines. Les avenues sont larges, mais encombrées ; elles en recoupent d'autres, qui ne le sont pas moins, et il faut toute l'ingénieuse adresse des conducteurs romains pour que ces carrefours où les feux tricolores signalent la difficulté sans prétendre la résoudre ne se transforment pas en cimetières de voitures. Après avoir longé un marché, qui déborde, traversé le flot roulant de l'Aurelia comme avec les coups d'aviron du canoë qui résiste à l'entraînement d'un rapide, on aperçoit enfin sur une épaule du *monte Mario* les murailles vitrées de la polyclinique et de la faculté catholique de médecine, qui tiennent autant de place sur leur colline que le Vatican sur la sienne. Je ne sais comment l'ambulancier, privé de sa sirène, a pu atteindre ce havre en huit minutes.

A l'entrée, le grand portrait d'un religieux pensif

en robe de bure à cordelière blanche, le frère Agostino Gemelli, fondateur de cette Babylone de la souffrance qui n'est donc pas comme je le croyais l'œuvre de quelque richissime donateur, mais celle d'un pauvre de vocation qui à l'exemple de son créateur aura fait beaucoup avec rien, tandis que tant de riches ne font rien avec beaucoup. Dans les temps anciens, un pape inspiré était allé s'agenouiller à la stupeur générale devant un jeune guenilleux des environs d'Assise, qui prêchait les oiseaux et portait l'Evangile dans son cœur. Des siècles plus tard, un pape mourant aura été accueilli par l'effigie d'un disciple de ce même jeune homme aux mains vides, et il aura été rendu à la vie sous son patronage discret. Nulle part au monde Jean-Paul II n'eût été mieux soigné.

Avec ses cinq salles d'opération et ses dix-huit cents lits, le complexe Gemelli emploie quatre mille personnes, dont cinq cents médecins.

Au dixième étage, un aileron du bâtiment central fermé par des portes de verre fumé, autrefois réservé aux médecins de garde, a été affecté depuis à ces grands personnages qui ne peuvent tomber malades sans que la santé d'un Etat soit compromise, et qui sont accompagnés partout de l'entourage qui les relie au monde extérieur. Jean-Paul II a inauguré ce *reparto speciale* qui comprend, à droite d'un large vestibule se terminant en salle d'attente, une pièce meublée de quelques fauteuils, d'une commode, d'une table basse et d'une étagère garnie de peu de livres auxquels le saint-père avait ajouté quelques-uns des siens. Une porte intérieure ouvre sur la chambre, petite, d'une sobriété du genre exemplaire et pareille aux autres, mise à part la baie vitrée à l'épreuve des balles. Je me hâte de dire que Jean-Paul II n'apprécie pas plus cette forme de protection que les autres, et qu'il déteste tout particulièrement le *papamobile* surmonté d'une cage de verre qui le sépare de la foule où il puise une partie de sa force, et dont il pense qu'elle a droit à sa présence confiante et désarmée. Il n'accepte de monter dans cet étrange véhicule que pour atténuer les appréhensions de ses hôtes. Après la chambre, et vaste comme les thermes de Caracalla, une de ces salles de bains où les malades, de leur lit, peuvent imaginer qu'ils nagent et plongent. De l'autre côté du vestibule, la chambre de don Stanislas, et une grande pièce où se réunissait le collège des médecins. Le pape dira : le sanhédrin.

Avec l'accord du saint-père, j'ai voulu savoir comment s'étaient passées les choses, vues du côté des médecins.

Le 13 mai à 17 heures 25, le Pr Tresalti, directeur des services médicaux, a reçu un coup de téléphone du Vatican et le blessé presque en même temps. Le pape, disait le message, était *colpito,* c'est-à-dire « touché » ou « frappé » ou « atteint » : le mot couvrait aussi bien l'infarctus que la thrombose cérébrale ou l'accident matériel, d'où l'ascension au dixième étage avant la descente précipitée à la salle d'opération.

L'équipe des « Urgences » était prête, le sang aussi, mais non pas en quantité suffisante pour l'énorme transfusion nécessaire. L'opération a commencé un peu avant 18 heures, dès l'arrivée du Pr Crucitti, qui allait en assumer la responsabilité. A

20 heures, le Pr Tresalti pouvait lire un premier communiqué, plutôt rassurant, aux journalistes qui par centaines assiégeaient l'hôpital, micros tendus vers la moindre rumeur. A minuit quarante-cinq, un deuxième communiqué annonçait que l'opération s'était terminée à 23 heures 25 dans les meilleures conditions. L'état du malade était satisfaisant. Les communiqués se succédaient ainsi de « mieux » en « mieux » jusqu'au 3 juin, date de sortie du saint-père. Ils me rappellent les célèbres bulletins de la Grande Armée, qui vont de victoire en victoire jusqu'à l'incendie de Moscou et la retraite de Russie. Le 19 juin, on annonce qu'une flambée de fièvre due à la contre-attaque d'un agent d'infection non identifié nécessite une nouvelle hospitalisation. Ce jour-là, le Pr Tresalti accueillit le saint-père à l'entrée de Gemelli avec un fauteuil roulant dont le malade tout d'abord ne voulut pas, mais qu'il lui fallut bien emprunter tout de même après quelques pas, tant il était affaibli et chancelant. Fin et cultivé, le professeur me raconte ensuite avec humour comment son malade, qui ne se plaignait jamais, se plaignit tout de même une fois devant le « sanhédrin » au nom des « droits de l'homme malade ». Je rapporterai ses propos plus loin. Pour l'instant, je constate que le saint-père est arrivé à l'hôpital épuisé par une hémorragie interne qui pouvait devenir rapidement mortelle. Tout est prêt pour opérer, mais il faut encore préparer le blessé à l'intervention, si succinctement que ce soit. Tout va se jouer en peu de minutes entre la vie et la mort, entre la vie, qui accourt, et la mort, qui est sur place. Tandis que l'on descend le mourant du dixième étage à la salle

d'opération du neuvième, on lance un appel tous azimuts au Pr Crucitti, chirurgien de classe internationale, dont les confrères de service aimeraient autant ne pas avoir à se passer. Naturellement, ils sont décidés à opérer sans l'attendre, mais ils préféreraient sans nul doute qu'il fût là.

Or, il est à quatre kilomètres, dans une clinique de la via Aurelia où il visite un malade. Une religieuse qui écoute à la radio la transmission en direct de l'audience hebdomadaire entend que le pape a été victime d'un attentat et qu'une ambulance le transporte à Gemelli. Elle court avertir le médecin, à qui la nouvelle paraît si incroyable qu'il téléphone à l'hôpital. Le numéro est libre, mais personne ne répond. Ces quelques secondes de sonnerie dans le vide lui paraissent interminables, mais révélatrices. Il échange sa blouse contre sa veste et saute dans sa voiture. C'était une heure de grande circulation.

« J'ai fait la première partie du parcours sur la voie de gauche pour remonter la file, mais au carrefour de l'Aurelia et de l'avenue qui mène à la Pineta Sacchetti, j'ai dû rentrer dans le rang pour tourner au feu vert. C'est alors que le hurlement des sirènes de police m'a ôté mes derniers doutes : la nouvelle était donc vraie ! En cherchant à me faufiler dans le groupe des voitures de police, j'en ai gêné une et je me suis vu menacer par un policier qui pointait sa mitraillette sur moi pour m'intimider. Je lui ai fait comprendre par signes que j'étais aussi pressé que lui.

« Je me suis mis à appuyer sans discontinuer sur mon klaxon, et bien que les voitures de police, qui roulaient à grande vitesse, m'aient laissé en arrière, j'ai pu me maintenir un moment dans leur sillage. Je n'étais pas très loin de l'hôpital quand j'ai aperçu dans mon rétroviseur un motard qui me prenait en chasse. J'ai pensé qu'il allait me retarder. Au contraire. C'était un garçon intelligent, car je n'ai eu qu'à lui crier, lorsqu'il est arrivé à la hauteur de ma portière : « Je dois aller immédiatement au Gemelli », pour qu'il me réponde sans la moindre hésitation : « Foncez, je vais vous aider. » Il m'a tiré à toute allure jusqu'à l'hôpital. A la porterie, j'ai crié : « Alors, c'est vrai ? » On m'a répondu : « Oui, oui, le pape est en salle d'opération. »

« Au quatrième étage, qui est celui de l'accès normal à l'hôpital, bâti sur une pente, un génie inconnu avait pensé à appeler tous les ascenseurs. J'ai pu monter tout de suite au neuvième, où une religieuse m'a crié : " Vite, vite ! " Assistants et bonnes sœurs se sont littéralement jetés sur moi pour m'arracher veste et pantalon, pour me passer ma tenue de salle, répandant autour de moi tout ce qu'il y avait dans mes poches, clés, monnaie, portefeuille. J'ai couru me brosser les mains tandis que l'un attachait ma blouse et que l'autre me mettait les pieds dans mes chaussons. Pendant ce temps, un médecin me disait de la salle : " La tension est à 80, à 70, elle baisse encore. " Lorsque je suis entré, l'anesthésie avait commencé, le pape dormait, et j'avais le bistouri à la main. L'équipe des urgences avait déjà appliqué les thérapies nécessaires et je n'avais qu'une pensée : ouvrir, ouvrir sans perdre une seconde.

« Et j'ai ouvert.

« Et j'ai vu du sang, du sang. Il y en avait peut-être trois litres dans l'abdomen. Nous l'avons aspiré, étanché ou épongé par tous les moyens, jusqu'à ce qu'apparaissent les sources de l'hémorragie. J'ai pu alors procéder à l'hémostase. Le blessé ne perdant plus son sang et la transfusion mise en place, la tension a remonté. A ce stade, nous pouvions continuer avec calme.

« J'ai donc exploré l'abdomen, et j'ai vu la série des blessures. Il s'agissait de lésions multiples de l'intestin grêle et du côlon. Certaines par blessures directes, sectionnement ou perforation sur le trajet de la balle, d'autres par éclatement. Le mésentère, membrane d'où partent les vaisseaux sanguins qui irriguent l'intestin grêle, était coupé en plusieurs endroits. J'ai fait les résections et les anastomoses nécessaires, lavé le péritoine, suturé le sigmoïde. Là, dans la dernière partie du côlon, se trouvait une terrible lacération causée par le passage direct du projectile.

« Après l'hémostase et le contrôle du fonctionnement cardio-vasculaire, et constatation faite de la gravité des blessures, j'ai pensé que la situation exigeait avant tout du sang-froid de ma part. Tout en étant parfaitement conscient de la difficulté de ma tâche, j'étais déjà convaincu que le résultat serait positif.

« Aucun organe vital, comme l'aorte ou l'artère iliaque, n'avait été touché, l'uretère non plus. Le projectile avait traversé le sacrum après être entré par la paroi antérieure de l'abdomen. Le système veineux sacral, qui saignait abondamment, nous a posé un problème difficile : pour arrêter l'hémorragie, nous avons dû employer de la cire stérile. Mais les organes essentiels dont la lésion eût provoqué la mort avaient été seulement effleurés, et les centres nerveux qui les avoisinent n'avaient apparemment pas souffert. C'était franchement surprenant. Toutefois, le malade étant sous anesthésie, nous ne pouvions pas savoir s'il était exempt de lésions nerveuses. Nous n'en avons été convaincus que lorsqu'il a recommencé à bouger.

« L'opération elle-même n'a pas duré cinq heures, mais sitôt l'hémorragie stoppée, nous avons laissé à l'organisme un peu de temps pour reprendre des forces, de même qu'après les sutures nous avons fait des radios pour nous assurer qu'il n'y avait pas d'autres balles ou fragments. Nous avons soigné la blessure au bras, radiographié le doigt, dont l'orthopédiste s'est occupé.

« Après l'opération, le pape est resté dans la salle d'opération un certain temps. Nous ne l'avons pas transféré dans la salle contiguë, dite de " réveil ", comme nous le faisons quand des malades attendent leur tour ; ce jour-là, il était seul à être opéré.

« La salle de réanimation, où il a été transporté ensuite, est au troisième étage. Il y est resté cinq jours. Son état cardio-vasculaire et pulmonaire était bon, et un autre malade n'eût pas séjourné si longtemps en réanimation ; mais avec lui nous avons préféré prendre plus de précautions qu'il n'en fallait. Les boxes de la réanimation sont stériles et toujours prêts, avec l'équipement complet nécessaire au contrôle des paramètres vitaux, alors que dans la chambre du pape cette installation n'existait pas ; nous l'avons faite plus tard.

« Après l'opération, j'étais déshydraté. Si, si, nous pouvons boire pendant une opération : les infirmières nous font boire au verre ou avec une paille car nous ne pouvons rien toucher. Mais là, j'ai préféré attendre, et j'ai bu de l'eau. Et j'ai fumé une cigarette.

« Non, je n'ai pas eu le trac. Tout le monde m'a posé cette question. Certes, j'ai eu un instant d'anxiété avant d'ouvrir l'abdomen. Après, une fois l'hémorragie bridée, je n'avais plus devant moi qu'un malade à opérer, un malade grave à opérer le plus rapidement possible. J'avais à accomplir un acte rationnel, un point c'est tout. Dans une telle situation, le chirurgien ne peut pas se permettre des émotions ou des considérations philosophiques, il ne pense qu'à faire son devoir. Les problèmes que pose la personnalité du malade qu'il a opéré viennent ensuite, à la sortie, quand il s'aperçoit que des centaines de personnes, la télévision, les photographes et une nuée de journalistes attendent ce qu'il va dire, et le monde avec eux.

« Une partie de l'équipe a accompagné le pape à la réanimation. La foule avait été éloignée des couloirs. Nous nous méfiions des photographes, mais il faut croire que nous ne nous méfiions pas encore assez puisque l'un d'eux a réussi, je ne sais comment, à prendre un cliché du transfert, malgré les gardes du Vatican et tous les contrôles.

« Le pape installé, le premier collège médical s'est réuni pour décider de la thérapie. Le président Pertini était là et m'a dit : " Vous fumez trop. " Je lui ai fait observer que lui-même ne lâchait pas souvent sa pipe. Il m'a répondu : " C'est que les hommes politiques me causent beaucoup de soucis à moi aussi. "

« Pendant la nuit, le pape était encore sous l'effet de l'anesthésie, mais tout allait bien, comme l'a indiqué le deuxième bulletin médical. J'ai surveillé le malade quelques heures encore et je suis allé me coucher. Mais je n'ai pas pu dormir. Au petit matin, j'ai pris un café et je suis retourné à la réanimation. Les nouvelles étaient bonnes, et notre petit collège s'est réuni, comme il devait le faire deux fois par jour.

« Mes premiers rapports avec le pape ont été exclusivement professionnels : " Avez-vous mal ? Comment vous sentez-vous ? " etc. Cela pendant toute la période où il est resté en réanimation. Nos rapports étaient ceux du médecin et du malade ; puis ils sont devenus ceux d'un homme ordinaire et du pape, d'un catholique et du pasteur de l'Eglise.

« Un journaliste a prétendu que nous avions violé le secret professionnel, et l'on a même écrit que " nous parlions du pape comme d'un homme " ! Bien sûr. Le pape n'est pas un pur symbole, c'est une figure réelle, qui a un contact direct et fraternel avec le monde. Et ce rapport d'homme à homme s'est établi entre nous.

« Nous avons parlé de tout : de l'attentat, de ce qui pouvait se cacher derrière, de mon pays et de son pays, de la situation du monde, de ma famille et de sa famille, de ses amis et de mes amis, de mes collaborateurs et des siens ; le champ était vaste.

« De notre conversation sur l'attentat, j'ai retiré l'impression qu'il s'interrogeait en vain sur la signification de cet acte incompréhensible. Et en effet, pourquoi lui, qui n'est pas mêlé aux affaires politiques, pourquoi cet attentat contre l'homme de l'espérance et de la paix ? Et encore : le Turc a-t-il agi de son propre mouvement ou n'était-il qu'un instrument ? C'est une question qu'il s'est posée. S'il a trouvé la réponse, il ne me l'a pas dite. »

Sur ce point, l'on n'est jamais sorti du cercle des hypothèses. Je ne sais s'il s'est trouvé une puissance grande ou petite pour prendre, fût-ce par l'intermédiaire de services « secrets », qui ne le sont d'ailleurs jamais tant que cela, le risque d'être démasquée dans une enquête ou un procès. Cela dit, il est certain que le Turc n'était pas seul et qu'il avait organisé sa fuite. Un *monsignore* de la Curie, qui le jour de l'attentat avait laissé sa voiture le long de la colonnade, a été invité à déguerpir par deux individus à lunettes noires qui n'ont appuyé leur sommation d'aucune carte ou insigne. Des complices ? Le *monsignore* en est persuadé. Il est peu probable que l'assassin se soit rendu seul place Saint-Pierre avec l'intention de repartir par ses propres moyens sous la protection d'une arme qui pouvait le trahir, et qui s'est effectivement enrayée après le quatrième coup de feu (c'est l'un des miracles de la journée).

Mais le professeur revient à son malade. Il a dû procéder à une colostomie excluante :

« Le saint-père a voulu une explication détaillée de l'intestin, de son anatomie, de son fonctionnement normal et de la manière dont nous avions dû compenser sa défaillance provisoire, non qu'il pensât déjà à la deuxième opération qui devait l'en délivrer, mais seulement pour se faire une idée exacte de la situation. Et dès lors il a accepté tous les actes médicaux sans discussion ni refus.

« Durant la deuxième hospitalisation, nous avons multiplié les examens, y compris cette " tomographie axiale computérisée " que nous appelons plus commodément " TAC ", et le jour où les analyses ont prouvé qu'il était cliniquement guéri, nous avons décidé de pratiquer l'opération qui le rendrait à la vie normale. Mais quand ? Fallait-il l'opérer tout de suite, malgré la récente infection de cytomégalovirus dont il était tout juste remis ? Sachant que le malade dans cet état n'est pas dans les meilleures conditions, et que le risque était grand de voir réapparaître l'infection, je lui avais dit, pensant, je l'avoue, à gagner du temps : " Votre Sainteté peut rentrer dès maintenant au Vatican. " Car il était évident que le danger irait diminuant. Mais il ne l'entendait nullement ainsi. Il ne voulait sortir de l'hôpital que redevenu ce qu'il était auparavant. Il ne voulait pas nous quitter avant la seconde opération. Aussi, le jour où nous nous sommes réunis pour fixer la date, est-il intervenu inopinément pour nous dire en substance : " N'oubliez pas que si vous êtes les médecins, je suis le malade, et que j'ai à vous faire part de mes problèmes de malade, surtout de celui-ci : je ne voudrais retourner au Vatican que complètement guéri ; je ne sais ce que vous en pensez, mais pour ma part je me sens très bien, même à supposer que les analyses disent le contraire. Je me sens tout à fait en état de supporter une nouvelle opération. " En fin de compte, il cherchait à nous bien convaincre que dans la relation entre le malade et le médecin, celui-ci ne doit pas être l'oracle qui laisse tomber ses décisions de haut. Celles-ci doivent être prises d'un commun accord, car s'il y a d'un côté le savoir et les connaissances de la médecine, il y a de l'autre ce que la personne sait et connaît d'elle-même. Nous savons cela, mais nous l'oublions quelquefois. Le rappel a été utile.

« Le pape est guéri depuis le 14 août de l'an dernier. Il n'y a eu aucune complication.

« Je dirai qu'il a été "chirurgicalement" guéri huit jours après l'attentat. Puis il y eut l'infection virale, qu'il a très bien surmontée. Après quoi la deuxième opération l'a guéri... de la maladie que nous lui avions créée : la colostomie. Le septième jour après la deuxième opération, nous lui avons enlevé les points de suture et lui avons dit : " Votre Sainteté est guérie et peut sortir demain. " Il a quitté l'hôpital le 14.

« Je l'ai " suivi " en août et en septembre après une courte semaine de repos. Je suis allé lui rendre visite à Castel Gandolfo, où il a poursuivi sa convalescence jusqu'en octobre. Nous lui avons conseillé de reprendre lentement et progressivement ses activités. Sans succès. Se sentant mieux, il ne s'est pas ménagé.

« Il est vrai qu'il avait maigri. Ce n'était pas une conséquence de l'opération, ou de l'infection, ou du travail qu'il s'est imposé tout de suite. Non. C'est nous qui lui avons suggéré de surveiller son poids. Avant l'attentat, il était trop lourd ! Un homme de plus de soixante ans doit peser plutôt moins que plus. Il a suivi un régime et s'en trouve bien.

« Le doigt ? Il a guéri spontanément, sous le contrôle du Pr Fineschi.

« Quant au résultat final, le monde entier peut en juger.

« Encore un mot : le pape travaille trop. Je le lui ai encore dit dernièrement. Ce n'était pas le médecin qui parlait, puisqu'il n'en a plus besoin, c'était, si je peux me permettre le mot, l'ami. Passé un certain âge, tout homme doit travailler dans une juste mesure, à plus forte raison quand il vient de subir un choc grave. L'excès de travail peut nuire même aux jeunes ! »

Le Pr Crucitti m'a dit tout cela entre deux opérations, deux cafés et deux cigarettes. Il me quitte sur cette observation : « Les médecins ont affaire à des malades. Mais nous, chirurgiens, pas toujours. Un individu atteint d'une hernie, par exemple, n'est pas réellement malade. C'est nous, avec l'anesthésie et l'opération, qui lui infligeons la maladie chirurgicale. Raison de plus pour que s'établissent avec lui des relations confiantes de personne à personne, et non de fiche médicale à numéro. »

Un autre grand chirurgien m'avait déjà dit un jour : « Je n'opère pas des radios. »

IV

La sœur rougit à l'idée de paraître sous son nom dans ce livre. Epargnons sa modestie. La sœur, donc, est de ces infirmières à la bonne santé contagieuse qui réussissent la quadrature du cercle en se montrant à la fois rondes et carrées. Joyeuse, pleine de vitalité, elle me fait penser à ces jardinières dont on dit qu'elles ont la « main verte », tant elles s'entendent à ranimer la plante au bord de l'extinction. Son malade a bénéficié de ce don. Elle a dû le soigner avec une dévotion énergique.

C'est une sœur de Maria Bambina. Elle va me chercher une boîte de plastique transparent où repose, comme l'orchidée du grand fleuriste, un joli bébé emmailloté à l'auréole décalée par l'oreiller :

« Vous ne connaissez pas cette dévotion à la Vierge enfant ? Dommage. Notre ordre porte un autre nom, mais on nous appelle les sœurs de Maria Bambina à cause d'une statuette miraculeuse. Voilà le salon du saint-père. Non, il n'y a rien changé et n'a pas apporté grand-chose, à part des dossiers, beaucoup de dossiers. Des vêtements ? Même pas. Il portait ceux de l'hôpital, la chemise blanche sans col avec sa petite cordelière, et la robe de chambre bleue, comme les autres malades. C'est ainsi qu'il se promenait dans son couloir. Ou dans le nôtre, pour aller à la chapelle. Nous avons une petite chapelle dans la partie du dixième étage qui nous est réservée. Quand il voulait travailler, on transportait dans le salon la table de sa chambre, qui servait aussi à dire la messe, au pied de son lit. Il était si peu exigeant ! Il ne demandait jamais rien. A son avis, on se donnait trop de mal pour lui. Naturellement, le premier jour je l'ai approché avec appréhension. Le pape ! Le lendemain c'était fini, je m'étais ressaisie. Je lui ai même dit, un jour qu'il ne voulait pas quitter son lit : " Très Saint-Père, vous *devez* vous lever pour reprendre des forces ", et il a ri : " Tiens, la sœur a perdu sa timidité. " Il sait vous mettre à l'aise avec un mot, un sourire. C'est vrai, son lit n'était pas très grand. Non, non, ce n'est pas parce que nous sommes des sœurs de Maria Bambina que nous mettons des lits d'enfant dans les chambres. Ce sont les mêmes partout, légers, avec des roulettes, c'est commode pour transporter le malade sans avoir à le faire passer sur un chariot avec tous les appareils.

« Oui, il le trouvait un peu court, mais il s'en est accommodé. Il s'arrangeait de tout. Un malade facile, facile ! Et tellement simple ! Qui aurait dit le pape, s'il n'y avait pas eu tant de personnes autour de lui ? Exact, il a été le premier à être accueilli dans cette partie du bâtiment aménagée auparavant en salles de repos pour les médecins de garde. Il nous a laissé ce tableau, cette Vierge Marie avec des malades autour d'elle, et lui qui arrive par le fond. Et cette grande image de Chestochowa sur le mur devant son lit. Non, il ne s'évadait pas dans les étages. Il franchissait souvent la clôture, là-bas, au fond du couloir, pour prier dans notre chapelle. Il faisait toujours comme ceci : à genoux sur le sol d'abord, puis, après un moment, sur le premier banc venu, le tête entre les mains. Le matin et le soir. Un dimanche, il a ouvert la porte alors que d'autres malades étaient déjà là. Quelle émotion. Il ne parlait pas beaucoup, comme tous les étrangers. Il aimait plaisanter, de temps en temps. Un jour il est sorti de sa chambre, et, ne voyant personne dans le couloir, nous l'avons entendu qui disait : " Ça y est, ils sont partis, ils m'ont tous abandonné. " Nous étions tous là, dans une pièce ou une autre, occupés à ceci ou cela, sans parler des gardes sur le palier, à l'entrée de service, à l'étage au-dessous, et au-dessus. Les vitres sont blindées, et, vous voyez, on peut les masquer par un panneau opaque. Mais il allait à la fenêtre bénir les malades du pavillon d'en face. Ceux de son bâtiment, qui ne pouvaient pas le voir, il les a fait venir le dernier soir, oui, oui, au besoin avec leur lit, ou dans leur fauteuil roulant. Non, les autres personnes blessées dans l'attentat n'étaient pas hospitalisées au Gemelli. La jeune Américaine blessée au bras est venue ici. Il a reçu l'autre au Vatican. Il priait. Il m'a dit une fois : " Le monde entier est en droit d'attendre beaucoup du pape, donc le pape ne priera jamais assez. " Non, je ne l'imaginais pas différent, peut-être parce que je l'avais aperçu ici lorsqu'il était venu rendre visite à son ami Mgr Deskur avant d'entrer au conclave. Déjà je l'avais trouvé simple. " A portée de main. " »

Comme la *Maria Bambina* dans sa châsse de cristal synthétique, qu'elle remporte avec précaution comme un vrai bébé avant de retourner à ses malades, qu'elle soignera comme des papes.

Le Pr Manni me fait penser à ces grenades qui sous une enveloppe rugueuse cachent quantité de petits grains pareils à des larmes de sang. Sa sensibilité est extrême, et au cours du récit qu'il va me faire je le verrai plus d'une fois s'interrompre pour murmurer une excuse en tournant la tête de côté et d'autre comme le plongeur suffoqué qui cherche sa respiration. Il n'a pas à « rassembler ses souvenirs », mais plutôt à desserrer leur étreinte :

« En 1967, j'avais déjà pris part à l'opération d'un pape : Paul VI, avec mon maître le Pr Valdoni. C'est moi qui ai pratiqué l'anesthésie. Mais ce n'était pas du tout la même chose. Tout était prêt, y compris le malade. Paul VI a été opéré au Vatican, dans une pièce des appartements privés que Pie XII avait fait aménager en salle de projection. Nous avons tout déménagé pour installer notre bloc opératoire : table, lampe, appareils nécessaires pour l'anesthésie et la réanimation, etc. Personne n'eût songé à envoyer le pape à l'hôpital. Nous étions moins tourmentés par l'opération elle-même, minutieusement préparée, que par la crainte d'avoir oublié, vous savez ? ce fameux " médicament-qui-ne-sert-jamais " et qui pouvait se révéler indispensable.

« Le 13 mai, la situation n'était vraiment pas la même ! Après avoir appris la nouvelle de l'attentat par la radio, j'ai rallié précipitamment l'hôpital, où le saint-père se trouvait déjà. Il était arrivé presque inconscient, épuisé par une hémorragie qui pouvait devenir rapidement mortelle, et sa tension baissait d'instant en instant. Lorsque je l'ai vu sur la table, ensanglanté, les deux bras bloqués par la transfusion et la perfusion, il m'a semblé l'image même du Christ en croix. Oui, je croyais voir le Christ crucifié.

« Je me suis penché pour lui ôter son anneau, ce que personne n'avait encore pensé à faire au milieu de l'agitation générale, et j'ai dirigé l'anesthésie. L'opération, on le sait, a duré plusieurs heures. La reconstruction de l'appareil intestinal terriblement endommagé a été très longue, compliquée par une perforation du sigmoïde qui avait entraîné une souillure de l'abdomen avec tous les dangers que cela peut comporter pendant une opération.

« Heureusement, tout s'est très bien passé. Vers minuit nous l'avons transporté en réanimation. Un peu plus tard les effets de l'anesthésie ont commencé à se dissiper. Je me suis alors incliné vers lui pour lui dire : " Très Saint-Père, c'est à vous de nous aider. Les médecins ont beaucoup fait pour vous, et maintenant ils attendent votre coopération totale pour traverser ce moment difficile. " D'un signe de tête il m'a fait part de son acquiescement.

« Il n'a presque jamais laissé échapper une plainte, et dès qu'il a pu parler, ses premiers mots ont été des paroles de remerciement, presque d'excuses pour tout le dérangement qu'il causait à l'hôpital, aux médecins, aux infirmières, à tout le personnel présent. Et il s'est rendormi.

« J'étais mort de fatigue, une foule de personnes se bousculait dans les couloirs, et j'avais à préparer le bulletin médical. Le président Pertini a profité de la confusion pour demander une blouse et pénétrer dans la chambre de réanimation ; il était tout fier d'avoir été le seul à pouvoir y entrer.

« Le pape est resté là cinq jours, les jours les plus décisifs, car il est évident que c'est durant cette période que peuvent surgir les complications. Heureusement le succès a été total. Le dernier jour, la lumière rouge du danger s'étant éteinte, nous avons transféré le pape au dixième étage. Il a demandé à me voir et m'a donné un tableau de M. Fanfani, notre président du Sénat, qui est un peintre de talent, et représentant la Vierge de Chestochowa : " Professeur, m'a-t-il dit, je vous prie d'accepter ce cadeau en remerciement de ce que vous avez fait. "

« Alors j'ai pleuré, comme je pleure maintenant.

« Ils nous a tous remerciés encore une fois. Excusez-moi. Je ne peux penser à ce moment-là sans être ému.

« Je lui dis : " Je ne vous quitterai pas, mes collaborateurs et moi nous monterons vous voir avec nos collègues de médecine générale. Vous devez être content que le danger soit passé. Quelle grande joie pour nous ! "

« Lorsque je suis revenu, il m'a rappelé cet épisode, et me voyant encore ému m'a dit : " Professeur, votre grande émotion risque de provoquer la mienne. "

« Bon. J'étais devant le pape, et il me parlait de

mon émotion, comme il devait en parler quelques mois plus tard à ma femme et à mes fils (l'un est médecin, l'autre avocat). J'en ai encore les larmes aux yeux.

« Saviez-vous que le 12 mai, veille de l'attentat, le pape avait visité le pavillon médical de la cité du Vatican ? Or, quelques mois auparavant, sur l'initiative du Mgr Fiorenzo Angelini, les médecins catholiques avaient offert une ambulance de réanimation pour secourir les malades de la place Saint-Pierre. Il y avait déjà une petite tente pour les urgences, mais ce n'était pas suffisant du point de vue médical. La nouvelle ambulance avait été présentée au saint-père à l'occasion de sa visite au pavillon : c'est elle qui devait l'emmener le lendemain à Gemelli.

« J'appelle le séjour du pape ici " mes quatre-vingt-dix jours de cloître ". Du 13 mai au 14 août, il a fallu soutenir un véritable siège, et que n'avons-nous pas entendu ! Tout le monde voulait soigner le pape, et chacun bâtissait les hypothèses les plus inattendues ou inventait un traitement de sa façon, et même quand il a été établi, pièces en main, que la fièvre du saint-père venait du cytomégalovirus, il s'en est trouvé pour essayer de nous démontrer qu'il s'agissait d'autre chose. Certes, le pape appartient au monde entier, et il est normal que le monde entier se préoccupe de lui en pareille circonstance. Mais il est pénible de voir l'incident le plus négligeable déformé et amplifié de façon fantastique, quand il n'est pas purement imaginaire.

« Cela dit, nous avons apprécié que d'éminents collègues étrangers soient venus examiner le saint-père. Il a été ainsi reconnu que l'opération avait été parfaite, et le traitement adéquat.

« Lors de la deuxième hospitalisation, j'ai été de ceux qui suggéraient de remettre la nouvelle opération à plus tard. Il faisait chaud. Nous n'aurions opéré aucun autre malade dans ces conditions. Nous lui avons dit : " Vous avez subi une grave opération et vous l'avez supportée, vous avez eu une infection et vous l'avez surmontée, c'est bien, mais il vous faut maintenant un mois ou deux de repos. Nous opérerons en octobre. "

« Mais le pape a une volonté de fer. Il ne voulait pas sortir de l'hôpital avant d'avoir retrouvé des conditions de vie normales. Je lui disais en plaisantant : " Naturellement, si Votre Sainteté tient à rester ici, elle ne sera pas mise à la porte. "

« Il répondait : " Ou bien le pape va mal et il ne peut pas sortir, ou il va bien et il doit s'en aller complètement guéri, sans handicap. " Car sa colostomie ne lui permettait pas de se sentir un homme normal.

« Il a été tenace ! Il nous plaisantait : " Qu'a dit aujourd'hui le sanhédrin ? Qu'a décidé le sanhédrin à ma place ? "

« C'est ainsi qu'il est venu à la réunion où nous devions fixé la date de la deuxième opération.

« Il a pris la parole, et il l'a gardée pendant une demi-heure ou trois quarts d'heure. Il a traité à fond le sujet des rapports entre malades et médecins. Il doit y avoir un dialogue continu entre eux. La leçon a été très belle. Il nous a convaincus. Si l'on m'avait dit avant que je céderais, je ne l'aurais pas cru. Mais on ne peut pas lui résister. Quand il a pris une décision, il s'y tient : toutes les objections ou oppositions du monde ne l'ont pas empêché, par exemple, d'aller en Angleterre et en Argentine.

« Je l'ai revu récemment à l'inauguration du nouveau pavillon de cardio-chirurgie de l'hôpital pédiatrique Bambin Gesù, sur le Janicule. Il m'a dit : " Je vous trouve en excellente forme ", à quoi j'ai répondu que j'allais justement lui faire la même réflexion. C'est un homme exceptionnellement robuste, et s'il a bien réagi après l'attentat, il le doit aussi à ses qualités physiques de montagnard.

« Il est soumis tous les jours à des efforts physiques et intellectuels énormes. Sa vie m'effraie. C'est un engagement continuel. Et penser qu'un pacifique comme lui a failli être assassiné par un terroriste ! Plaider pour la paix et être payé à coups de pistolet ! Psychologiquement, cela doit être très dur. Lui qui est si humain, si bon, qui sait si bien abolir les distances ! Un jour qu'il se promenait dans le couloir, il m'a surpris en train de pêcher des chocolats dans une boîte que venait de m'offrir une religieuse : " Tiens, tiens ! me dit-il, seriez-vous gourmand ? Comme les grands-pères et les petits enfants ? " J'ai répondu que je n'étais plus un enfant et pas encore un grand-père — mes enfants ne sont pas encore mariés —, et que je n'en aimais pas moins les chocolats. Il a ri. C'est peu de chose, n'est-ce pas, mais cela montre comme il sait se saisir d'un détail pour le faire fleurir en amitié.

« C'est un homme incomparable. Je n'oublierai jamais les jours que j'ai passés près de lui.

« Quelle aventure extraordinaire ! J'ai dit à mes fils : " Mes enfants, votre père a beaucoup de chance ! " »

D'après ce que ce père vient de me laisser entrevoir de lui-même, eux aussi.

Entre le 3 et le 24 juin, pas de bulletin médical. Celui du 3, n° 18, annonce que l'état post-opératoire évoluant de manière satisfaisante, les paramètres « clinico-fonctionnels se tenant dans les limites de la norme », le maintien du saint-père en milieu hospitalier n'était plus utile et qu'il venait de quitter la polyclinique. Le texte se terminait par un hommage des médecins à leur malade pour l'exemple de patience et de sérénité qu'il n'avait cessé de leur donner.

A ce moment les amis du saint-père, qui sont deux ou trois milliards sur cette terre, se sentent le cœur libéré.

Mais ce n'est qu'un répit. Le 24 juin, le bulletin n° 19 fait savoir qu'après une période d'amélioration des conditions générales, une forte fièvre s'était déclarée chez le malade, liée à un « processus inflammatoire pleuro-pulmonaire » qu'une thérapie adéquate avait fait régresser rapidement. Cependant, la récidive de la fièvre avait fait juger une nouvelle hospitalisation indispensable. Les examens complémentaires et la « tomographie axiale computérisée » avaient exclu les complications post-opératoires. En revanche, les analyses virologiques avaient révélé l'existence d'une infection de cytomégalovirus.

J'ai voulu savoir comment cette espèce de terroriste supplétif avait pu s'infiltrer dans l'organisme du saint-père et le faire décliner aussi brusquement. Le Pr Sanna, doyen de la faculté catholique de médecine et microbiologiste de grande réputation, commence par me décrire les symptômes du mal. Fièvre, modification de l'aspect hématologique, troubles pulmonaires et hépatiques :

« Il est heureux, me dit-il, que rien de tout cela n'ait été une conséquence de l'intervention chirurgicale, car, dans l'état où il se trouvait, le malade en eût difficilement supporté une autre. En revanche, la présence du cytomégalovirus a été décelée très vite, à partir du 20 juin.

« Il faut savoir que ce virus peut être transmis à travers une transfusion sanguine. Pendant l'opération du saint-père, une importante quantité de sang frais avait été nécessaire. Comme il appartient à un groupe particulier, il fallait plusieurs donneurs. Naturellement, nous avons une organisation pour cela, mais ce jour-là, les donneurs de sang sont arrivés de tous les coins d'Italie. Je me souviens avoir vu venir le chef des pompiers de Rome avec un certain nombre de flacons. Par malchance, l'un des donneurs devait être porteur du virus. Ces accidents ne sont pas rares. Trois virus peuvent être transmis par transfusion sanguine : l'hépatite B, la mononucléose infectieuse, le cytomégalovirus.

« Nous avons tout de suite pensé à cela et dès le premier jour d'hospitalisation nous avons fait des examens pour l'hépatite, la mononucléose et le cytomégalovirus. Les deux premiers ont été négatifs. Le troisième, positif, montrait la présence d'anticorps de la classe I.G.M., qui se forment et disparaissent rapidement, et signalent une infection récente. Par la suite, ces anticorps ont toujours augmenté pour atteindre des pourcentages très élevés.

« Les opérations de laboratoire ont été faites en un temps record. Trois jours.

« Pour isoler un cytomégalovirus en culture, nous utilisons des cellules humaines, car il s'agit d'un virus *spece-specifico* qui ne vit que chez elles. Ces cellules sont des *fibroblasts*, des cellules allongées. Le virus les dilate, c'est pourquoi l'on parle de *cytomegalia*. Il donne un *focus* que nous appelons *cytopatico*. Nous pouvons démontrer qu'il s'agit bien de cytomégalovirus en " cimentant " ce virus avec des anticorps spécifiques. C'est de cette manière que nous avons pu l'identifier chez le saint-père.

« Non, il n'existe aucun antibiotique approprié. La seule thérapie est une thérapie de caractère général, une thérapie de soutien : il s'agit d'aider l'organisme à éliminer ce virus lui-même. Les antibiotiques, si utiles pour les complications chirurgicales, ne le sont pas en pareil cas ; aussi ont-ils été supprimés, et, de fait, le malade n'a pas tardé à réagir efficacement. C'est son organisme seul qui a vaincu le virus.

« Il a d'ailleurs voulu le voir ! Je lui ai apporté les diapositives. »

Je me demande si l'on peut être sûr d'avoir eu raison de ce rôdeur de cellules, ou s'il peut ressurgir brusquement alors que l'on croit l'avoir éliminé.

« Oui, le cytomégalovirus peut persister longtemps dans un organisme et être réactivé. Mais nous avons suivi de près le saint-père et nous n'avons rien observé d'inquiétant à cet égard. Au contraire ! Quand je pense qu'il revient de Fatima, d'Angleterre, d'Argentine et de Suisse, où j'ai lu qu'il a prononcé douze discours en dix heures, je suis tenté de dire qu'il va presque trop bien : il s'impose des charges que personne au monde ne serait capable de porter, et c'est un sujet de préoccupation pour nous. Mais c'était déjà la même chose à l'hôpital. Sitôt que la fièvre lui laissait un répit, il recommençait à travailler. Nous le voyions passer avec des dossiers sous le bras, et nous avons su plus tard qu'il s'agissait de l'encyclique *Laborem exercens,* qu'il a revue et corrigée pendant son hospitalisation. »

Le Pr Sanna me raconte ensuite la fameuse séance du « sanhédrin », où le pape a fini par convaincre les médecins, qui tenaient à retarder le plus possible la deuxième opération (ne serait-ce que pour éviter les dangers d'une nouvelle transfusion), d'en fixer la date au 5 août, jour de Notre-Dame-des-Neiges, afin, si tout allait bien, d'être à Saint-Pierre le 15 août, fête de l'Assomption. Le calendrier liturgique l'a emporté sur l'agenda médical, et la simplicité de la colombe sur la prudence du caducée. Le Pr Sanna a été vivement frappé, comme tous ses confrères, par l'allocution du saint-père, que le Pr Tresalti m'a résumée de cette manière exquise : « Toute ma vie j'ai défendu les droits de l'homme. Aujourd'hui, l'homme, c'est moi. »

Après avoir vu ses médecins — tous admirables de compétence et de dévouement —, j'ai demandé à Jean-Paul II s'il se souvenait du discours en forme de doléance qu'il leur avait adressé. Il m'a répondu qu'il se sentait alors déjà fort, bien que plusieurs le crussent encore trop faible, et qu'il leur avait apporté cette information pour essayer de les aider ; qu'il leur avait expliqué comment le malade, en passe de perdre sa subjectivité, devait constamment combattre pour la regagner, et redevenir le « sujet de sa maladie » plutôt que de rester l' « objet du traitement » ; que les médecins ne sont certainement pas responsables de cet état de choses, puisqu'il s'agit d'une pure affaire de vie intérieure, mais qu'il leur faut bien prendre conscience du danger, et des efforts que la personne est obligée de faire pour se reconquérir elle-même. Ce problème de la « chosification » de l'individu se retrouve partout dans le domaine des relations sociales. C'est, selon Jean-Paul II, l'un des plus grands problèmes de la philosophie — et l'un des plus graves du monde moderne.

V

Lorsque je me rendis à Castel Gandolfo après la deuxième opération, la colline au-dessus du lac d'Albano me parut encore plus jolie que d'habitude, le soleil plus doux. A peu près déserte, la place aux parasols devant l'imposante demeure avait le charme abandonné d'une petite plage au pied d'une falaise. Les postes de carabiniers étaient doublés à l'entrée de la ville et à l'angle de la place. Mais sous le porche les suisses n'étaient toujours que deux, avec des hallebardes ni plus ni moins aiguisées que d'habitude. Dans l'ascenseur des appartements privés, je montai avec les légumes du jardin et trouvai le pape en tenue de sport, c'est-à-dire en soutane blanche sans col dur ni camail. Il venait de faire une promenade dans le parc qui s'étend sur l'autre versant de Castel Gandolfo, du côté de la mer, distante d'une vingtaine de kilomètres. Sur ces longues terrasses fleuries on se heurte à chaque pas aux restes obstinés de l'immense villa estivale de Domitien, le minuscule théâtre où les acteurs jouaient pour ainsi dire sur les genoux de l'empereur, le cryptoportique aux dimensions de cathédrale, promenoir des jours de pluie, et, çà et là, des blocs de constructions faites pour défier le temps et auxquelles le temps a donné tort en les enfonçant dans le sol à coups de talon. Le persécuteur ne savait pas que les ruines de son luxe aideraient un jour aux paisibles méditations du persécuté.

A table, on servit au saint-père un grand verre de ce qui me parut être un mélange pulpeux de jus de fruits. A la fin du repas, on avança doucement vers lui une tulipe de ce vin exquis des vignes de Loreto, qui semble couler de source à travers des roses. Les antibiotiques lui avaient fait prendre ce breuvage en aversion, et c'était sa première tentative de réconciliation. Il but son vin comme il avait bu ses vitamines, sans goût ni dégoût.

Il était très amaigri, son regard n'avait pas encore recouvré toute son acuité, et j'eus l'impression que la souffrance livrait en lui un lointain combat d'arrière-garde. On se souvient de ses paroles : dans sa jeunesse, la souffrance *l'intimidait,* et il se reprochait presque d'en être exempt, quand elle en atteignait tant d'autres.

Cette inconnue surgie des basses régions de la haine s'est présentée à lui un jour de fête et ne l'a plus quitté de longtemps. Il a fait l'expérience de son experte jalousie, qui vous isole au milieu des vôtres, et qui met entre vous et la compassion qui s'élance d'infranchissables millimètres. Sous sa griffe de feu il est passé par deux agonies successives, sans une plainte, sans autres défaillances que physiques, subissant avec une foi indemne, et comme un baptême autrefois sourdement désiré, ces deux immersions suffocantes dans l'infini.

Cependant, il n'a jamais redouté la mort.

« Non par courage, dit-il, mais parce qu'à l'instant même où je tombais place Saint-Pierre, j'ai eu ce vif pressentiment que je serais sauvé. Cette certitude ne m'a jamais quitté, même dans les pires moments, que ce soit après la première opération ou pendant la maladie virale. »

Celle-ci, pourtant, fut l'épreuve la plus dure. Pendant une semaine, il n'a pas craint de mourir, mais bien plutôt, je crois, de vivre diminué, à charge à tous et à l'Eglise. C'est mon impression ; mais cette crainte n'a pas eu raison de sa confiance. Car si son entourage, à la clinique, hésitait à parler ouvertement de miracle, il l'ose, lui, tranquillement : « Une main a tiré, me dit-il ce jour-là, une autre a guidé la balle. » La protection qui l'a sauvé de ce pas mortel, pour lui, n'est pas douteuse, et le miracle authentifié par sa date : au jour anniversaire de la première apparition de Fatima.

Il allait rendre grâces l'année suivante lorsqu'un prêtre de la race des moines ligueurs entreprit de lui livrer assaut à l'arme blanche, et échoua de fort peu. Il avait déjà la baïonnette au poing et se tenait accroupi comme le fantassin prêt à bondir de son trou, lorsqu'il fut arrêté par le chef des vigiles du Vatican. L'état d'esprit de l'intégriste qui se met en devoir de tuer un pape, c'est-à-dire de desceller la pierre sur laquelle tout son édifice doctrinal est construit, est proprement indéchiffrable. En tout cas, de la prison où celui-là fut conduit ne parvint l'écho d'aucun regret, ni de sa part, ni de la part des siens. Il est donc inexact que la famille ait sollicité une audience que Jean-Paul II se tenait pourtant prêt — et il l'avait fait savoir — à lui accorder. Avec lui, les assassins ont beau jeu. Sitôt pris, sitôt pardonnés. Sa justice n'est pas celle du Moyen Age. A un Polonais qui me confiait un jour que, si nous l'ignorions tous, il savait très bien, lui, « qui étaient ceux qui avaient armé le bras du Turc », je répondis précipitamment : « Ne le dites pas au saint-père ! Il nous obligerait à prier pour eux. » Car il n'y a en lui nul recoin où loger la rancune. L'Evangile occupe toute la place. Depuis longtemps, depuis toujours. Aussi est-il vain de se demander si l'épreuve de mai l'a changé.

« Je deviens ce que je suis », répondait Démocrite à ceux qui lui demandaient de ses nouvelles. La souffrance a confirmé Jean-Paul II dans sa foi, en le faisant pour un temps le compagnon de ces malades auxquels il lui arrive de murmurer qu'il leur confie l'Eglise, et qui sont peut-être seuls en effet à pouvoir l'aider. Par l'épreuve, il est devenu ce qu'il était et que je ne dirai pas ici, de peur que son crayon ne vienne mettre en marge de mon discours un de ces points d'interrogation qui sont sa manière discrète de me signifier son désaccord complet.

Mais tous les points d'interrogation du monde ne m'empêcheront pas d'écrire que ce pacifique est un homme qui croit assez aux hommes — y compris à ceux qui portent la main sur lui — pour leur donner envie d'y croire aussi, et assez à Dieu pour leur rendre, peut-être, le goût d'y croire avec lui.

Tel est ce pape. Les actes apostoliques, les foules et les journaux l'appellent Jean-Paul II. Mais le nom que le Christ lui donne est Pierre.

TABLE DES MATIERES

ACHEVÉ D'IMPRIMER LE 1er JUIN 1983
SUR LES PRESSES DE L'IMPRIMERIE HÉRISSEY
POUR LE COMPTE DE FRANCE LOISIRS
123, BOULEVARD DE GRENELLE, PARIS

Imprimé en France
Dépôt légal : Juin 1983
N° d'éditeur : 8080 — N° d'imprimeur : 32350